Ultima
Thule

Fusang

Maori
Windwegen

Kalifaat van de
Derde Haroen

Cibolai

Schaduwschepen

Kijk voor kaarten en illustraties, downloads en extra's op:

www.granterre.nl

Elke maand verschijnt op deze website bovendien een nieuw
Björn-en-Olgaverhaal

Tais Teng

Schaduwschepen

MYNX

Omslag en illustraties: Tais Teng

Eerste druk februari 2009

ISBN 978-90-8968-075-4 / NUR 334/284

© 2009 Tais Teng en De Boekerij bv, Amsterdam
Mynx is een imprint van De Boekerij bv, Amsterdam

PROLOOG

De kaart en de handschoen

Chicago, een jaar eerder

Ralph Harcourt was geen slecht mens. In het begin in ieder geval nog niet: hij wilde Amerika gewoon verdedigen tegen zijn vijanden. Een patriot, iemand die oprecht van zijn land hield. De kaart en de magische handschoen veranderden dat en daarna werd hij een monster.

Het kantoor van Homeland Security zat direct links van de aankomsthal. Drie minuten na de omroep stond Ralph al binnen.

'Een van de passagiers,' zei Ralphs baas. 'Zijn naam liet meteen alle alarmbellen op het vliegveld rinkelen.' Edmund trok Ralphs laptop naar zich toe en typte *'Geddit stra Poulou'* in. 'Klinkt verdacht buitenlands, eh? Precies het soort lui dat we zoeken. Pakistaans, Tetsjeens.'

'Niet Tetsjeens of Pakistaans,' protesteerde Ralph. 'Poulou klinkt Grieks en het zou een van die Cyprioten kunnen zijn, maar Geddit? No way.'

Hij klikte op beide namen, zette het identificatieprogramma aan. Als je met terroristen te maken had dan was het handig te weten met welk soort terroristen. Of je Hassan met een s of twee s'en schreef, maakte al het verschil tussen een bermbom of een zelfmoordgordel.

Vrijwel meteen vulde het scherm zich met de resultaten:

Geddit stra Poulou

Irakees:	*negatief*
Afghaans:	*negatief*
Saoedisch:	*negatief*
Colombiaans:	*negatief*
Iers:	*negatief*

De lijst schoof omhoog terwijl meer dan zeshonderd talen en dialecten werden nagezocht.

Een piep. '*Namen niet gevonden,*' knipperde op het scherm.

'Zijn naam hoort bij geen enkele taal, geen enkel land,' zei Edmund. 'Een onzinnaam. Puur verzonnen. Waaruit volgt dat zijn paspoort waarschijnlijk even vals is.'

'Jullie doorzochten zijn bagage?'

'Natuurlijk. Niks. Niet eens een valse bodem in zijn koffer. Nog geen nagelvijltje.'

'Een vals paspoort is reden genoeg om hem te arresteren.'

'We lieten hem gaan. Een lokvisje. We moeten weten waar hij bij hoort. Of er nog meer terroristen zijn binnengeglipt.'

'En?'

'We laten hem volgen. Zodra hij ergens neerstrijkt, moet jij wat oren en ogen planten. Jij bent onze beste insluiper en niemand snapt die nieuwe microfoons echt.'

'Wat valt er niet te begrijpen?' protesteerde Ralph. 'Gewoon ergens in een stoffig hoekje ophangen. Geen terrorist verwacht dat een spinnenweb hem afluistert. Maar zijn paspoort? Van welk land beweert hij te komen?'

'Holland. Iets kleins in Europa. Bungelt ergens onder de kont van Engeland.'

'Holland? Ah, Amsterdam. Vergeet hem dan maar. De helft van alle drugs wordt via Nederland verscheept. Die Poulou is gewoon een handelaartje. Niet ons terrein. We zijn Homeland Security en vangen terroristen. De Oorlog tegen Drugs laten we aan onze collega's over.' Hij streek over zijn kin. 'Of wacht eens. Een tijdje terug was het nogal makkelijk Nederlandse paspoorten te krijgen. Je zei gewoon dat je de neef van iemand was die daar al woonde en hopsa, ze plakten je foto in een gloednieuwe pas.'

Edmund schoof een foto naar voren. 'Hier heb je hem dan.'

'Mijn god, is hij echt zo lang?'

'Twee meter tien. Er zijn langere mensen, maar niet veel.'

Ralph boog zich over de foto. 'Die vreemde goudglans over zijn huid? Is dat make-up of gewoon een fout in de foto?'

'Nee, de foto's zijn volkomen kleurecht. Elke camera kost anderhalf duizend.'

'Hij mag schuine ogen hebben, een Aziaat is hij beslist niet. Ik heb daar vroeger redelijk wat gereisd.'

Ralph reed die nacht rondjes, net als de laatste drie dagen trouwens. De straten waren verlaten: om een uur of elf waren voetgangers in een Amerikaanse buitenwijk even zeldzaam als dansende pandaberen op de Zuidpool. Dorre bladeren dwarrelden voor zijn koplampen op: gele en bloedrode flitsen.

Parkeren was niet slim: binnen een minuut zag je al een hoekje van een gordijn bewegen. Een kwartier later belde een of andere malloot de politie en Ralph had een bloedhekel aan uitleggen. Bovendien hadden agenten weinig op met Homeland Security. Schurken in de kraag grijpen was hún taak, vonden ze, en misschien hadden ze nog gelijk ook. De geheime diensten hadden tot nu toe een beroerde staat van dienst.

'Hij heeft de villa net verlaten,' zei het microfoontje in Ralphs headset. 'Dit is de eerste keer. Alle lampen zijn nog aan.'

'Is er verder niemand thuis?' vroeg Ralph.

'Zeker weten. We houden het huis al drie dagen in de gaten.'

Stra Poulou had een villa gehuurd op een kilometer of twaalf van de luchthaven. In de tuin stond nog een bordje met TE KOOP en de naam van de makelaar. Sindsdien had hij vijf bezoekers gehad. Ze werden alle vijf gevolgd. Tot nu toe zonder enig resultaat. De een bleek een groothandelaar in satijnen gordijnen, de ander verkocht antieke vazen en beeldjes. De overigen waren een collectant, een jongen die kortingskaarten voor een plaatselijk Kantonees restaurant verkocht en een dame van het Leger des Heils.

'Ik kom alvast jullie kant uit,' zei Ralph.

'Hij heeft zijn auto geparkeerd voor een restaurant,' kwam de stem een kwartier later. 'Hij loopt nu naar binnen. De ober wijst hem een tafeltje. De zaak is verder bomvol. Hij moet gereserveerd hebben.'

'Wat voor restaurant?' Zelfs de kleinste feiten konden van belang zijn, helpen om je vijand te herkennen.

'De Mandarijn. Chinees.'

'Hij heeft in ieder geval niets met onze vrienden uit het Midden-Oosten te maken. In de meeste Chinese gerechten zit varkensvlees.' Hij sloeg af, trapte het gaspedaal in. 'Ik ben over vijf minuten bij zijn huis.'

Ralph stapte uit, een koffer met opzichtige reisstickers in de hand. Hij belde bij de linkerburen aan. Hij moest drie keer bellen voor hij voetstappen aan hoorde sloffen.

'Ik ben een neef van meneer Stra Poulou,' zei hij tegen de kerel die de deur opende. De man was zo kaal als een stuifzwam, met een blauwe honkbalpet en een bierbuik die over de gesp van zijn riem neerhing. Hij droeg zijn biljartkeu als een geweer over zijn schouder.

'Yeah? Wat mot je?'

Ralph schonk hem een scheve glimlach die er hopelijk verlegen genoeg uitzag. 'Ik kom hier een week logeren.' Hij hield een sleutel op. 'Toen ik van het vliegveld belde, zat hij net in het restaurant. Maar hij gaf me het adres en de sleutel.'

'Wat heeft dat met mij te maken?' zei de man. 'Waarom moest je zo'n hengst op mijn bel geven?'

'Nou, het is maar dat jullie niet denken dat er een inbreker rondsluipt in het huis naast jullie.'

'Je heb andere ogen dan je oom. Niks geen spleten.' Hij stapte naar buiten en gebaarde naar de deur van de andere villa. 'Laat zien dat de sleutel op de deur past. Je koffer kan wel vol breekijzers zitten.'

Bijna goed, dacht Ralph. Alleen gebruik ik betere spullen dan breekijzers.

Homeland Security had de sleutel van de CIA overgenomen. De CIA-lui waren dol op van die James Bond-gadgets en sommige werkten nog ook.

Zodra Ralph de sleutel in het slot stak, gleden tientallen palletjes naar buiten. Ze tastten de binnenzijde van het slot razendsnel af en vulden alle gaten. Twee, drie seconden later had de sleutel de juiste vorm en draaide Ralph hem om. De deur zwaaide open.

'Oké,' zei de man, 'je bent zijn neef. Fijn voor je.' Hij beende weg en de deur smakte achter hem dicht.

De villa was gemeubileerd, overdadig gemeubileerd, en Ralph wist vrij zeker dat het geen huisraad van de vorige bewoner kon zijn. In de tuin stonden nog drie plastic flamingo's en de brievenbus was van een schreeuwerig brandweerwagen-rood. Duidelijk iemand met een uitgesproken ordinaire smaak.

De stoelen en tafel waren juist elegant en rank, een beetje Chinees misschien. Rechts stond een manshoge kast van gewreven hardhout, met tientallen laatjes.

Ralph had een paar jaar geleden een cursus houtsnijden gevolgd en een maand of vier was hij behoorlijk fanatiek geweest. Hij bleef nog steeds een soort expert en het verbaasde hem dat hij de houtsoort niet herkende. Het had zo'n verbluffend rijke roodgouden glans. Versteende klaverhoning, ging het door hem heen. Zulke kasten staan in het paleis van een djinn.

Ralphs vingers jeukten en hij smachtte ineens naar een lekker scherpe beitel, een guts. *Ik wou dat ik een blok van dat hout had. Ik wed dat het nog harder dan ijzerhout is.*

Het koste hem de grootste moeite om de kast niet aan te raken, de mooie ge-vlamde nerf van het hout niet te strelen.

Aanraken was een doodzonde als je ergens binnensloop. Het ging niet eens meer om vingerafdrukken, een huidschilfer met DNA was genoeg.

Kijk alleen en plaats je microfoons, je camera's. *In and out*: je bent geen toerist.

In een vaas van parelmoerachtig glas prijkte een eenzame spierwitte lelie. Misschien de juiste plaats om een afluisterweb op te hangen? Vanuit de hoek kon je de hele kamer overzien.

Hij knielde naast de vaas en constateerde dat het toch geen lelie was. Deze bloem was ingewikkelder, met bloemblaadjes die op bleke vleermuisvleugels le-

ken. Ralph boog zich over de kelk: een glazen oogje staarde terug uit een nest van tentakels.

Geen echte bloem dus, kunst. Waarschijnlijk van geblazen glas. De vaas zelf was met doorzichtige slangenschubben bedekt.

Jammer dat ik geen echte inbreker ben. Ik heb nog nooit zulke mooie spullen gezien.

Hij opende zijn koffer en rolde een web uit. Het web was een uitzonderlijk gevoelige afluistermicrofoon en de dode vlieg in het web een minicamera en zendertje.

Na de vaas hing hij webben in de gang en de slaapkamer op, in de keuken.

Een laatste check: hij deed zijn oortelefoons in en schakelde naar het web in de slaapkamer over. Hij kon de wekker naast het bed duidelijk horen tikken: de afluisterapparatuur werkte.

In de deuropening bleef hij stokstijf staan. Bij een inbraak stonden al je zenuwen op scherp en hij wist dat er iets veranderd was, verschoven. Zijn blik viel op het schilderij met zilveren krullijst en zijn adem stokte in zijn keel.

Het was olieverf en hij had het al eerder bewonderd: een uitzicht over een drooggevallen haven. De vissersbootjes lagen schuin gezakt in de modder en een zwerm meeuwen pikte in een mosselbank. Het was eb geweest, overduidelijk eb.

Nu dreven de boten fier rechtop naast de kade en de vloed vulde de haven. Meeuwen zwierden door de hemel.

Hij liep naar het schilderij, met stijve, ongelovige passen. De olieverf was antiek, vol minuscule barstjes. De laklaag was vergeeld.

Een beeldscherm? Een soort superscherpe digitale fotolijst?

Hij raakte het doek aan.

'U bent mijn eigenaar niet.'

Shit, een alarmsysteem!

'U bent mijn eigenaar niet.'

Het was een zeldzaam onaangenaam schril stemmetje. Bijna alsof een krekel sprak.

'Geef het Ware Woord.'

Het Ware Woord, dacht Ralph. Het wachtwoord?

'Ik, eh…'

'Geef het Ware Woord. Laatste kans.'

'Geddit?' Laat hij net zo klungelig zijn als al die andere digibeten, bad hij, en zijn eigen naam als wachtwoord gebruikt hebben. 'Geddit stra Poulou?'

'Het Ware Woord werd niet gesproken. Ontladen gestart.'

De vaas werd prompt doorzichtig, verdween. In de zilveren lijst hing een lege doek van vergeeld linnen. De kast zakte ritselend in elkaar tot gortdroge houtmolm.

'Nee,' fluisterde Ralph, 'nee.'

Hij snelde het huis door. Geen spoor van het hemelbed met de zijden lakens waarop gevleugelde makrelen geborduurd stonden. De gordijnen met de sierrand van zwarte parels, de staande klok met zijn talloze wijzerplaten: weg. Niets wees er meer op dat Stra Poulou deze villa ooit bewoond had.

Hij goot een handvol houtmolm in een plastic zakje. Louter voor de zekerheid: hij verwachtte er weinig van.

Zijn paniek ebde weg. Het had geen zin om als een kip zonder kop rond te rennen.

Buiten zette hij zijn mobieltje aan en riep de mannen op die Stra Poulou schaduwden.

'Harcourt hier. Zit hij nog steeds in het restaurant?'

'Klopt. Het hoofdgerecht werd net opgediend. Jeff hier is een kenner en hij zei dat het pekingeend is.'

'Arresteer Stra Poulou. Nu! Dit is groter dan we ooit hadden kunnen denken. Gevaarlijker.'

Magie, dacht hij. Ze hebben *werkende* magie. Of anders het soort supertechnologie dat regelrecht uit een vliegende schotel gesloopt is. Bovennatuurlijk of buitenaards.

'Jij bent de baas.'

'Jullie zijn nog steeds met zijn vieren?'

'Yep. Hij kan nergens heen. Alle uitgangen… Wacht. Hij staat net op. Slentert naar de wc.'

'Naar binnen! Nu!'

Ze belden vijf minuten later terug. Zo laat dat hij al begreep dat de arrestatie mislukt moest zijn.

'Ik begrijp er niets van,' zei Jeff. 'Gail stond buiten, bij het raampje. Het toilet was leeg toen we de deur van het hokje opentrapten. Zo'n klein raampje, man, daar kon alleen een vleermuis naar buiten vliegen. Het is volstrekt onmogelijk dat hij kon ontsnappen.'

Zich in een vleermuis veranderen? dacht Ralph. Waarom ook niet?

Hij bleef op de deurmat staan, zijn hand al op de kruk.

'Ontladen gestart,' had het schrille stemmetje geroepen. Hier in huis was alle magie uitgewist, maar als magie iets volkomen normaals is, gebruik je het natuurlijk gedachteloos. Zelfs een wegwerpkoffielepeltje kon betoverd zijn. Zodat het automatisch roerde. En zodra het begon te haperen, mikte je het weg, even gedachteloos.

Hij snelde de keuken door, de tuin in. Naast de kartonnen doos met HANDLE WITH CARE stond een groene vuilniszak.

Hopelijk denkt dat rare wezen, die huisgeest, net als de meeste mensen. Zodra je je afval buitenzet, is het jouw probleem niet meer.

Ralph schudde de zak op de vloer van de huiskamer leeg. Het huis voelde vreemd leeg, het echode. Bij het binnenkomen had Ralph de magie niet bewust gevoeld, het ontbreken was echter onmiskenbaar.

Witte hamburgerdoosjes rolden over de vloer, een ingedroogde prei, kranten. Twee lege bierblikjes en een dozijn gebruikte koffiepads.

Een kaart. Een oude, uitgescheurde landkaart en beslist magisch. Als je eenmaal magie ontmoet hebt, herken je het meteen. Het was een teleurstellend dunne kaart, amper dikker dan een reclamefolder.

Met trillende handen vouwde Ralph de kaart open. Het was een wegenkaart, hoewel eentje op een onbruikbaar grote schaal. Je kon alleen de hoofdwegen zien. In het centrum lag Chicago, rechts de grote meren. Bij de derde keer openvouwen, dook de oostkust op. Na twaalf keer openvouwen reikte de kaart al tot Afrika en was hij zo groot als een biljarttafel.

Ralph bleef de kaart openvouwen, twintig keer, dertig keer. De kaart bedekte de volledige vloer van de huiskamer. Voorbij de noordpool doken nieuwe onbekende continenten op. Ze waren zo kolossaal dat Noord- en Zuid-Amerika niet meer dan eilandjes leken.

Het was een onmogelijke kaart: voorbij de noordpool dook je weer omlaag langs de aardbol, maar deze kaart liet een veel grotere wereld zien. Een aarde waarbij alle bekende oceanen niet meer dan een vijvertje waren.

Dus daar komen ze vandaan, dacht Ralph, van eindeloos ver, van voorbij al onze horizons.

Het enige andere magische voorwerp was een handschoen, een versleten rechterhandschoen waarvan de lichtblauwe vulling door een scheur naar buiten puilde. Het was volkomen duidelijk waarom Stra Poulou hem afgedankt had.

Zodra hij de handschoen aantrok voelde Ralph een lichte tinteling in zijn vingers, hoewel dat evengoed verbeelding kon zijn.

Een magische handschoen, ongetwijfeld. Alleen wat was de kracht? Kon hij als Spiderman tegen de muren opklimmen of een biljartbal tot gruis knijpen?

Hij liep naar de muur en spreidde zijn vingers tegen het behang. Zijn arm zonk prompt tot zijn schouders in het beton weg.

Ralph rukte zijn arm terug.

Ik merkte totaal geen weerstand. Of die stenen muur niet meer dan een mistbank was. Hij staarde naar de handschoen en zijn hele lijf werd ijskoud van verwondering en angst. *Je kunt dwars door muren heen lopen, door de stalen deur van een bankkluis reiken… Geen gevangenis kan je ooit vasthouden, geen geheim is veilig voor je.*

Hij begreep nu hoe Stra Poulou ontsnapt was: de man was domweg de muur ingestapt zodra ze de deur van de wc forceerden.

Het zijn magiërs, dacht hij, bijna even machtig als goden. Ze zijn gevaarlijker dan de Russen vroeger, dan alle terroristen en drugshandelaars bij elkaar. Deze keer hebben zij de beste wapens.

Hij rechtte zijn rug. Het is nog niet te laat. Nu weten we het, we weten dat magie werkt en we hebben twee prototypes. We laten er onze beste geleerden op los en binnen de kortste tijd hebben we onze eigen magie. Amerikaanse magie.

'Edmund is in vergadering,' zei zijn secretaresse. 'Ik kan hem onmogelijk storen.'

'Hoe lang in vergadering? Met wie?'

'Sorry. Dit is een open lijn. Ik mag je dat niet zeggen.'

'Ik wil hem spreken.'

'Is het een noodgeval?'

'Niet meteen, maar wel behoorlijk belangrijk.'

'Morgen. Morgen om negen uur ben je de eerste. Ik heb het genoteerd.'

Ralph lag alleen in zijn bed te woelen. Hij was niet getrouwd, hoewel hij het twee keer geprobeerd had. Geheim agenten zijn niet romantisch, eerder lui die in vuilnisbakken rondwroeten en je nooit iets over hun werk mogen vertellen. Om de een of andere reden vonden vrouwen vooral dat laatste onverdraaglijk.

Het was half een en hij voelde nog geen spoor van slaap. Ten slotte trok hij de handschoen weer aan en tastte in de muur van zijn flat rond. Elektriciteitsleidingen lieten zijn vingertoppen jeuken, ontdekte hij. Waterbuizen gaven een vreemder effect, alsof het water dwars door zijn hand stroomde.

Hij trok zijn handschoen uit. Interessant, maar hij was geen geleerde, geen technicus. Dit was geklooi, louter voor zijn eigen plezier. Laat het onderzoek aan hen over. Straks molde hij de handschoen nog.

Ga slapen, zei hij tegen zichzelf. Morgen moet ik helder zijn.

Edmund zat achter zijn bureau met een piepschuimen beker Starbuckskoffie in zijn hand. 'Het was belangrijk zei je?'

'Ja, Stra Poulou is geen terrorist. Hij is iets veel gevaarlijkers. Een magiër. Iemand met bovenmenselijke krachten.' Hij hief een hand op. 'Nee, laat me uitspreken.'

'Ik zei niks.'

'Ik zal het demonstreren.' Ralph trok de handschoen aan. 'Zie je deze handschoen? Ik groef hem uit zijn vuilniszak op.'

'Ja?'

'Nu ga ik mijn hand dwars door het bureaublad steken. Het stalen bureaublad.'

Hij bracht zijn hand omlaag en zijn vingers klapten gemeen dubbel terwijl zijn knokkels tegen het blad sloegen. Ralph slaakte een kreet van pijn, schudde met zijn hand.

'De magie moet opgebruikt zijn. Weggelekt.' Zijn stem had een klaaglijke ondertoon. Hij frommelde in zijn jas. 'De kaart. Ik kon hem uitvouwen. Minstens honderd keer en hij toont de landen achter de horizon. Waar zij vandaan komen!'

'Zij?'

'De magiërs!' Hij smeet de kaart op het bureau, vouwde hem open. Het ging precies drie keer.

'Ook leeggelopen? De magische batterij van je magische kaart?' Edmund leunde achterover. 'Wat wilde je me eigenlijk vertellen?'

'Zijn huis zat bomvol magie! Ze kunnen overal komen. Al onze geheimen stelen!'

Ralph wist dat het onverstandig was om tegen je baas te schreeuwen. Vooral als je dingen schreeuwde die als klinkklare nonsens klonken.

'Ga naar de kantine. Drink een kop sterke koffie, bestel een donut. Bestel er vijf. Goed voor je bloedsuikerspiegel. Maakt je helder.' Hij keek over zijn horloge. 'Morgen spreek ik je weer. Als je wat kalmer bent.'

'Goed.'

Het kwam niet meer goed. Natuurlijk niet. Labiel, onbetrouwbaar: het zijn vernietigende woorden. Als je Amerika tegen al zijn vijanden wilt verdedigen, heb je geen behoefte aan idioten die over magie raaskallen.

Toen ze hem ontsloegen, kreeg Ralph nog drie maanden loon doorbetaald. Wat zonder meer gul te noemen was. In veel andere staten hadden ze hem in een donker steegje opgewacht, met een stiletto of een revolver. Geheime diensten houden niet zo van losse eindjes.

Ralph had altijd goed met internet om kunnen gaan, een echte whizzkid, een webnerd. Een middagje werk en hij had advertenties op zo'n duizend sites geplaatst. Als spam werd zijn bericht bovendien naar een half miljoen gestolen mailadressen doorgestuurd, een truc die een Russische hacker hem geleerd had, een paar jaar terug toen ze zo'n last van Tetsjenen hadden.

'Een kaart die je eindeloos kunt uitvouwen, een handschoen die door een stenen muur reikt. De naam Geddit stra Poulou. Zegt dit je iets, zegt ook maar één van die zaken je iets, klik dan *hier*.'

'Geddit stra Poulou.' Hij kreeg een stortvloed van reacties. De meeste antwoorden waren onbruikbaar. Behalve in magische handschoenen geloofden de afzen-

ders helaas ook in Atlantis, neergestorte vliegende schotels, de genezende kracht van edelstenen en het monster van Loch Ness.

Toch bleven er een stuk of twintig over, verrassend genoeg bijna allemaal voormalige agenten van diverse geheime diensten. Ze waren op dezelfde muur van ongeloof gestuit als Ralph. Een half dozijn had op tijd zijn mond te weten houden en was niet ontslagen.

'Mijn naam is Timur al-Rashid,' zei zijn bezoeker.

Een Arabier! dacht Ralph, en hij rukte bijna zijn automatisch uitgestoken hand terug. Hoe kan ik hem in vredesnaam vertrouwen? Nee, onzin. Dit is veel groter dan onze wereld, veel groter dan christendom of islam. Vergeleken met de magiërs zijn we zo goed als buren, broeders.

'Ik weet waarover je spreekt,' zei Timur en hij stak zijn linkerhand pardoes in de muur. Toen hij hem terughaalde, zag Ralph dat de man een dunne kalfsleren handschoen droeg. 'Het zijn onze vijanden,' verklaarde Timur. 'Van heel de mensheid. We moeten ze bestrijden met alle middelen, ze uitroeien als kakkerlakken!'

Ralph knikte heftig. 'Ja, ze uitroeien als kakkerlakken!' en dat was het moment dat hij het heilige vuur voelde opvlammen en niet langer een goed mens was. Toch was hij nog steeds geen monster. Daar was meer voor nodig.

'Jij weet een naam en je kunt met computers omgaan,' zei Timur. 'Ik heb kapitaal. Al de thalers, eh, eurodollars die je kunt wensen. Samen zullen we ze vinden.'

Boek 1

Cirnja van de Wijdere Wereld

1

Utrecht

Vlak voor ze achter de verhuiswagen aan rijden, komt Rita aanrennen. Ze heeft haar hoge hakken aan, ziet Marek, de rode pumps die ze anders alleen naar een schoolfeest draagt. Haar blauwe rok is ook opvallend kort. Bijna kort genoeg om voor *beautiful bitch* in een gangsta-rapnummer te spelen.

'Marek?' zegt Rita. 'Je gaat toch niet zomaar weg? Dat kan toch niet?'

Marek stapt uit de auto. 'Maar gisteren dan? We hadden toch al…'

Rita slaat haar armen om hem heen en perst haar lippen op de zijne, kust. 'Ik wil echt afscheid nemen!'

Hun kus duurt veel langer dan anders, bijna te lang. Rita's blonde haar kriebelt tegen zijn wang en ineens vindt hij het irritant. Al die blonde krulletjes! En zo overdreven zoenen hoeft toch niet? Wat denkt Rita ermee te bereiken? Dat hij hier in zijn eentje achterblijft? Hij voelt haar borsten verend tegen zich aandrukken en voor het eerst is daar niets opwindends aan.

Marek maakt zich uit haar omhelzing los, veegt haar lippenstift steels van zijn mond. 'Ik bel je zodra we aankomen. En ik kom zo snel mogelijk langs.'

'Heel vaak, ja. Je komt toch heel vaak langs?' Haar stem klinkt een beetje hees. Zo droevig. Nee, sip, dat is het juiste woord.

'Ja, heel vaak,' belooft hij en hij weet dat het een leugen is. Het is voorbij, op, hun hele verkering. Rita lijkt hem ineens vlak, als een foto waarvan de kleuren verbleekt zijn. Wat heeft hij toch ooit in haar gezien?

Het is net alsof Marek weggestapt is, niet alleen van Rita maar ook van zichzelf en nu recht in zijn eigen hoofd kan kijken. Zijn gedachten zwemmen rond als goudvissen in een doorzichtige schedelkom en erg fraaie goudvissen zijn het niet. In het dorp was Rita een van de mooiste meisjes, maar ze blijft hier achter. Hij gaat door naar de stad, waar alles anders is, groter en harder. Als hij blijft omkijken, verdrinkt hij in zijn eigen verleden. Zo eenvoudig zit dat.

Er zijn daar ook meisjes, fluistert een verraderlijk stemmetje in zijn hoofd, gloednieuwe meisjes. Spannender. Die je niet al je hele leven kent. Hij voelt een steek van opwinding, van gretige verwachting, en meteen heeft hij de pest aan

zichzelf. Ik bel haar, neemt hij zich voor. Ik schrijf haar. Minstens tien brieven. Twintig.

'Ja?' zegt zijn vader met een stem als een roestige scharnier. 'Kunnen we vertrekken? Zijn de jongelui uitgelebberd?'

Onderweg passeren ze het bierkot onder de wilgen en Marek wordt bijna sentimenteel. De eerste keer dat hij dronken werd, een hele beker jenever die Gerben hem opdrong. Gerben dronk eerst zelf een beker, maar dat bleek later water te zijn geweest.

Mareks vader gaf hem de rest van de maand huisarrest toen Marek zijn maag in de afwasbak leegkotste... Mooie tijden, ja. God, wat was hij naïef en jong, een jaar geleden.

Hij draait zich om op de achterbank. De rood-wit-blauwe caravan ziet er ineens zo verbluffend klein uit. Het is bijna ondenkbaar dat ze daar met zijn vijftienen in pasten.

'Utrecht,' zegt zijn moeder. 'Een nieuw begin.'

Mareks vader snuift. 'Van wat? We hebben niks meer, mens. De bank groef het land zo ongeveer onder mijn voeten weg.'

'We hebben toch nog spaargeld? En ik kan zelf ook een baan zoeken.'

'Wie zit er nu op jou te wachten?'

Marek houdt op met luisteren en doet zijn oortjes in. Een rapnummer van Don X. Knekelbeen smakt tegen zijn trommelvliezen.

'*Noem me Don,*
noem me X,
noem me Knekelbeen!
Zo'n grafkoele gozer als ik
rapt er geen een!
Ik heb gouwe klauwe,
van mijn botten
ken je huizen bouwe
en mijn tanden zijn meters langer
dan de jouwe!'

Hij tikt het ritme op zijn knie en zingt de tekst geluidloos mee.

'Ik zie de Dom!' wijst zijn moeder een uur later.

'Bof jij even,' knort Mareks vader.

Marek ontdekt na enig zoeken een stomp grijs streepje. Alsof de hele stad zijn middelvinger opsteekt, denkt hij. Rot op, boertje.

Niemand spreekt meer tot zijn vader bij hun nieuwe flat stopt.

'Nou, dat is het dan. Ons nieuwe huis. Niet eens een achtertuin.' Hij klakt met zijn tong. 'Misschien kunnen we bieten op het balkon verbouwen?'

Mareks moeder keert zich om naar Marek. 'Over twee dagen is de vakantie voorbij en begint je nieuwe school. Je moet je boeken nog kaften. Ken je het rooster al?'

'Ik ben er al een keer langs geweest, weet je nog? En ik denk niet dat ze hun boeken hier kaften.'

In de struiken liggen opengescheurde vuilniszakken, ziet Marek, en de roestige droogtrommel van een wasmachine. Nu ja, dat is weer eens wat anders dan elzenkatjes en wilde ganzen. Aan de overkant staat een groep jongens hen aan te staren. De meesten zijn een stuk bruiner dan hij en niet eentje is er blond.

Op hun huisdeur staat graffiti gespoten. FOCK YO! in gifgroene druipletters.

'Spellen kunnen ze hier ook al niet,' zegt zijn vader.

2

De bel ratelt voor de laatste keer als Marek het verlaten schoolplein op stuift.

Handig, denkt hij, echt handig, verdwalen op je eerste schooldag.

De stalling is bomvol: overal schots en scheef neergekwakte fietsen. Marek ramt zijn voorwiel in de enige vrije klem. Dit is vast de rij voor leraren. Jammer dan, er is nergens anders plaats.

Hup, hup! Ketting om het wiel. Klik het hangslot vast.

'Dit is de grote stad,' had zijn vader gewaarschuwd. 'Draai je om en foetsie is je fiets.' Hij luistert niet graag naar zijn vader maar daarin heeft hij vast wel gelijk. In het dorp was er maar één straat die goed mis was maar hier woont het tuig overal.

De snelbinder knalt tegen zijn vingers als hij zijn tas lostrekt.

'Shit met slagroom!' Marek wappert woest met zijn hand. Met een pesterig klikje springt zijn schooltas open: al Mareks gloednieuwe schriften en boeken schuiven over de natte tegels. Zijn calculator stuitert onder een scooter weg.

Hij sist van ergernis. Wat een rampdag! Was ik maar nooit opgestaan. Of nooit geboren, dat was nog beter geweest.

De gangen krioelen van de leerlingen: ze joelen, duwen en stompen. Een laars vliegt door de lucht, smakt in een plantenbak neer. Niet dat het schade aanricht. Alle planten zijn verdord tot bruine sprieten.

De moed zinkt Marek in de schoenen. Zo veel wilde kinderen en ik ken er niet één van.

In het dorp zaten de basisschool en de middelbare in hetzelfde gebouw en er stonden altijd twee juffen bij de hoofdingang. De leerlingen wandelden in een keurige rij naar binnen zodra de bel ging.

Met glimlachende juffen kom je er hier niet. Je hebt eerder een stel dierentemmers nodig.

Hij mist zijn vorige school ineens vreselijk.

Zelfs de geur is hier verkeerd. Zo akelig chemisch, alsof de vloer met azijn en zoutzuur gedweild werd.

In de hal kijkt Marek om zich heen. Groep 4B. Derde gang rechts was het toch?

De vorige maand was Marek op een vrijdagmiddag met zijn ouders op de school langs geweest. Zijn mentor had hem rondgeleid door de lege school.

'Maak je maar geen zorgen, Marek,' had meneer Peeters gezegd. 'We gooien je heus niet meteen in het diepe. Ik ben straks je aardrijkskundeleraar en stel je wel voor aan de rest van de klas. Vertel je hun namen, eh? Als je ze een beetje kent, zijn het best aardige jongens en meisjes.'

Marek begreep perfect in wat voor klas hij gedumpt zou worden. Ze zijn best aardig. Als je ze een beetje kent. Dat beweren hondenbezitters ook altijd wanneer hun buldog met jouw afgebeten hand wegrent.

Deuren slaan en in een oogwenk worden de gangen alarmerend leeg en dood-stil. Marek versnelt zijn pas, begint te rennen. Elke voetstap kaatst door de gan-gen en versterkt zijn paniek.

4B. Eindelijk. Het nummer zit tegen de ruit geplakt, op een stukje gescheurd karton.

Hij duwt de deur open. 'Sorry. Ik…'

De leraar draait zich om van het bord.

'En wie mag jij wel wezen? De les is vijf minuten geleden begonnen, jongeman.'

Het is meneer Peeters niet. Marek heeft deze leraar nooit eerder gezien. Niet zo vreemd: volgens het rooster zouden ze vandaag met Frans en niet met aard-rijkskunde beginnen.

Ik kan dat voorstellen wel vergeten.

'Marek heet ik. Marek van Dessen. Dit, dit is 4B toch?'

Hij kan wel janken. Dit is erger dan hij zich voorstelde en het stomste is dat hij zich zo belachelijk klein voelt. Alsof hij teruggezet is naar de brugklas.

'4B, tja dat klopt, Mark. Je zou denken dat een leerling na een jaar of vier zijn klas wel kent.'

'Ik ben nieuw,' zegt Marek. 'Meneer Peeters, hij zou me…'

'Jouw meneer Peeters ligt met een gierende griep in bed. Die zien we de eerste week nog niet.' Hij tikt met het krijtje tegen zijn ondertanden. 'Nieuw hier dus. Nou, Mark, zoek een plaats zou ik zeggen. Dan kan ik doorgaan met mijn les.' Hij draait zich weer om.

Marek blijft verstijfd op de drempel staan.

Alle kinderen kijken naar hem: de jongens zijn allemaal een kop groter dan hij en de meisjes lijken veel te volwassen. Minstens achttien en onbeschrijflijk mooi. Naar hem kijken is trouwens niet de juiste beschrijving: gretig gluren is het meer. Marek had liever in een kring hongerige wolven gestaan.

Naast een jongen met een kaalgeschoren kop is een tafeltje vrij. Hij grijnst naar Marek en tikt dan met zijn duim tegen zijn neuspunt. Marek heeft geen flauw idee wat het betekent. Erg vriendelijk komt het in ieder geval niet over.

Een Turks meisje raakt de schouder van een vriendin aan. Ze barsten allebei in een schaterlach uit.

Ik heb het verpest, denkt Marek, volkomen verknald. De eerste indruk in een nieuwe groep is het belangrijkst. Eens een oen, altijd een oen. Zo werkt dat.

'Hier is nog een stoel vrij, Marek.' Achter in de klas komt een meisje overeind. Ze geeft een klets op het tafelblad naast haar. 'Let niet op die giecheltrutjes. Die kunnen nog niet praten.'

Marek loopt haastig de klas door. Het meisje is als een reddingboei.

Ze glimlacht naar hem. Het is een echte glimlach, open en gemeend. Geen grijns zoals bij de jongen.

Haar ogen staan iets schuin, ziet hij, al is ze beslist niet Chinees of Japans. En die glans op haar bruine huid: het lijkt alsof haar vel met goudstof bestoven is.

Zo prachtig vreemd, denkt Marek. Ze zou zo uit een game gestapt kunnen zijn. Een vurig elfenmeisje, een ninjagirl. Het idiote is dat hij haar lijkt te herkennen, het soort herinnering dat tegelijkertijd kristalhelder en vluchtig is, als het gezicht van een geliefde uit een intens kleurige droom.

'Ik heet Cirnja,' zegt ze. 'Met een C.' Ook de naam is perfect. Net exotisch genoeg maar niet zo raar dat je je tong verzwikt.

'Ik ben…'

De leraar klapt in zijn handen. 'Kunnen jullie namen tot de pauze wachten, Mark? Ik zou graag met de les doorgaan. Sommige leerlingen…'

'Hij heet geen Mark, meneer,' zegt Cirnja met heldere stem. 'Ik ben bang dat u zijn naam verkeerd verstaan heeft. Het is Marek, meneer, em, ah, er, ee, ka.'

'Ah,' zegt de man. 'Marek dus. Ja.' Hij weet zich duidelijk geen raad met zijn figuur.

Goede truc, denkt Marek. Cirnja's opmerking was beslist brutaal, maar het klonk zo beleefd. Al dat gemeneer en 'u'. Die kerel kon onmogelijk boos op haar worden. In ieder geval niet zonder zelf af te gaan.

'Zo,' zegt iemand achter Marek, 'Cirnja heeft ook een kerel gevangen.'

Niet omkijken! Terugschelden heeft geen zin.

'Dat klopt,' zegt Cirnja. 'Wanneer zien we jouw vriendin trouwens, Arkan? Of moet je vader er eerst eentje voor je bestellen?'

Een golf van gegrinnik rolt door de klas.

'Laat je nooit in de vinnen bijten,' fluistert ze in Mareks oor. 'Als iemand een kiezel gooit, smijt dan een gietijzeren anker terug.'

'Ik zal mijn best doen.'

Het voelt niet langer als een pechdag. Absoluut niet meer.

3

Als de bel voor de kleine pauze gaat, voegt Cirnja zich bij hem. 'Kom op. We steken de straat over naar de school van mijn zusje. Op de rand van de zandbak zit je daar prima.'

De zandbak is inderdaad privé: er valt geen kleuter te bekennen. Veel te veel kattendrollen. Toch zit je daar inderdaad prima, tenminste zolang je op je voeten let en niet te diep inademt.

'Ze keken dwars door me heen,' klaagt Marek. 'Doen ze altijd zo? Of komt het doordat ik nieuw ben?'

'Geen flauw idee. Ik woon pas een maand in Utrecht.' Ze wrikt haar broodtrommel open met een paars gelakte nagel. Op de deksel glinsteren honderden opgeplakte glazen schelpjes. Ze snuift de etensgeur genietend op. 'Pannenkoeken met mossels en gefrituurd zeeanemoon. Wat heb jij te bikken mee?'

'Een boterham met niks. En de boterham zelf lukte ook niet erg. Mijn wekker liep te laat af.'

'Ik bak altijd genoeg voor twee. Je weet nooit wat voor lui er bij je aanspoelen.' Ze vist twee houten bordjes uit haar schooltas. 'Vingers of stokjes?'

'Ik doe het wel met mijn vingers,' zegt Marek. 'Met stokjes prik ik vast in mijn oog.'

'Je zou het toch echt een keer moeten leren. Met je vingers eten slaat toch nergens op? Ik bedoel, ik schrijf toch ook niet met mijn mond?'

Ze steekt twee kaarsjes aan. De geur van jasmijn en smeulende peper waait over de speelplaats.

Kaarsen in de pauze? denkt Marek. Hoort dat zo in de stad? Of nee, dat doet ze natuurlijk vanwege de drollen.

Cirnja blaast de lucifer uit. 'Waarom moest jij naar deze waardeloze rotschool?'

Marek zucht.

'Dat was een diepe,' zegt ze. 'Die borrelde zo ongeveer van de bodem van de zee op, vol slijk en verdriet. Kijk, je hoeft mij niet…'

'Nee, het is wel goed. Zie je, mijn ouders hadden een boerderij. Of eigenlijk mijn vader, want mijn moeder heeft niks met varkens. We moesten al het land verkopen omdat er een nieuwe wijk kwam. De boerderij mocht blijven staan. Handig: een boerderij zonder land. Bovendien was de boerderij eigenlijk al van de bank. Schulden.'

'Een boerenzoon. Een boer is bijna even goed als een matroos!' Ze tuit haar lippen. 'Je kunt vast prima met dieren omgaan. Ik wed dat je al hun talen spreekt!'

Al hun talen spreekt? denkt Marek. Wat hebben sommige mensen toch een rare ideeën over boeren.

'We zagen de dieren amper. Onze varkens stonden in van die nauwe hokjes. Ze kwamen nooit buiten. Eigenlijk was onze computer nog het meest de echte boer. De computer liet water en voedsel in hun troggen lopen, spoelde hun poep weg.' Hij schudt zijn hoofd. 'Nee, het laatste, allerlaatste dat ik wilde, was later zelf boer worden.'

'Hadden jullie dan helemaal geen vrije dieren? Niemand om tegen te praten?'

'Mijn moeder hield drie krielkippen. In een hok op het erf. Soms liet zij die door de huiskamer lopen.'

'Verse scharreleieren op je hoofdkussen,' knikt Cirnja. 'Gaaf.'

'Dat deden ze eigenlijk nooit, eieren leggen bedoel ik. Ik denk omdat er geen haan bij was.' Ik wou dat mijn ouders een spannender beroep hadden gekozen, denkt hij. Postbode of straatveger.

'En jouw ouders?'

'Mijn vader is schipper,' zegt Cirnja. 'De wilde vaart. Elke lading, iedere haven.' Ze spreidt haar armen. '*Samlad ker, arived nem!*' Haar stem schalt over het schoolplein. 'Dat staat op ons briefpapier,' voegt ze toe.

'En je moeder?'

'Mijn moeder is verdronken. Hopen we. Of verslonden door een hamerhaai.'

Ik en mijn grote waffel, denkt Marek. Hij slikt, zoekt naar de juiste woorden, maar die zijn er natuurlijk niet. 'Het spijt me,' zegt hij zacht en hij weet zeker dat hij het verknoeid heeft bij de enige die met hem wil praten.

'Het spijt mijn moeder vast niet.' Ze grinnikt. 'Zeelieden zijn anders dan boeren, snap je. Wij sterven niet graag in bed: liever een haaienmaag dan een gat in de zompige grond!'

'Is dat je nieuwe oeluk, Cirnja?' piept een stemmetje van boven. 'Of gaan jullie kussen?'

Een meisje zit boven in de straatlantaarn, helemaal op de kap. Haar benen bungelen aan weerszijden.

'Je zusje?' vraagt Marek en hij probeert zo nonchalant mogelijk te klinken.

Het meisje heeft zulk blond haar dat het bijna wit lijkt, ziet hij. Toch is ze beslist familie van Cirnja: dezelfde schuine ogen, net zo'n wonderbaarlijk gouden huid.

'Nee,' zucht Cirnja, 'een lastig aapje. Mijn vader heeft het ergens op de kop getikt.'

'Je bent zelf een getikte aap!' joelt het zusje. 'Kissie kus dan!'

'Moet ik een rauwe zee-egel in je snavel rammen?' roept Cirnja terug.

'Cirnja's oeluk is een kleihapper!'

Cirnja gaat weer zitten. 'Let maar niet op Senni. Als je niks terugzegt, houdt ze vanzelf op. Soms.'

'Oeluk, oeluk!' zingt Senni. 'Cirnja heeft een oeluk!'

'Kleine zusjes!' zegt Cirnja. 'Ze zijn erger dan haakmeeuwen.'

Marek vraagt maar niet wat een 'oeluk' is. Net als 'kleihapper' valt dat niet moeilijk te raden.

4

'Zullen we door naar mijn huis?' vraagt Cirnja na school. 'Het jouwe is ook goed. Ik heb nog nooit een krielkip geaaid.'

'Niet naar mijn huis!' Hij grabbelt naar het mobieltje onder in zijn tas. 'Ik bel ze wel.'

Hij ziet het al voor zich. Zijn vader die voor de tv hangt met een gezicht als een verzuurde aardappel. Zijn begroeting is in het beste geval een knor: zelfs de varkens klonken vroeger vrolijker.

Of zijn moeder die mismoedig door de huis-aan-huisblaadjes bladert. Als voormalig boerin en huisvrouw kan ze hoogstens een baantje als schoonmaakster krijgen.

Zijn vader neemt op.

'Van Dessen. Wat nu weer?' Zijn stem klinkt doodmoe en geërgerd. Alsof hij om de vijf minuten door een andere idioot wordt gestoord.

'Hoi, pa. Ik ga met iemand van school mee.'

'O. Tja. En je blijft daar natuurlijk eten? Hoewel je moeder een prima stamppot van raapstelen en schorseneren op het fornuis heeft staan? Met een lekker sappige bloedworst nog ook.'

Getver, denkt Marek, raapstelen met bloedworst. Ik zou die troep zelfs niet aan de varkens voeren.

Marek legt zijn hand op zijn mobieltje. 'Cirnja, kan ik bij jullie blijven eten?'

'Tuurlijk. We hebben verse gluurvis vanavond.'

Gluurvis? Nu ja, het klinkt in ieder geval een stuk smakelijker dan zijn moeders stamppot. 'Ja, het kan.'

'Terug voor donker.' Zijn vader smakt de hoorn neer.

Terug voor donker. Dat is tijd zat, denkt Marek. Wedden dat papa niet eens weet welke maand het is? Het gaat pas tegen een uur of tien schemeren.

'Cirnja?' zegt hij. 'Ik weet dat het stom klinkt maar ken ik je soms ergens van? Hebben we elkaar eerder ontmoet? Zodra ik je gezicht in de klas zag… Het voelde zo vertrouwd. Alsof ik eerder van je gedroomd had.'

'O, dat was geen droom en bovendien allemachtig lang geleden. Je was toen nog zo veel jonger. Een kleuter.' Ze schudt haar hoofd. 'Dat je het nog weet!' Haar glimlach wordt breder. 'Ergens is het natuurlijk wel vleiend.'

'Maar wanneer dan?' dringt hij aan.

'Gun een meisje haar geheimen.'

Het klonk ook een beetje stom. Net alsof ik haar probeerde te versieren. 'Sorry, maar ken ik je soms ergens van?' Natuurlijk gaf ze me een onzinantwoord. En: 'Alsof ik eerder van je gedroomd had'. Zelfs in een soap zou niemand zo'n slap zinnetje durven zeggen.

'Wonen jullie hier echt? Op de Oude Gracht?' Marek kijkt naar het kolossale pand op. Niet minder dan drie verdiepingen, een torentje met een weerhaan. 'Dit soort huizen is toch vreselijk duur? Ik dacht dat alleen miljonairs dat konden betalen.'

'We varen met ons eigen schip. Drie masten en een roer van ijzerhout. Moeten we dan in een vermolmd kerststalletje wonen?' Ze gebaart naar het huis. 'Dit is niks. Op het dak van ons huis in Huy Jorsaleem nestelen er vier ooievaars en hebben Senni en ik elk ons eigen zwembad.' Haar stem wordt zangerig, alsof ze in een droom spreekt. 'Geveerde kikkers zingen ons elke nacht in slaap en uit de zilveren kranen stroomt honingwijn.' Ze knikt. 'Maar dit hier, dat is ook best grappig. Zo lekker primitief. Net of we ergens op een kannibalenstrand kamperen.'

Op de voordeur hangt een antieke klopper, ziet Marek, een leeuwenkop met een ring in zijn bek.

'Let op,' zegt Cirnja. 'Dit hebben jullie thuis vast niet.' Ze steekt haar duimen naar voren en duwt ze in de geopende bek. 'Hoor mij, lar. Ik ben het: Cirnja stra Poulou. Laat ons erin, ongebeten en ongeklauwd.'

De oogleden van de leeuw schuiven open. De ogen lijken Marek verrassend levend. Bovendien hebben de irissen dezelfde zeegroene kleur als die van Cirnja.

'Vingers kloppen.' De stem galmt als een bronzen klok. 'Geur ook.' De neusgaten verwijden zich, snuiven. 'Al ruik je nogal naar kleihappers.'

Sloten klikken en de deur zwaait open.

Marek voelt een steek van pure jaloezie. 'Hij scande je vingerafdrukken? En zijn neus bewoog! Net als bij de trollenkoning in de Efteling. Zit hij aangesloten op een computer?'

'Computers zijn krukken voor kleihappers. Wij doen het liever op onze eigen manier.'

In de hal blijft Cirnja voor een schilderij staan. 'Dit is ons schaduwschip. De Gouden Amarant.' Marek hoort de trots in haar stem, de liefde. Vroeger, jaren geleden, sprak zijn vader net zo over de boerderij.

Een driemaster zeilt over de spiegelgladde zee. Hij heeft eigenaardig uitwaaierende zeilen, bijna als de vleugels van een vlinder. Boven de horizon zweeft een omgekeerd kruis van smaragdgroene sterren.

'Een houten zeilschip? Is dat niet vreselijk ouderwets?' Hij flapt het eruit voor hij er erg in heeft. Stom, denkt hij meteen, stom! Cirnja is een schipperskind. Dit is net zo verkeerd als de woonwagen van een zigeuner afkraken.

'Ouderwets?' Ze lacht. 'Niet waar vader zeilt! In de Achtste Oceaan roest een metalen romp weg waar je bij staat. Zelfs als hij van zogenaamd roestvrij staal is. Je kunt net zo goed in een schip van suikerwerk varen.'

'O.'

Ze is gelukkig niet boos, maar waar heeft ze het in vredesnaam over? De Achtste Oceaan, roestende schepen?

Ze houdt me voor de gek. Ze haalt een geintje uit met een kleihapper. Mijn eigen schuld: had ik haar schip maar niet ouderwets moeten noemen.

De huiskamer is vol verblindend zonlicht. Stofjes cirkelen en zwieren. In de open haard brandt een houtvuur, hoewel het hoogzomer is.

'Daar is hij, papa!' kraait Senni. 'Cirnja's oeluk!'

'Of hij haar oeluk is, moet je zus zelf uitmaken. Een oeluk pluk je niet zomaar uit een vergeet-mij-nietjeswei.' Een man komt overeind uit de leunstoel. Hij draagt een visserstrui van spierwitte wol.

Allemachtig, wat is die kerel lang! Meer dan twee meter. Twee en een half. Hij moet zijn hoofd intrekken om niet tegen de balken te bonken en dan nog vegen zijn krullen langs het plafond.

'Ik ben Cirnja's vader. Al begreep je vast wel dat ik haar kleine broertje niet was.' Hij glimlacht. 'Je mag mij Geddit noemen. Grootkapitein Waar Alle Golven Voor Beven klinkt zo opschepperig. Al is het natuurlijk wel waar.' Hij steekt zijn hand uit.

Steenhard eelt schuurt over Mareks handpalm.

'Ik, eh, ik zit in Cirnja's klas.'

Nu hij naar de man opkijkt, merkt hij het litteken op. Nee, het is geen litteken. Een diepe snee in zijn linkerwang. En recent ook, want het bloed glinstert nog.

Geddit volgt zijn blik. 'Een ongelukje op zee, jongen. Dat kan iedereen overkomen.'

'Ik heb het gat in mijn vader zelf dichtgenaaid,' zegt Senni. 'Knap hè?'

Marek wil best geloven dat het Senni's werk is. De hechtingen zitten schots en scheef. Zelfs het monster van Frankenstein werd minder slordig dichtgenaaid.

'Er spoot bloed uit,' vervolgt Senni. 'Liters en liters! Je kon het wit van het bot zien!'

'Vale rog?' vraagt Cirnja aan haar vader.

Gouden Amarant

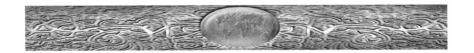

'Nee, een haakmeeuw. Hun staarten bungelden uit een wolk.'

Het is natuurlijk vaktaal, denkt Marek. Termen die alleen zeelieden kennen. Een haakmeeuw is vast geen vogel met vishaakjes. Misschien een soort touw? In ieder geval iets dat aan een mast hangt. En wolken is een woord voor zeilen. Zo'n bol, wit zeil lijkt inderdaad aardig op een wolk.

'Morgen zie je er niets meer van,' zegt Cirnja's vader. 'Hoogstens een litteken.'

Dat is wel erg optimistisch, denkt Marek. Zo'n joekel van een snee groeit pas na een week of twee dicht.

Geddit snuift. 'Zo te ruiken is de vis zo gaar als een nest vol tantes. Dek jij de tafel vast, eerste dochter van mijn hart?'

'Mij best,' zegt Cirnja.

'Het is niet eerlijk!' gilt Senni ineens. Ze heeft haar vuisten gebald.

'Wat is niet eerlijk?' vraagt Geddit. Hij trekt zijn wenkbrauwen op. Marek valt het nu pas op hoe ruig ze zijn. Regelrechte borstels. Met zulke wenkbrauwen kun je je eigen schoenen zo ongeveer poetsen.

'Jij noemt haar altijd eerste dochter van mijn hart!' jammert Senni.

'Dat komt doordat Cirnja dat ook is. Maar troost je, Cirnja is aardig gelukt, maar bij jou wisten mama en ik pas helemaal hoe het moest.'

'Dus ik ben eigenlijk nog beter?'

'Nou, word niet verwaand. Onze scheepskat is twee jaar jonger dan jij en dus nog een graadje beter.'

'Dat is niet erg. Die noem je nooit dochter van je hart.'

Geddit knielt voor het vuur en steekt een arm in het rookgat.

'Kijk uit!' schreeuwt Marek. 'Het vuur brandt nog!'

Groene vlammen springen op. Gretig likken ze over de mouw van Geddits spierwitte trui. De stof kan elk moment in de fik vliegen.

'Geen paniek,' zegt Geddit. Hij trekt zijn arm terug. 'Dit is een tam vuur. Al is het attent dat je zo hard gilde.'

'Tam vuur?' kwaakt Marek.

'Het roostert alleen wat het moet roosteren.' Hij toont zijn mouw en er is geen veegje roet of zelfs maar het vaagste brandplekje zichtbaar. 'Mijn arm was niet voor het avondeten bedoeld. Dat begrijpen de vlammen.'

Dat begrijpen de vlammen. In Mareks hoofd valt alles op zijn plaats: zijn eerste indruk van Cirnja in de klas was de enige juiste. Ze is letterlijk een elfenmeisje, een vrouw uit een wereld waar magie werkt, waar je vlammen kan temmen en gouden deurkloppers spreken. De honderden uren dat Marek games met Gerben speelde en vuurbollen naar trollen smeet, helpen ook. En er is nog iets: als het erop aankomt, gelooft een mens zijn eigen ogen. De vlammen bogen van Geddit weg, ze weigerden hem te schroeien.

Hij kijkt Cirnja aan, hoopvol en angstig tegelijk, en ze knikt. 'Je snapt het.'

Al Mareks spieren ontspannen zich en hij geeft zich over aan de vreemdheid, stapt Cirnja's wereld binnen.

Haar instemming is niet meer dan dat hoofdknikje. Een kus of een omhelzing zouden ook helemaal niet op hun plaats geweest zijn. Je snapt het. Je hoort nu bij ons.

Geddit reikt opnieuw omhoog en trekt een vis uit het rookgat.

Vreemde manier van koken, denkt Marek. Je eten in de schoorsteen ophangen. Hij zegt er maar niets van. Cirnja en haar familie zijn duidelijk niet van hier.

'Heet, heet!' roept Geddit. 'Uit de weg!' Hij gooit de rokende vis van de ene hand in de andere over en ten slotte belandt het dier met een doffe dreun op tafel.

Een goddelijk geur walmt door de huiskamer. Mareks maag begint prompt te gorgelen.

'En, dit is nu een, eh… gluurvis?' vraagt Marek. 'Waar je het over had, Cirnja?'

De vis ziet er nogal dreigend uit. Vinnen vol weerhaken en langs de rug groeit een rij zeldzaam gemene stekels.

'We noemen hem zo omdat hij drie ogen heeft. Het derde op de steel houdt hij altijd open. Zelfs als hij slaapt, blijft hij stiekem naar je gluren.' Ze wijst met haar vork.

Marek huivert. Als je vissen in hun geheel bakt, stollen hun ogen tot blinde, melkwitte knikkers.

'Vooral het middelste oog is heerlijk. Hier.' Ze trekt de steel naar zich toe en lepelt het grootste oog uit de kas. 'Mond open.'

Niet kokhalzen! Er zijn veel soorten dapperheid, gaat het door hem heen. Als ik mocht kiezen, worstelde ik liever met een krokodil.

'Kauwen,' beveelt Cirnja. 'Niet heel doorslikken, hoor. Dat is zonde van de smaak.'

Marek raapt al zijn moed bijeen en bijt in het taaie oog. Tot zijn verbazing smaakt het heerlijk: een beetje tussen een druif en een dure bonbon in. En de manier waarop de schil tussen zijn tanden knapte… Eigenlijk was dat best wel geinig.

Haar zusje giechelt. 'Je vriendje werd zo groen als zeegras. Kleihappers kunnen ook nergens tegen…'

'En wat mogen kleihappers dan wel zijn?' vraagt Marek zodra zijn mond leeg is. Zoals Senni dat zei: aardig klonk het niet. Een scheldwoord.

'Kleihappers,' zegt Cirnja, 'Zevenzeeërs. Enkelwerelders. Senni had je nooit zo mogen noemen. Jij kunt er niets aan doen dat je een kleihapper bent. Bovendien hoef je geen kleihapper te blijven. Je hebt talent. Dat wist ik al vanaf het begin.'

Geddit vouwt zijn armen over elkaar. 'We zijn anders dan jullie, Marek. Waterzigeuners is misschien het juiste woord. Zo noemde prins Maurits ons in

ieder geval toen we het Heimelijke Verbond sloten en hij ons de haven van Saeftinghe in pacht gaf. Voor duizend jaar of zo lang als de zeemeeuwen krijsen en de zeesterren oesters openwrikken.' Hij leunt naar voren, gebaart met zijn vork. 'We zeilen over alle zestien zeeën voorbij jullie horizon. We zijn de Hanze, een bond van handelaren en zeelieden op alle continenten. Wij hebben geen eigen land nodig en al helemaal geen keizers of kaliefs. De oceanen zijn ons land, alle havens ons thuis.'

'Ik wist anders niet dat Utrecht een haven had,' zegt Marek.

'Tja, dat moet toch wel,' antwoordt Geddit. 'Waarom zouden we hier anders wonen?' Hij trekt een kaart uit de kast, vouwt hem open.

'Heb je wel eens aan het strand gestaan, Marek, met alleen maar woeste golven en de horizon zo eindeloos ver dat je wist dat daar wonderbaarlijke landen achter moesten liggen? Geen Engeland, geen Ierland, maar havens waar geen veerboot ooit zou aanleggen?'

Marek knikt. 'Op Vlieland een keer. Ik keek in de ondergaande zon...' Hij herinnert zich het brok in zijn keel, die rare, onmachtige woede dat alles zo gewoon was, dat er nergens een hemel te vinden was vol gouden draken, geen bomen met bloesems van glas en takken als hongerige tentakels.

'Achter de horizon ligt de Gran Terre,' zegt Geddit. 'De Wijdere Wereld. Daar wandelen goden op stelten van bliksemvuur en reiken kathedralen zestien kilometer de hemel in.'

'Jullie oceanen,' zegt Cirnja, 'voor ons lijken het niet meer dan poedelbadjes en al jullie continenten zijn miezerige waddeneilandjes.'

'En jullie, de Hanze...'

'Wij kunnen de horizon openvouwen,' zegt Cirnja, 'en de Gran Terre binnenzeilen.' Ze tikt de landen op de kaart aan en elke naam is als het luiden van een immense bronzen gong, rijk en mysterieus. 'Fusang. De Maori Windwegen, Thuata de Brendaan. Dit is Veneto Secundo waar de edelen maskers van levend vlees dragen. Hier, in Huy Jorsaleem wonen anderhalf miljard mensen en het is niet eens de grootste stad van de Gran Terre. In Atzlan pronken de slangen met veren als paradijsvogels. In de vulkanen zwemmen salamanders van witheet ijzer.'

'Leer het me,' zegt Marek en hij voelt zo'n intens verlangen, zo'n honger naar wonderen dat zijn keel samentrekt. 'Leer me hoe ik de horizon moet openvouwen.'

'Dat kun je al,' zegt Cirnja. 'Je bent het alleen vergeten.'

'Hoe...' begint hij, maar ze legt een vinger op zijn lippen, buigt zich naar zijn oor.

'Wacht tot de nacht, mijn oeluk. Dromen kunnen het beter vertellen dan ik.'

Marek begrijpt dat het ongepast is door te vragen. Dit is haar antwoord en haar belofte.

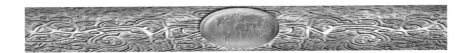

'Vertel ons een verhaal, papa,' zegt Senni nadat ze de borden in de afwasmachine gezet hebben. 'Een leerverhaal. Je zou ons nog vertellen hoe het verder liep met Olga en Björn. Ze waren de woestijn in gevlucht en…'

'Goed, van sterke verhalen leer je inderdaad het meest. Bijna evenveel als van moppen.' Geddit trekt een kruk naar zich toe en gaat er met gevouwen benen op zitten.

Voor zo'n grote kerel is hij verdraaid lenig, denkt Marek. Bij zo'n reus denk je eerder aan iets traags en onhandigs.

Hij leunt achterover in de kussens van zijn eigen stoel. Het is lang geleden dat iemand hem een spannend verhaal heeft verteld. Te lang geleden. Zijn eigen schuld. Op een gegeven moment vond hij zichzelf te oud voor verhaaltjes. Stom natuurlijk, eigenlijk word je er nooit te oud voor en zijn vader wist vroeger van die heerlijk enge spookverhalen, vol hellehonden en reuzen die het dorp wilde platstampen.

'Olga Slangensteen en Björn Bloedzwaard waren elkaars oeluks,' begint Geddit.

'Dat weet iedereen toch?' protesteert Senni. 'Vertel door!'

'Iedereen in Prester Johnsland weet dat, klopt. Alleen Marek misschien nog niet. Olga en Björn waren de woestijn dus in gevlucht, want zelfs zij konden niet tegen het hele leger van de patriarch op, niet tegen al zijn zestien miljoen solda-ten. Ze hadden zich als woestijnroosplukkers vermomd en natuurlijk lieten de wachters van de Noorderpoort hen meteen door. Het brengt ongeluk om een woestijnrooszoeker aan te raken, dat weet ieder kind. Misschien viel je hand wel rottend van je pols, eh?

Nu, vijf dagreizen van Huy Jorsaleem, midden in de woestijn, hadden ze tien kruiken water begraven en alle robijnen die ze van de drooglanders gejat hadden.'

'Maar toen stond de emir daar ineens!' joelt Senni. 'Midden in hun geheime grot en ze konden helemaal niet bij hun water!'

'Zeg, wie vertelt hier het verhaal?' vraagt Geddit. 'Jij of ik?'

'Ze hadden zó'n dorst,' gaat Senni genietend door. 'Olga's lippen waren zelfs te droog om te kunnen kussen.' Ze kijkt vragend naar Geddit op. 'Nu jij weer.'

'De emir, emir dat is koning, Marek. De emir van de drooglanders vouwde zijn armen over elkaar en grijnsde.'

'Zijn haren waren van eindeloos stromend, ritselend zand,' knikt Senni. 'Zijn slagtanden scherpe wervelwinden die het vlees van je botten konden schuren en zijn harnas was van puur zonlicht. Zo helder dat je er nog geen seconde in kon kijken.'

'Krek zo, Senni. En wat zei de emir van de drooglanders toen?'

'Ik ben de hitte en de loeiende zandstorm! Als ik je aanraak, verschrompel je

Gluurvissen

*E*lke verstandige magiër eet minstens één keer per maand gluurvis. Het versterkt de kracht van je onzichtbare derde oog, maakt je spieren soepel en stelt in staat je adem een volle tien minuten in te houden. Vooral dat laatste is handig bij parelvissen of voor het geval dat je schip omgeslagen wordt door een vloedgolf.

VANGEN: Gluurvissen zijn zelden te koop. Je zult ze persoonlijk moeten vangen. Gebruik hiervoor een glazen vishaak met een weerhaak of zes, en een bamboehengel die minstens vuistdik is. IJzeren vishaakjes zijn nutteloos, want ijzer roest natuurlijk meteen weg in de Achtste Oceaan. Je vislijn kan overigens het beste uit elfenhaar gedraaid worden terwijl een gedroogde trollenduim het beste aas vormt.

Ontwijk de klapperende kaken en de messcherpe vinnen zodra je de vis over de reling hijst. Je kunt hem het beste aanpakken met handschoenen van drakenleer.

RECEPT: Vul zijn buikholte met Spaanse pepers, zwavelkristallen en verse fenegriek en laat hem twee weken rijpen in het rookgat boven je open haard. Eerder is het vlees zo taai dat een schoenzool daarmee vergeleken heerlijk mals lijkt. De gluurvis is rijp als de maden uit zijn bek beginnen te vallen.

Serveer de gluurvis op een bedje van zeekraal en verse, lillende kwallen. Het derde oog is natuurlijk voor de gast.

Smakelijk eten!

tot een mummie en zelfs het merg in je botten zal tot zout en harde kristallen verdorren.'

'De emir had het zelf niet dreigender kunnen zeggen, Senni. Maar Olga Slangensteen, die greep haar strijdbijl en de emir lachte.' Geddit keek Senni aan.

'Geen wapen kan mij deren, dwaze vrouw, geen toverzwaard van elfenzilver.' Senni aarzelt. 'Ja, van elfenzilver, scherp genoeg om manestralen te snijden, of een hakbijl van dwergenstaal.'

'Dat klopt helemaal. Ook Björn Bloedzwaard trok zijn befaamde zwaard en toen gierde de emir het helemaal uit. "Duizend hoofden rolden toen jij je zwaard zwaaide, mensenheld, doch mijn hoofd zal nimmer rollen. Want alleen water, *zoet* water kan ooit een drooglander deren."'

Senni springt naar voren en maait woest met haar armen in het rond. 'En Björn zwaaide met zijn zwaard en hakte allebei de benen van de emir af. Olga was echter sneller, tot Björns chagrijn, want zij had het hoofd van de emir al afgeslagen en hield hem bij zijn ritselende haar omhoog.

"O emir, een vlinder die je haatte omdat je al haar bloemen had verdord, vertelde ons dat je een val had gezet. Daarom slepen Björn en ik een bijl en een zwaard van betoverd ijs."

"En ijs is water," jammerde het hoofd van de emir. "Wee mij! Jullie zijn mijn dood geworden." En de emir stierf.'

'Alleen, hij bleef niet dood,' zegt Senni. 'Drooglanders komen altijd terug. Net als zaadjes in het zand die honderden jaren op een regendruppel wachten.'

Geddit grinnikt. 'Misschien is dat niet helemaal de juiste vergelijking.'

Als Cirnja hem twee uur later uitlaat, aarzelt Marek. Moet hij haar nu kussen? Al is het maar op haar wang? Wat is verdorie een oeluk? Na het laatste verhaal heeft hij helemaal geen idee meer. Verdraaid lastig, al die vreemde culturen en gewoontes. In sommige landen schijn je het haar vader te moeten vragen voor je een meisje kunt kussen.

'Marek?' Ze strekt haar hand uit, tikt zijn voorhoofd aan. 'Droom wat je moet dromen, Marek. Zoete dromen, mijn oeluk. Over glazen schelpen en het openvouwen van de einder.'

Ze stapt terug en de deur valt soepel achter haar dicht. Geen kus dus, denkt Marek. Geen kissie kus zoals Senni joelde. Nu ja, ze vindt me in ieder geval aardig. Dat is een begin.

Het is half negen voor Marek thuiskomt.

Ruim op tijd, denkt hij. Kijk maar: de windhaan van die kerktoren blinkt en blikkert in de zon. Al is dat licht intussen wel een beetje rood geworden.

'Marek! Verdorie!' Zijn vader staat boven aan de trap. 'Het is me een raadsel

waarom je een horloge aan je pols draagt! Weet je wel hoe laat het is?'

'Voor donker thuis zei je. De zon is nog niet eens onder!'

'Je weet best wat ik bedoelde. Naar je kamer en meteen je licht uit! Je moeder had bijna de politie gebeld.'

Schreeuw maar raak, denkt Marek. Je kunt me toch niet meer zonder eten naar bed sturen. Ik zit propvol gluurvis.

5

Zodra Marek zijn ogen sluit, dwarrelen stukjes van de afgelopen dag als kleurige herfstbladeren door zijn hoofd. Zijn openspringende schooltas, de panische run door de schoolgangen. De ogen van de andere leerlingen, hongerig als wolven. Hij zit met Cirnja op de rand van de zandbak en de zon glinstert in de glazen schelpjes op de deksel van haar broodtrommel.

Glazen schelpen, denkt hij. Ik heb ze eerder gezien. En de deksel komt dichterbij, steeds dichterbij tot de schelpen zijn gezichtsveld vullen.

Hij kijkt omlaag, naar de schelpen in het zand. Ze zijn wit en grijs, roze als het eerste ochtendlicht, maar niet langer van glas. Of wacht, eentje is nog steeds van glas. Een slakkenhuis met doorzichtige stekels. Elke stekel eindigt in een glinsterende parel.

Het is een herinnering, weet hij, zo helder dat hij moeiteloos teruggezogen wordt in de tijd. Marek is zes jaar. Hij weet dat absoluut zeker want geen kind van zes zou zich ooit in zijn leeftijd vergissen. Elk jaar is als een medaille die je op je jas kan spelden. Hij is zes jaar en hij zit op het strand van Ameland.

Hij reikt naar het glazen slakkenhuis en zijn vingers grijpen mis. Net of de schelp wegwipte of zijn arm ineens korter werd. Stom hoor.

'Pak de schelp,' zegt een geluidloze stem in zijn hoofd. Het is een stem als stuivend zand, als ritselend voortkruipende duinen. 'Vouw de weg open en pak de schelp. Er zijn er hier nog meer. Veel meer. De een nog mooier dan de andere.'

De stem verbaast hem niet. Als hij een koekje uit de trommel wil pakken, hoort hij soms de stem van zijn moeder, zelfs als ze helemaal in de stal staat: 'Nee, dat is stout. Eerst vragen, Marek. Dan pas pakken.'

'Zo veel glinsterschelpen. Wat zullen je vriendjes jaloers zijn! Het is een piratenschat. Vurige juwelen, heerlijk heet en droog!'

Nu ziet hij de andere schelpen ook. Een glinsterend pad van fonkelende schelpen.

'Pak ze. Ze zijn van jou. Allemaal,' fluistert de stem.

'Ik kan er niet bij!'

'Kijk naar de vloedlijn. Dat is de grens tussen land en zee. Bij elke vloed wordt de hele wereld samengeperst in de vloedlijn. Al het land, de hele wijde oceaan. Je kunt de vloedlijn openvouwen als een… waaier?' Iets strijkt als een droge windvlaag door zijn hoofd, trekt woorden uit zijn geheugen. 'Een krant, ja.'

'Zo?' zegt Marek en hij vouwt de vloedlijn open. Eigenlijk is het vreselijk makkelijk als je het eenmaal doorhebt. Haak je linkerduim in de vloedlijn en dan trek je in de richting die geen links of rechts is, niet onder of boven, niet vooruit of naar achteren. Gewoon de andere kant.

De zee schuift weg tot achter de horizon, snel als een wegschietende wolkenschaduw.

Voor hem ligt een zinderende woestijn, heet en gortdroog, zonder een druppel water. Het is doodstil. Hij spitst zijn oren maar het gedreun van de branding is verdwenen, de wind die langs zijn oren streek.

Het zand beweegt, komt overeind in een broodmagere gestalte. Een zandman, denkt Marek. Het was natuurlijk zijn stem die ik hoorde. 'En waar zijn mijn schelpen nu? Ik deed wat je zei.'

De zandman bukt zich, pakt een handvol schelpen op. 'Je mag ze allemaal hebben, jongen. Is dat geen eerlijke ruil? Jouw miserabele wereldje voor al die prachtige schelpen?'

Achter hem staan andere zandwezens op. Honderden, duizenden, dan zo talrijk dat ze de woestijn van horizon tot horizon vullen. Hun ogen zijn zwarte parels, in hun monden glinsteren scherpe zoutkristallen.

'Ik dacht van niet, drooglander!' Naast hem staat een meisje. Ze is ouder dan Marek, zo veel ouder dat ze eigenlijk een groot mens is. 'De wereld is zijn eigendom niet. Marek hier kan haar onmogelijk ruilen. Zelfs dat kleine wereldje niet waarin hij woont.' Ze geeft een draai met haar duim en de vloedlijn klapt dicht. De zee snelt aan en ineens is al het geluid terug. Het langgerekte 'froetssh' van de omslaande golven, het krijsen van de meeuwen. De bries strijkt langs zijn wangen.

'Mijn schelpen,' jammert Marek. 'Hij beloofde mij een schatkist vol schelpen!'

Ze kijkt hem aan. Haar ogen zijn groen, groen als mos in zonlicht. Als de glans op een keverschild. 'Je was een beetje dom, kleihapper. Je had bijna je wereld aan de drooglanders gegeven.' Ze knielt naast hem. 'Beloof de vloedlijn nooit meer open te vouwen. In ieder geval niet voor je hem weer kunt dichtklappen.'

'Mijn schelpen…'

'Ik maak iets beters voor je.' Ze pakt een kei op en knijpt erin. De steen geeft onder haar vingers mee als was. 'Alle kinderen houden van draken.' Ze trekt een staart uit, boetseert vleermuisvleugels, een bek vol slagtanden. 'En wat vind je ervan? Tevreden?'

Marek knikt woordeloos. De draak lijkt bijna levend. Je kunt elke schub zien

en zijn ogen glinsteren als diamanten. Hij is veel, veel mooier dan zijn plastic dinosaurussen.

'Ik heet Cirnja,' zegt het meisje. 'Cirnja… en mijn moeder beweert dat jij mijn oeluk bent. Alleen, dat is pas voor later, eh? Als je een stukje ouder bent.'

'Cirnja,' zegt Marek en het meisje buigt zich naar voren en kust zijn voorhoofd. 'Ik zie je nog wel.'

Mareks ogen springen open. De draak, denkt hij, hoe kon ik de draak ooit vergeten?

Het kost hem een half uur, maar ten slotte vindt hij de draak onder in de doos met het schimmenspel en de antieke porseleinen poppen van zijn grootmoeder. Een van de voorpoten is afgebroken en hij zit onder de kattenharen en het aangekoekte stof. Het maakt niet uit: de draak is nog steeds zo mooi dat de tranen hem in de ogen springen.

Marek wrijft over de staart en uit de bek sproeien vlammen. Ze zijn niet heet, herinnert hij zich. Koud vuur. Net als sterretjes met Kerstmis.

Hoe heeft ze het gedaan? Hoe kon ze een keiharde steen kneden?

Het is eigenlijk geen echte vraag. *Cirnja en haar familie kunnen toveren. Ze hebben magie en ik ook.* Hij herinnert zich hoe hij de vloedlijn openvouwde. Zijn vingers herinneren het zich en hij weet dat hij het zo weer zou kunnen doen. *Ik heb het heel mijn leven al geweten. Magie werkt.*

Zeemans
verdriet

Parelhoorn

Vlinderschelp

Emirs
torentje

Zilverkokkel

Haaienklauw

6

De volgende ochtend vliegen de uren voorbij. Marek staart lodderig voor zich uit met een glimlach om zijn lippen. Een beetje oenig misschien maar beslist tevreden.

Pas in de pauzes wordt hij echt wakker, wanneer hij met Cirnja op het muurtje zit te kletsen.

Deze school valt reuze mee, besluit hij, alleen jammer dat er andere leerlingen op zitten.

'Ik droomde vannacht,' zegt Marek. 'Over ons en de draak. De drooglander.'

'Dat was de bedoeling ook.'

Hij kijkt haar verwachtingsvol aan, maar ze gaat er verder niet op in.

'Hoi, kleihapper!' Senni stuift langs met een sliert joelende leerlingen. Het zijn de stoerste jongetjes. Kereltjes die normaal never nooit met een meisje zouden spelen. Marek snapt best hoe dat werkt. Geen enkel jochie durft zelf ondersteboven onder een lantaarn te hangen. Daarom hebben ze van Senni maar een soort erejongen gemaakt.

De laatste bel zoemt.

'Die slome moddermossel vergat huiswerk op te geven,' zegt Cirnja. 'Weg hier!' Ze racen de klas uit voor de invaller bij wiskunde zich kan bedenken.

'Zullen we vanmiddag wat doen, samen?' vraagt Marek. Zeg alsjeblieft ja. Met eerdere vriendinnetjes heeft hij zelden dat aarzelende gehad. Ze werden spontaan verliefd op hem en hij hoefde geen enkele moeite te doen.

Cirnja tuit haar lippen. 'Misschien kunnen we het graf van mijn moeder voeren? Het is maar een klein eindje fietsen.'

'Eh, goed. Mij best.'

Een graf voeren? Cirnja bedoelt natuurlijk bloemen bij de zerk leggen. Zeezigeuners hebben hun eigen manier van spreken. Net als die haakvogels.

Hij kan zich wel wat leukers voorstellen op een zonnige middag. Maar ja, als Cirnja dat nu graag wil? Bovendien betekent het dat ze hem vertrouwt. Alleen je beste vriend vraag je mee voor zoiets serieus saais.

'Momentje!' roept ze halverwege de Adelaarsstraat. 'Eerst langs de slager. Ik vergat het bijna; we moeten voer voor mama's vissen kopen.

Drie kilo biefstuk,' bestelt ze binnen. 'Een beetje bloederig graag.'

'Lusten jullie vissen biefstuk?' vraagt Marek. 'Ik dacht dat vissen wormen en watervlooien aten.'

'Ja, van die slappe guppies. Daar is toch geen lol aan? Die van ons hebben heerlijk scherpe tanden en altijd honger.' Ze legt haar hand op zijn arm. 'Mag ik je iets vragen?'

'Ja, natuurlijk.' Wat doet Cirnja ineens beleefd.

'Wil je mijn oeluk worden? Anders mag ik je eigenlijk niet meenemen.'

Weer dat rare woord: oeluk. Senni noemde me ook al zo.

'Wat, eh, wat betekent oeluk eigenlijk? Is dat zoiets als vriendje? Dat we, eh, met elkaar gaan?'

'Getver, doe een beetje normaal! Dat kleffe gedoe! Kussen doe je toch gewoon met iemand op een feestje? Of als je die kriebel in je onderbuik voelt. Niet met je oeluk. Nee, je oeluk helpt je de kat van de buurvrouw te vergiftigen. Als dat rotkreng je liefste goudvis op heeft gegeten.' Ze spreidt haar handen. 'Oeluk is als Achillus en Patroklos, Björn Bloedzwaard en Olga Slangensteen. Het gaat om grootse daden, eeuwige vriendschap en tragisch verraad. Nooit over huisjes met klimrozen en diep in elkaars ogen kijken.'

Suske en Wiske zijn oeluks, koning Arthur en Merlijn, begrijpt Marek, Luke Skywalker en prinses Leia. Oeluks beleven samen de wildste avonturen. Ze halen idiote streken uit, vangen monsters en verslaan duistere emirs.

Yes! denkt Marek en op de een of andere manier is het een opluchting dat dit niet het normale jongens-en-meisjesgedoe is, geen gekus en zuchten en eindeloze gesprekken over wat je voelt of wat je tegen haar had moeten zeggen.

Ik en Cirnja, denkt hij, en de rest van de wereld kan de rimram krijgen. Zo speelde je vroeger ook verstoppertje met meisjes. Toen je beste vriend nog een meisje kon zijn en ze nog niet giechelden en hun neus voor je optrokken.

Bloedbroeders, al is Cirnja meer een bloedzuster. Ze heeft trouwens gelijk. Kussen kun je met iedereen. Daar is niks speciaals aan.

'Hoe ver is het nog?' hijgt Marek.

'Klein eindje maar,' antwoordt Cirnja. 'Miniklein.' Het is zeker de vierde keer dat ze dat belooft.

'Als jij dat zegt.'

Haar kerkhof ligt onverwachts ver van de stad, ergens diep in het bos.

Het fietspad van rood asfalt veranderde eerst in een karrenspoor. Toen in een zandweggetje. Nu, een half uur later, is zelfs het mulle zand verdwenen. Hun wielen bonken over dennenappels, ploegen door plakken korstmos.

'Weet je zeker dat dit de juiste weg is, Cirnja? Hier komt toch geen mens?'

'Moet ook. De doden houden niet van lawaai. Ooit een kerkhof naast een disco gezien?' Ze draait haar stuur. 'Hier links! En stoppen maar.' Haakte ze haar linkerhand in de lucht boven haar hoofd? De beweging was te snel om er zeker van te zijn.

Tussen de dennenbomen schemeren witte vlekken. Zerken en grafkruizen. Ze hebben het kerkhof gevonden.

Marek vist zijn ketting uit zijn fietstas. 'Moet ik onze fietsen aan elkaar vastleggen?'

'Welnee. Hazen jatten zelden racefietsen.' Ze grijnst. 'Hoewel ik niet weet of de eksters hier wel te vertrouwen zijn.'

Zodra Cirnja het hek openduwt, vallen de vogels stil. Het is alsof een dj alle stekkers uit de boxen rukt.

'Waarom zingt hier geen enkele vogel meer?' Hij dempt zijn stem automatisch. 'In het bos was het zo'n herrie. Nu koeren zelfs de duiven niet meer.'

'Kerkhoven horen stil te zijn. Hoe kun je de doden anders horen mompelen?' Ze knijpt haar ogen dicht. 'Even je waffel op slot. Ik probeer ze te horen.'

'Wie? De doden?'

'Mama's vissen natuurlijk.' Ze draait om haar as, heft een arm en wijst dan naar links. 'Daarheen.'

De stilte wordt elke stap dieper. Marek kan het gortdroge mos onder zijn zolen horen knisperen. *Ik wou dat de vogels weer begonnen te zingen. Al was het maar zo'n stomme koekoek. Het laatste wat ik horen wil, is het gemompel van de doden.*

Oeluks beleven avonturen met elkaar. Wilde en spannende avonturen. Marek hoopt van harte dat dit avontuur zich nog even gedeisd houdt.

'Ja,' zegt Cirnja, 'ze ruiken me.'

Een schor gekef ketst tussen de stammen. Marek bijt van schrik op het puntje van zijn tong. Plotseling weet hij zeker dat ze hier niet horen, dat het kerkhof verboden terrein is. Ze hebben vast een vreselijk belangrijk bordje gemist. Zo'n bordje met een hondenkop en HIER WAAK IK!

'Wat zijn dat? Bloedhonden?'

'Bloedhonden? Nee, rare, je hoorde mama's waakvissen. Onze waakvissen eten bloedhonden als borrelhapje.'

Het geblaf zwelt aan als ze een open plek op stappen.

'Mama's graf,' zegt Cirnja.

'Dat daar?'

Marek had een zerk verwacht, of desnoods een stenen kruis, een Mariabeeldje. Geen vissenkom op een granieten zuil. Het is een joekel, een bakbeest: vinger-

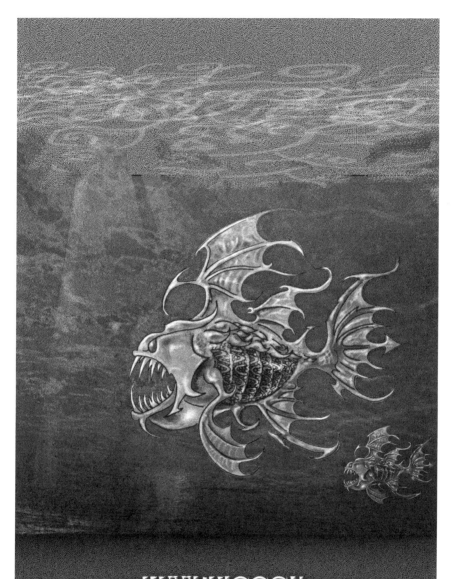

WAAKVISSEN
VAN DE ACHTSTE OCEAAN

dik glas en minstens een meter breed. Door het troebele groene water glijden schaduwen. Een kromme rugvin floept uit het water. Een tweede volgt, en een derde.

'Haaien?' vraagt Marek ongelovig.

'Welnee, wat moeten we met haaien? Dit zijn waakvissen. Ze cirkelen om ons schip. Haaien en piraten stuiven bij hun eerste blaf weg.' Ze opent het pakketje met vlees. 'Mama voerde onze waakvissen vroeger altijd.

Achteruit!' Cirnja mikt een homp biefstuk in de kom.

Een woest gekef en gebas. De kom wankelt. Schuim spat over de rand.

Marek vangt niet meer dan een glimp op van een waakvis. Het is genoeg voor een jaar nachtmerries. Gele slangenogen, de kop van een buldog. Het lijf is vaalbleek als een rottende champignon. Drie rijen tanden.

Marek moet zijn keel twee keer schrapen voor hij zijn stem vertrouwt. 'Waarom vissen? Waarom een kom op haar graf?'

'De vissen moeten haar de weg wijzen. Mijn moeder of haar schim. Zolang de vissen blaffen weet zij ons hopelijk te vinden.' Cirnja strijkt over de gouden letters in het glas. 'Esle stra Poulou,' leest ze op. '14 mei 1963. Alleen haar geboortejaar.'

'Omdat jullie niet weten of ze werkelijk dood is?'

'Ja. De zee geeft altijd een teken. Uiteindelijk. Al is het maar een vingerkootje. Tot dan blijven we hopen en wachten.' Ze drukt haar voorhoofd tegen het glas. 'Zoek haar,' fluistert ze tegen de vissen. 'Zoek mijn moeder in al jullie dromen. In alle twaalf zeeën.'

7

De terugweg lijkt verdacht veel korter.

Volgens mij reed ze de eerste keer vreselijk om, denkt Marek. Misschien om te zorgen dat ik het kerkhof nooit in mijn eentje kan terugvinden? Want ik mag Cirnja's oeluk dan wel zijn, een kleihapper blijf ik.

'Je eet straks natuurlijk weer mee?' zegt Cirnja.

'Graag, ja.' Zelfs zonder bloedworst is het avondeten thuis zelden gezellig.

Geddit smijt de deur open voor Cirnja haar duimen kan uitsteken.

'Cirnja!' Zijn stem raspt van woede. 'Je nam hem mee naar Esles graf. Een kleihapper! Hoe kón je?'

Hoe weet hij dat? denkt Marek. Het kerkhof ligt hier kilometers vandaan.

'Meneer, kapitein Geddit bedoel ik. Cirnja kon er...'

'Laat mij maar,' zegt Cirnja. Ze zet haar handen in haar zij. 'Marek is mijn oeluk, papa.'

'Je oeluk?' Het is alsof een onzichtbare hand alle woede van Geddits gezicht veegt. Wat overblijft is bezorgdheid. 'Weet je het zeker? Want een oeluk kies je maar eenmaal. Eenmaal en voor eeuwig.'

'Ik weet het zeker. Marek is mijn oeluk.'

'Dan is het goed.' Marek ziet de woede van zijn gezicht wegtrekken en in oprecht plezier veranderen. 'Senni! Pak het vuurwerk. Zet de schaal met dropveters en pepervis klaar. Cirnja heeft een oeluk!'

'Puh,' zegt Senni. 'Ik heb er wel tien. Alle jongens van mijn klas zijn mijn oeluks. De stoere dan.'

'Woesh!' De derde vuurpijl schiet uit het dakraam. Boven de toren spat hij uiteen in groene vuurbollen.

Dit is pas lol maken! denkt Marek. Thuis staken we nooit vuurwerk af. Met oudjaar mocht ik vroeger hoogstens een sterretje vasthouden.

Drie enorme haaien van noorderlicht zwemmen door de hemel. Een draak

strekt zich uit, kronkelt en spuwt een dozijn vuurballen.

'Ziet niemand dit?' vraagt Marek. 'Ik bedoel, toen Gerben de dag voor Nieuwjaar een rotje afstak, moest hij de hele brink harken.'

'Dit is ons vuurwerk toch?' zegt Cirnja. Ze zet haar handen op zijn schouders en springt op en neer. 'Natuurlijk kan niemand anders het zien.'

'We hebben een oeluk, hoera en joechei!' joelt Geddit. 'En dat vieren wij blij!'

Het is fijn om te zien dat de vader van je vriendin je helemaal ziet zitten. De snee op Geddits wang is trouwens al geheeld, ontdekt Marek. Zelfs geen hechtingen meer. Het litteken is niet meer dan een wit streepje.

Dat was snel. Eén nacht. Zouden zeelieden vlotter genezen dan gewone mensen? Nee, stommeling, magie natuurlijk.

Deze keer hebben ze geen gluurvis. Geddit poft zee-egels op de hete kolen en in de gietijzeren kookput pruttelt een soep van zeewier en haaienvinnen. Zo nu en dan doopt Geddit er een tentakel van een kwal in. Om hem wat pittiger te maken zoals Cirnja uitlegt.

'Heb je onze zeeklok al bekeken?' vraagt Cirnja en ze trekt hem mee naar de Friese staartklok naast het raam. 'Lekker belegen, hè?'

De klok ziet er inderdaad behoorlijk antiek uit. Stoffig en vol barsten en meer wijzerplaten dan hij kan tellen. De kleinste zijn niet groter dan babynagels en overal kronkelen houten inktvistentakels en zwemmen zeemeerminnen.

Hij stapt dichterbij. De centrale wijzerplaat, zo geel en glanzend… Die zal toch niet van goud zijn? Laat ik het maar niet vragen. Ze lacht me uit als het gewoon koper blijkt te zijn.

'Mooie klok,' zegt hij. 'Waarom loopt die wijzerplaat eigenlijk door tot 31?'

'Omdat een maand vaak zo veel dagen heeft,' zegt Cirnja. 'De zeemansklok geeft nu de tijd op de Achtste Oceaan aan, in het diepste noorden voorbij de pool. Kijk, de langste wijzer is voor de dagen. De andere twee geven de weken en maanden. Op de Achtste Oceaan loopt de tijd een stuk sneller dan hier. Daar heb je weinig aan uren of minuten.'

Wat een onzin! Ze denken zeker dat kleihappers alles geloven. 'Handig hoor. Waarom geen wijzer voor de jaren? Als je toch bezig bent?'

'Dat heeft weinig zin. Als een schaduwschip langer dan vijf maanden wegblijft, komt zij nooit meer terug.'

8

Wanneer Marek laat op de avond zijn mail opent, staat een van de nieuwe berichten te knipperen. De letters springen van groen naar blauw, gloeien dan oranje op. Het is een effect dat hij nooit eerder gezien heeft. Nieuwsgierig opent hij het mailtje.

'*Important notice*,' begint de tekst en schakelt dan op Nederlands over. 'Een kaart die je eindeloos kunt uitvouwen, een handschoen die door steen muur steek. Naam van Geddit stra Poulou. Als jij kent een van die zaken, jij klikt graag dan hier.'

Spam natuurlijk. Dit soort krom Nederlands krijg je met een automatisch vertaalprogramma. Dan dringt de naam pas tot hem door. Stra Poulou. Cirnja's achternaam!

Marek doet het stomste dat je op een computer kunt uithalen. Het is ruggengraatwerk, een reflex. Hij klikt op hier.

Symbolen vullen prompt het scherm, een spin met geklauwde poten, een tattoo-spin, vol gemene weerhaken en stekels. Op de achtergrond pulseren cirkels en ze beginnen als de raderen van een klok rond te draaien. Ze draaien recht Mareks hoofd in en hij wordt een deeltje van dat kolossale mechaniek. Een radertje dat dolgraag zelf wil meedraaien.

'Vertel ons alles wat je weet. Alle magie die je ontmoet heb.' Een foto verschijnt en het is Geddit, onmiskenbaar Cirnja's vader. Op de foto draagt hij een net grijs pak en zijn krullen zijn plat over zijn hoofd gekamd, niet langer blond maar gitzwart en steil.

'Als deze man ontmoet, geef adres graag.'

Dat komt goed uit! denkt Marek. Ik weet precies waar hij woont.

Mareks vingers aarzelen boven het toetsenbord. Hij ziet Cirnja's huis kristalhelder voor zich. Het stenen trapje, de gouden deurklopper. Hij kan het met zijn ogen dicht terugvinden, alleen wat was het nummer? En zaten ze nu op de Oude of de Nieuwe gracht? 'De deur met de gouden klopper,' verschijnt op het scherm. Hij moet het automatisch getypt hebben.

Misschien kan hij het beter uitleggen?

'Cirnja is mijn oeluk. Ik woon zelf op de Parnassusdreef. Nummer 23 en ik weet niks over magische handschoenen maar Cirnja heeft een deurklopper die kan spreken.'

'Verzend!' spoort een nieuw, knipperend vlakje hem aan. 'Verzend het nu, hooggeachte marekvandessen@gmail.com!' Handig, ze weten mijn e-mailadres ook al.

Hij reikt naar de muis en stoot met zijn knokkels tegen het stenen draakje. Fonkelende sterretjes sproeien door de kamer. Marek knippert met zijn ogen en het is alsof hij abrupt ontwaakt.

Waar ben ik in godsnaam mee bezig? Ik had Cirnja bijna verraden. Het moet een magisch symbool zijn, een bezwering die je hypnotiseert zodra je hem opmerkt. Hij knijpt zijn ogen stijf dicht en kruipt over de vloer tot hij de stekkerdoos vindt. Een ruk en hij hoort de ventilator van de computer stokken. Het scherm is grijs.

Ik heb niets verzonden. Cirnja en haar familie net niet verraden.

Hij graait naar zijn mobieltje en toetst Cirnja's nummer in. Het is al bijna half twaalf maar Cirnja lijkt hem geen meisje dat erg vroeg naar bed gaat en geen normaal kind zet zijn mobieltje natuurlijk ooit uit.

'Kun je naar buiten komen?' vraagt Cirnja. 'Mijn vader wil je spreken. We rijden naar de hoek van je straat, bij dat elektriciteitshuisje.'

'Geen probleem. Mijn ouders gaan altijd met de kippen op stok. Zelfs nu we geen kippen meer hebben.'

Het is buiten de flat vreemd vredig. Een iele maansikkel met slierten wolk die oplichten als kant. Dezelfde groep jongens hangt rond bij de betonnen vuilniscontainers, maar er gaat geen dreiging van hen uit. Ze dansen op een reggaenummer uit een boombox die opvallend zacht staat. Marek ziet ze op hun billen rondtollen, zwiepend met hun armen en benen. Breakdance, en beslist niet slecht.

Hij leunt tegen het elektriciteitshuisje en voelt ineens een intense behoefte aan een sigaret. Hij steekt zijn vingers in zijn jaszak en streelt over de schubben van het draakje. Vorig jaar zijn hij en Olga in dezelfde week gestopt, maar stoppen en helemaal van je verslaving af zijn, is niet hetzelfde.

De koplampen van twee fietsen en ja, het zijn Cirnja en haar vader.

Hij ziet dat zelfs hun achterlichtjes branden en niet op de knipperstand. Cirnja heeft hem uitgelegd dat het slim is om je altijd perfect aan de regels van een vreemd land te houden. Wees het braafste meisje in de klas, een Piepelientje Huttetut en de kans is een stuk kleiner dat je in een cel vol hongerige ratten belandt.

'Hier hoef ik niet bang te zijn dat een nachtmot mijn gedachten ruikt,' zegt Geddit als hij afstapt, 'en speurgeesten werken amper zo diep in de Oudlanden. Maar

een mobieltje is eenvoudig niet veilig. Jullie hebben je eigen geheime luisteroren.'

'Is het hier buiten dan wel veilig?'

Geddit houdt een amulet op. 'Zelfs als we schreeuwen hoort niemand ons op meer dan drie meter afstand. Dit amulet is gloednieuw, net uit het koperfolie. Het werkt nog zeker een uur of twee.'

Marek merkt dat hij de boombox aan de overkant van de straat inderdaad niet langer hoort. Ze staan in een bel van stilte.

'Ik heb ze niets verteld,' zegt hij. 'Ik kon nog net stoppen voor ik het bericht doorstuurde.'

'Ze kennen je mailadres,' zegt Cirnja.

'Verder dan je mailadres komt niemand. Het heeft niets met je echte adres te maken.'

'Tja,' zegt Geddit, 'jij weet ongetwijfeld meer van computers dan wij.'

'Die mensen van het mailtje?' vraagt Marek. 'Heb je enig idee wie het zijn?'

'Amerikanen, ben ik bang. Een van hun geheime diensten. Ze moeten me op de een of andere manier opgemerkt hebben. Zodra we jullie wereld binnen zijn gevouwen, moeten we verder jullie eigen vervoersmiddelen gebruiken: vliegtuigen, treinen. Je kunt niets openvouwen wat al opengevouwen is. Dat maakt ons kwetsbaar.'

'Ze hadden het over een kaart, een handschoen.'

'Ja, stom van me. Ik kreeg een alarmsignaal van mijn lar, de huisgeest, die ons Amerikaanse appartement bewaakte. Een indringer en de lar ontlaadde alle magie. In het huis alleen helaas. Voor een lar bestaat er niets buiten de muren van zijn domein.

De handschoen en de kaart waren bijna opgebruikt en idioot die ik was, ik mikte ze in een vuilniszak. Een die buiten het huis stond.'

'Het klonk niet als een geheime dienst. Ze hadden zelf magie, toch? Die spin. En de website had iets klungeligs, amateuristisch. Ik bedoel de CIA of de FBI...' Marek heeft alle afleveringen van *Heroes* gezien en hij heeft een heilig ontzag voor geheime diensten. 'Die lui kunnen pas echt met computers omgaan.'

'De Hanze heeft vijanden,' zegt Geddit. 'Niet alleen op jullie wereld.'

'Denk je echt dat jullie nog veilig zijn?' dringt Marek aan. 'Dat ik niets verpest heb?'

'We zijn zo veilig als een gietijzeren anker in de schatkamer van de kalief zelf.'

Op zijn kamer zet Marek de computer weer aan terwijl hij de draak stevig blijft vasthouden. Hij wist het bericht en voor de zekerheid ook alle mailtjes in de inbox voor de hele afgelopen week.

Een *ping*! en een nieuw bericht verschijnt.

Gerben. Dat moet veilig zijn.

Yo man,
Het Ritagrietje vroeg je adres in Utrecht. Ze was het kwijtgeraakt. Ik heb het
haar gegeven. Ik hoop dat het okidiederik was? :} Jullie gingen toch niet met
ruzie uit elkaar? :{ ?
Een poot van Gerben.

Ineens mist Marek zijn vriend. Hoewel vriend misschien niet het juiste woord was. Met Gerben hoefde je je nooit te vervelen, maar hij jatte rustig de euro's uit je achterzak en kon nooit met zijn tengels van andermans vriendinnen afblijven.

'Jij ook yo,' mailt hij terug. 'Nee, het is prima. We gingen als vrienden uit elkaar. Dus als je een oogje op Rita hebt, veel geluk, drie klapzoenen van je vriend, xxx, Marek.'

Gerben maakt altijd het meligste in hem wakker. Soms zaten ze wel een uur te giechelen voor het bierkot, als een stel domme meiden.

Ralph Harcourt had Marek een paar interessante zaken over e-mail kunnen vertellen. Dat het niet moeilijk is om het adresboek met contactpersonen te kraken zodra je eenmaal iemands mailadres hebt. Dat je de afzender van een mailtje eenvoudig kunt vervalsen. Een mailtje van rita23@kpn.nl bijvoorbeeld, naar Gegerben@gmail.com, met een verzoek om Mareks nieuwe adres...

9

Als Marek die ochtend de ketting van zijn fiets losmaakt, zijn allebei zijn banden plat. Gelukkig liggen de ventielen er vlak naast. Nu ja, dat had ook in het dorp kunnen gebeuren. Ettertjes vind je overal. En het was ook een beetje naïef, zijn fiets buiten voor de flat laten staan.

'*Boy?*' Een man leunt tegen de lantaarnpaal met de vijf fietsbanden en hij heeft een stadskaart opengevouwen. '*You speak English?*'

Geen Marokkaan met dat kleine, bijna Zuid-Amerikaanse snorretje. Eerder een Iraniër of een Irakees.

'*Yes sir,*' antwoordt Marek. Hij heeft nooit minder dan een acht voor Engels gehaald.

'*This here, it is the Parnassusdreef?*' Marek begrijpt waarom de man onzeker is. Grappenmakers hebben alle straatnaambordjes pikzwart gespoten en alle flats lijken natuurlijk op elkaar. Overal dezelfde graffiti, miezerige boompjes en schotelantennes.

'*What number?*'

'*Twenty three.*'

Het nummer van zijn eigen flat.

Hij slikt. Zijn tong lijkt veel te groot voor zijn mond. Twee, drie seconden is hij al zijn Engels kwijt. '*You, you are looking for someone?*'

'*I have two names. Stra Poulou and Marek. You know them?*'

'*No, no.*' Hij schudt zijn hoofd. '*And there is no Parnassusdreef here. I know this whole wijk, eh, block. No Parnassusdreef at all!*'

'*I want to show you something,*' zegt de man en hij reikt in een leren jasje. Hij heeft handschoenen aan, kalfsleren handschoenen, terwijl het hoogzomer is. '*Just a piece of paper. Sometimes people forget.*'

'*So sorry,*' zegt Marek. '*I'm in a bit of a hurry.*' Hij springt op zijn fiets, trapt zo hard dat er een pijnscheut door zijn rechterknie schiet.

'*Please! Just one look!*'

Hij kijkt niet om: alle kans dat de man nu een vel met het magische spinnensymbool omhooghoudt.

'Ze hebben me gevonden,' zegt hij tegen Cirnja. 'Een man. Hij had mijn adres en hij vroeg naar jullie.'

Cirnja lijkt niet erg onder de indruk. 'Het is niet de eerste keer. Mijn familie blijft nooit lang onopgemerkt.'

'Wat moeten we doen? Ik bedoel, hij weet mijn adres! Mijn ouders kunnen hem zo vertellen op welke school ik zit!'

'Zij wel, maar hier op school verder niemand. Niet nadat ik met ze gesproken heb.' Ze grijpt hem bij zijn elleboog.

'Kom mee. We gaan eerst bij de administratie langs.'

Mevrouw Deyselhuis is grijs en gerimpeld en beslist ouder dan de school. Ze kijkt op van een stapel roosters. 'Wat kan ik voor jullie betekenen?'

'Kunt u hier even naar kijken?' Cirnja schuift een plastic kaartje over het bureau. Marek vangt een glimp van de spin en traag roterende cirkels op en kijkt haastig de andere kant uit.

'Dit is…' Mevrouw Deyselhuis' pupillen expanderen tot zwarte cirkels. Ze staart naar de kaart, even gefascineerd als een woestijnmuis onder de blik van een ratelslang.

'Deze jongen hier.' Cirnja wappert met haar hand naar Marek. 'In de computer staat dat hij Marek van Dessen heet. Uit 4B. Dat klopt van geen kanten.'

'Van geen kanten,' echoot mevrouw Deyselhuis.

'Nee, het moet, eh…' Cirnja kijkt Marek smekend aan.

'Wim,' zegt Marek. 'Wim T. Schippers.' Waar heeft hij die naam nu weer uit opgediept? Doet er niet toe. 'En 4B kan gewoon blijven staan.'

'Ik zal het veranderen.' Ze knikt heftig en trekt het toetsenbord naar zich toe.

Op de drempel van de leraarskamer blijft Cirnja staan. 'Mag ik even uw aandacht?' zegt ze met dezelfde heldere stem die ze eerder in de klas gebruikte. Het is een hoofdcommissaris-van-politie-stem, een pure 'Cock, met See Ka'-stem, waar je automatisch naar luistert.

Ze houdt de kaart met de spin op en legt haar andere hand op Mareks schouder. 'Deze jongen hier heet Wim T. Schippers. Geen Marek. Geen Van Dessen.'

Ze knikken als marionetten.

'Wim T. Schippers,' zegt de gymleraar. 'Ben je soms familie van dé Wim T. Schippers?'

'Ja,' zegt Marek. 'Dat vragen wel meer mensen. Hij is mijn achteroom. Dichterbij komt het jammer genoeg niet.'

'Met Wim, dat was altijd lachen,' zegt de gymleraar en ze draaien zich weer naar elkaar toe, vergeten de leerlingen in de deuropening.

'Nu alleen de klas straks nog,' zegt Cirnja. 'Slimme vent die Marek hier nog vindt.'

'Loopt iedereen met die rottige spin te zwaaien?' vraagt Marek. 'Ik dacht, het is iets van de slechten. Zwarte magie.' Omdat hij zelf het slachtoffer is geweest, zit het helemaal niet lekker dat Cirnja zo achteloos met haar kaart zwaait en links en rechts geheugens wist. Het te makkelijk, te weinig respectvol om dat stomme woord te gebruiken.

'Enmars spin werkt alleen de eerste keer en nooit langer dan een half uur. Als je het symbool de tweede keer ziet, is het gewoon een plaatje.' Ze haalt haar schouders op. 'In de Wijdere Wereld trapt niemand er meer in. Weet je, de Zes Symbolen is het eerste dat we aan een baby laten zien. Zodra zij haar ogen kan scherpstellen. We hangen alle zes symbolen boven haar wiegje, je weet wel, in zo'n mobiel, en zij is meteen de rest van haar leven immuun.'

Marek ontspant zich. Een wapen dat maar één keer werkt. Zo zouden er meer moeten zijn.

'We kunnen het hem nog een beetje moeilijker maken,' zegt Cirnja.

Ze mikt een handvol euro's in het kopieerapparaat en legt het kaartje op de glasplaat. A4'tjes schuiven uit de papiergleuf, elk met een dreigende spin.

'We plakken ze op de ruiten bij de ingang. Iedereen die binnenkomt, ziet ze en loopt een minuut of vijf daas rond. Als die kerel hier straks binnenstapt en met zijn spin zwaait, lacht iedereen hem uit.' Ze stopt het kaartje in haar portemonnee terug. 'Senni en ik hadden de spin alleen voor noodgevallen mee. Een geheim wapen. Voor als we een echt probleem met een kleihapper krijgen.' Ze schudt haar hoofd. 'Erg geheim is het nu niet meer.'

Het derde uur smakt de deur van de klas open. De man kijkt de klas rond. *'Marek,'* zegt hij. *'I'm looking for Marek vahn Dehsen.'*

'Meneer?' zegt de lerares wiskunde. 'Heeft u zich bij de ingang gemeld?' Mevrouw Snoeren is het betere soort lerares, eentje die ook prima leeuwentemster had kunnen worden maar een uitdagender beroep heeft gekozen.

Wat klinkt ze prachtig ijzig, denkt Marek, bijna even goed als Cirnja's stem.

'Bezoekers moeten zich eerst bij de conciërge melden.'

'En dat heeft hij nu net even niet gedaan.' De conciërge duikt achter hem op, grijpt de man bij de schouder. Bernard is een voormalig bokser en Marek ziet het gezicht van de bezoeker verkrampen van de pijn. Hun ogen kruisen elkaar en dan kijkt hij recht naar Cirnja.

O nee. Hij kan haar herkennen. Haar ogen, de goudglans over haar huid.

'Deruit!' brult de conciërge. 'Al zwaai je nog zo met je rare papiertje. We vertellen niks over onze kinderen. Hoe weten we dat je geen kinderlokker bent. *A pervert, eh?'*

'*You don't understand!*'

'Nee, u begrijpt mij niet. Duvel op of ik bel de politie. *Phone police.*'

De man sist van woede, maakt een raar graaigebaar in de lucht, alsof hij een fladderende mot probeert te vangen. '*Shayi rissa edhar!*'

De conciërge draait hem hardhandig om en marcheert hem de gang door.

'En laat ik je hier nooit meer zien!'

Marek draait zich naar Cirnja. 'Dat was…'

Naast hem zit een wildvreemd meisje. Ze had amper minder Cirnja kunnen lijken als ze een orang-oetangpak had aangetrokken. Oranje krulletjeshaar, een opvallend bleke snoet met ingevallen wangen en meer sproeten dan Marek kan tellen. Ze trekt een bijna onzichtbare zak over haar hoofd weg en de illusie verdwijnt. 'Dat is alweer een magisch wapen minder. Als dit zo doorgaat, ben ik tegen het eind van de middag even hulpeloos als een kleihapper.' Ze knikt naar de deuropening. 'Hoorde je hem schelden? "Shayi rissa edhar." Het betekent zo veel als "Honden zullen op het graf van je moeder pissen!" In een taal die niemand op jullie aarde spreekt.'

'Waar dan wel?'

'Het Kalifaat van de Derde Haroen. In de Elfde Oceaan. Ver voorbij jullie zuidpool.'

10

'Het lijkt me veiliger als je vandaag helemaal niet terug naar huis gaat,' zegt Cirnja na school. 'Alle kans dat ze daar iemand hebben neergepoot om je op te wachten. Iemand of iets.'

Het is heerlijk om een goed excuus te hebben. Hoe minder hij zijn ouders ziet, hoe beter.

Zijn moeder neemt op.

'Kan ik bij een vriendin blijven logeren?' vraagt Marek. 'Weet je, waar ik al twee keer eerder heb gegeten?'

'Is het serieus?' Moeders vragen zulke dingen altijd en Marek kent dat hoopvolle toontje maar al te goed. Tot nu toe is drie maanden verkering zijn record. Niet dat ze hem dumpen, nou ja, niet vaak, maar op de een of andere manier begint een meisje hem vaak al na een week of drie te vervelen.

'Best wel. Waar is papa?'

'Terug naar het dorp. Er moesten nog een paar zaken geregeld worden en Simon had wel belangstelling voor de oude tractor en de zonnepanelen. Bel je me morgen even? Voor je naar school gaat?'

Het is dus in orde en hij hoefde niet eens te schreeuwen. 'Natuurlijk bel ik.' Voor de zekerheid zet hij zijn mobieltje toch maar uit. Zelfs als je 'ja' hebt kun je nog altijd 'nee' krijgen. Vooral als zijn vader onverhoopt toch thuis mocht komen.

De klopper op de deur is niet langer van rood goud maar dof lood, vol vlekken en krassen. Als Cirnja de sleutel omdraait, trillen zijn oogleden niet eens.

'Hebben jullie hem uitgezet? Om niet op te vallen?'

'De klopper? Nee, zijn mana is bijna op. Zijn magische lading. Nog iets minder en hij wordt een houten janklaassenkop, met schilferende verf.'

'Kijk een beetje uit met de vlammen,' waarschuwt Geddit als Marek op de poef naast de open haard neerplof. 'Ze zijn heet. Ik brandde me vanochtend nog toen ik een aardappel in de as wilde poffen.'

'Het vuur kronkelt en sist,' zegt Senni. 'Bijna al onze magie is op.' Ze schurkt als een poes tegen Geddits lange benen aan. 'Daarom moet papa ook weer op reis.'

'Goudstukken en magie,' knikt Geddit. 'Geen van beide spoelt zomaar op je strand aan.'

De vlammen gedragen zich inderdaad anders: ze hebben niet langer dat hypnotisch trage, alsof de haard met loom zwaaiende vuurcobra's gevuld is. Het hele interieur lijkt ook doffer, stoffig. Marek moet aan een zaklantaarn denken die begint te flakkeren en ten slotte helemaal dooft.

Magie werkt beroerd, zo ver van de Wijdere Wereld. Het lekt weg als de lading uit een vochtige batterij. Cirnja heeft het eerder uitgelegd. 'Binnen een week of twee verliezen alle magische wapens en amuletten hun kracht. Met het zwaard dat vorige week nog een lantaarnpaal kon omkappen, snij je vandaag amper een plak jonge kaas af. Een mantel der onzichtbaarheid maakt je hoogstens doorschijnend. Het werkt ook andersom. Als je een uzi naar Prester Johnsland meeneemt, dan weigert het kruit al snel te ontbranden. Je mp3-speler verandert spontaan in een overmaatse krekel en dan heb ik het al helemaal niet over computers of digitale camera's.'

'Papa?' vraagt Cirnja. 'Wat is deze keer je lading?'

'Het gewone werk.' Hij loopt naar het bureau en slaat zijn agenda open. Vorige nacht had het ongetwijfeld metallic fonkelend drakenleer geleken, nu is het op zijn best kalfsleer of eerder smoezelig plastic.

'Eens kijken, de lading voor 9 mei. Zestien tonnen gedroogde grasparkieten. Negentig Zwitserse zakmessen en multitools. Twee pallets barbies met vrolijke krullen en circusrokjes. Honderd wielen Old Amsterdamkaas.'

'Zakmessen en multitools kan ik nog begrijpen,' zegt Marek. 'Maar barbies? Kaas?'

'Heb je nooit van voodoopoppen gehoord?' zegt Geddit. 'Was en naalden. Hier werken ze natuurlijk van geen kanten. In het Kalifaat of op Prester Johnsland... Tja, je hebt daar harems vol jaloerse vrouwen en onze eigen abdissen gebruiken trouwens niet alleen giftige dolkjes.'

'Van een hap kaas word je even high als van een mandvol paddo's,' vult Cirnja aan. 'Het is onschuldig, maar natuurlijk streng verboden in Prester Johnsland. Alle leuke dingen zijn daar verboden.'

'En dus verdraaid goede handel,' knikt Geddit. 'Je moet alleen wel zorgen dat er geen waakmuizen aan je lading snuffelen.'

Hij is een dealer, gaat het door Marek heen. Cirnja's vader is een drugsdealer.

Op de een of andere manier lijkt het hem eerder grappig dan misdadig. Het smokkelen van kaas kun je onmogelijk serieus nemen.

Na het toetje, gepeperde zeedruiven op kaneelbrood, roept Senni: 'En nu een verhaal!' en ze springt op Geddits rug. 'Olga en Björn waren op weg naar de grot...'

'Ja, de grot van de trollen, waar Negen Hoofden, de trollensjamaan, die arme prinses Zilverster gevangen hield. Maar nu even van mijn rug af, want dat vertelt niet lekker als jij aan mijn oren trekt.

Goed, bij de volgende vollemaan zouden ze haar aan het spit rijgen en opvreten.'

'Dat vond Björn maar niks,' knikt Senni. 'Ze was zijn oeluk wel niet maar hij had met prinses Zilverster gekust.'

'Niet alleen gekust,' lacht Cirnja. 'Ze hadden intussen al drie zonen.'

'Wat heeft dat er nu mee te maken?' zegt Senni. 'Ga door, papa.'

'Björn en Olga slopen dichterbij. En dichterbij. En nog dichterbij tot ze de ingang van de grot al konden zien. Ze hadden sloffen van doezelvogelveren aan, weet je, met zolen van manestralen om zo stil mogelijk te sluipen. Olga en Björn slopen zo stil dat ze zelfs niet ademhaalden en hun harten sloegen maar één keer per kwartier.

Helaas, Negen Hoofden zat persoonlijk voor de trollengrot en hij had ongelooflijk scherpe oren. Hij kon een bromvlieg twee provincies verder zijn vleugels horen poetsen.

"Wie, o wie gaat daar?" mompelde hij in zijn slaap. "Wie sluipt daar, zonder hart en adem, op zolen van maanlicht naar mijn grot?"

Olga zette haar zachtste, suizelendste stem op: "Niemand is hier. Je rook de geuren van het dromende water. Je hoorde het kloppen van het diepe, diepe hart van de aarde zelf."

"Dan is het goed," mompelde de trol en hij sliep door.'

'Later hingen ze al zijn hoofden op boven de poort van het paleis,' vat Senni de rest van het verhaal samen.

'Krek zo,' zegt Geddit, 'tot de prinses vond dat ze wel erg begonnen te stinken. Iedereen had het verhaal toch al gehoord dus Björn vond het best dat ze weggegooid werden.'

Hij wipt zijn kapiteinspet van de kapstok. 'Meisjes en oeluk, vanavond wordt het een kort reisje. Niet meer dan een tripje. Ik ben tegen een uur of twaalf terug. Jullie redden het hier wel tot middernacht?'

'Geen probleem,' knikt Cirnja. 'Goede reis, papa.'

11

Cirnja wacht tot ze de voordeur horen dichtslaan. 'Kom op.' Ze grijpt Mareks hand vast en trekt hem de gang in. 'We gaan hem achterna. Stiekem uitwuiven.'

'Ik wil ook mee!' roept Senni.

'Geen sprake van. Gisteren bleef je ook al zo laat…'

'Jij hebt niks over me te zeggen! Je bent mijn vader niet!' Senni vouwt haar armen over elkaar. 'Ik ga mee. Anders vertel ik het aan papa. Dat jij een kleihapper de weg wil wijzen naar de geheime haven.'

'Naar kreng! Jij je zin. Ik hoop dat de blauwe sterns je ogen uitpikken!'

Ze volgen Geddit op een meter of vijftien.

'Is dit wel verstandig?' fluistert Marek. 'Hij hoeft maar om te kijken en hij ziet ons!'

'Geen kapitein gluurt ooit over zijn schouder en al helemaal niet wanneer hij op weg naar zijn schip is. De geesten van al zijn verdronken matrozen sloffen achter hem aan. Het water druipt uit hun baarden. Krabben wuiven met hun scharen uit de lege oogkassen.

"Jouw schuld," knarsetanden ze. "Jouw schuld, prutser van een kapitein. Jouw schuld, dat de vissen onze botten afkluiven. Dat er eendenmossels in onze oren groeien." Zulke lui kijkt een kapitein liever niet in de ogen.'

'O,' zegt Marek. 'Dat wist ik niet. Alleen, waarom zien wij Geddits geesten dan niet?'

'Wij zijn nog geen kapiteins. Of misschien zijn we nog te jong voor geesten?'

'Je kletst uit je nek,' protesteert Senni. 'Ik kan papa's geesten prima zien. Kijk in die winkelruit daar, met "Voordeliger schoenen vind je alleen op de vuilnisbelt!"'

Marek volgt haar vinger. Achter Geddits weerspiegeling sjokken negen mistige vlekken. Marek wendt zijn hoofd haastig af voor ze scherp kunnen worden. Verzopen matrozen zien er ongetwijfeld zeldzaam onsmakelijk uit. Dromen over de waakvissen is al beroerd genoeg.

Cirnja's hand voelt vreemd vertrouwd in de zijne. Het zijn geen trutjesvingers: ze heeft kortgeknipte, meestal ongelakte nagels en haar handpalmen zijn ruw van het eelt.

Een meisje uit een fantasygame, denkt hij, soepel als een luipaard. Een die met degens zwiept en rap als een rat tegen een kasteeltoren opklimt. Mijn oeluk, mijn Olga Slangensteen. Hij knijpt in haar hand en ze knijpt terug en hij weet dat hij niet moet proberen om haar te kussen of zijn arm om haar schouders heen te slaan. Dat zou alles verknoeien.

Op de Steenweg duiken de eerste levende matrozen op. Marek weet tenminste vrij zeker dat het matrozen zijn. Geen normaal mens laat nog ankers op zijn armen tatoeëren of knoopt een roodgeblokte zakdoek om zijn nek.

Bij deze matrozen werkt het echter wonderwel. Ze zien er absoluut niet belachelijk uit. Stoer, denkt hij, stoerder dan een rapper met een motorkap vol bitches. Iedereen laat het wel uit zijn hoofd deze kerels te dissen.

Ik wou dat ik het zelf durfde, denkt Marek, een anker op mijn arm. Al is het misschien verstandiger om het eerst met een plakplaatje uit te proberen?

De laatste matroos marcheert de Bemuurde Weerd op en daalt het trapje naar de houten vlonder af. Hij heeft zijn oranje ijsmuts tot over zijn ogen getrokken. Op zijn biceps prijkt een inktzwarte octopus.

Cirnja trekt hem de schaduw van een portiek in en begint hardop te tellen.

'Vierenzestig, vijfenzestig!' Ze knipt met haar vingers. 'Het is veilig. Ze moeten intussen lang en breed in de sloep geklommen zijn.'

De Vecht ligt voor hen in de gloed van de zonsondergang, een en al deinend rood en oranje water. In de verte ziet Marek de rondvaartboten met hun gebogen ramen liggen. Een stadsbus steekt de brug over en de raampjes zijn al verlicht.

Ai, denkt Marek, het is nog later dan gisteren, al bijna donker en dan bedenkt hij dat niemand hem thuis verwacht. Hij is vrij.

De Vecht is geen brede rivier. Evenmin een schone. Marek ziet slierten olie langsdrijven, een pop zonder hoofd.

De sloep met matrozen vaart een meter of tien van de kant. Geddit staat op de boeg met een kompas zo groot als een soepbord. Marek hoort de roeiriemen plonzen.

'Waar is jullie schip?' vraagt hij. 'Of moeten ze eerst de hele weg naar de Randmeren roeien?'

De Gouden Amarant van het schilderij lijkt hem veel te zwaar voor zo'n riviertje. Na een paar meter zou haar kiel al in de modder blijven steken.

'Een pietsje geduld,' zegt Cirnja. 'Yes, yes, daar raakt de zon de horizon al.'

De wind valt stil en de laatste rimpelingen ebben weg. De Vecht wordt even glad als de zee op het schilderij.

'Geddit vouwt de schemering open,' zegt Cirnja. 'Hij is een van de besten.'

De kade aan de overkant lijkt plotseling verder en de brug is weinig meer dan een boogje.

Het is geen verbeelding!

De rij huizen krimpt tot een donkere streep en de aangesprongen lantaarns trekken samen tot vonkjes, doven.

En dan is er enkel nog horizon. Aan hun voeten klotst een eindeloze zee tegen de kade. Water zo ver het oog reikt. Zelfs de lucht ruikt anders. Naar zout en teer, vochtig zeewier.

'De Achtste Oceaan,' zegt Cirnja. 'Waar de Gran Terre, de Wijdere Wereld, begint. Dat beloofde ik toch? Zie je dat omgekeerde kruis van groene sterren? Als je daarheen zeilt, vaar je jullie wereld uit. Daar vind je Brendaan waar de raven nesten van drakenbotten bouwen, Prester Johnsland, de Loerende Zandbanken van de drooglanders. Alle zeeën waarop jullie schepen zich nooit wagen.'

Marek voelt een steek van pure vreugde, het ijskoude plezier van het onbekende. De aarde is eindeloos veel vreemder dan hij ooit gedroomd heeft. Spannender ook. De Wijdere Wereld. In de Wijdere Wereld is heel Utrecht niet meer dan een dorpje.

'Let op de sloep,' waarschuwt Cirnja en ze vist een kijker uit haar jaszak. 'Papa laat de Gouden Amarant zo te water.'

Het beeld is haarscherp. Geddit buigt zich over de reling. Voorzichtig laat hij een modelbootje in de Vecht neer. Marek herkent het schip van het schilderij, ook al is dit bootje niet groter dan een klomp.

De Gouden Amarant groeit. Het slaat haar zeilen uit als een vlinder haar vleugels. In een oogwenk is ze tien meter lang. Twintig meter, zestig!

De matrozen klauteren langs touwladders omhoog.

'Bijna tijd om uit te varen,' zegt Cirnja. Ze likt aan een wijsvinger en steekt hem op. 'Ja, nu!'

Een windvlaag strijkt over de kade. IJskoud, vol striemend zand en schelpengruis. De zeilen van het schip komen met een klap bol te staan.

Het schip helt naar links, naar rechts. Dan zeilt het de invallende schemering in.

'Goede vaart, papa,' roept Senni. 'Neem een glazen banaan voor me mee!'

'Pas op voor haakmeeuwen!' voegt Cirnja toe.

In het laatste zonlicht krimpt de Vecht. De kade knalt terug van over de horizon. De Gouden Amarant verliest op hetzelfde moment al haar diepte en kleur. Ze wordt dun als een schaduw en glipt de vouw in.

Marek kijkt opnieuw tegen de rij huizen aan, de brug, de rondvaartboten. Van de Gouden Amarant is geen spoor meer te bekennen.

'Wie zorgt er eigenlijk voor jullie?' vraagt hij als ze naar huis teruglopen. 'Wanneer je vader weg is?'

'Och, Senni en ik hebben hordes ooms en tantes. Maar logeren hoeft niet. Voor middernacht is Geddit lang en breed terug. Misschien zelfs op tijd om ons een nachtzoen te geven.' Ze tuit haar lippen. 'Bovendien ben ik vijftien. Oud genoeg om voor mezelf te zorgen. In Prester Johnsland was ik al lang en breed getrouwd. Ik zou mijn eigen kasteel hebben, met wel honderd bedienden.' Ze grijnst. 'Wat moet ik met honderd bedienden? En een kasteelvrouw? Die mag alleen maar borduren en haar katten aaien.'

'Die rare klok in jullie kamer?' zegt Marek. 'Je hield me niet voor de gek over de tijd?' Na het wegzeilen van de Gouden Amarant is hij bereid alles te geloven.

'Ja, op de wijdere zeeën verloopt de tijd anders. Papa zeilt misschien twee weken over de Achtste Oceaan. Voor ons lijkt dat niet meer dan een paar uur.'

Marek ligt op de wijde divan in de eetkamer, onder een kleed dat met vuurvogels geborduurd is. Achter het raam lekt de nacht smoezelig oranje naar binnen en er valt geen ster te bekennen.

Hoort hij daar voetstappen? Een deur die langzaam opengaat?

Nee, Cirnja is te direct. Als ze bij hem onder de dekens had willen kruipen, dan had ze nu al in zijn armen gelegen.

Hij denkt aan haar kleine sterke vingers, de manier waarop ze hem in school bij de arm vastpakte, meetrok. Zo vanzelfsprekend. Zoals een zusje je hand vastpakt.

Dat kleffe gedoe! had Cirnja gezegd. Kussen doe je toch gewoon met iemand op een feestje? Of als je die kriebel in je onderbuik voelt. Niet met je oeluk. Nee, oeluk is als Achillus en Patroklos, Björn Bloedzwaard en Olga Slangensteen.

Het gaat om grootse daden, dat begrijpt hij best, tragisch verraad. Nooit, nooit over huisjes met klimrozen en diep in elkaars ogen kijken zoals Cirnja hem eerlijk gewaarschuwd heeft. Als een oeluk het over een prins op een wit paard heeft, dan denkt zij aan een elfenprins met ogen van gletsjerlicht en een paard van sneeuwwitte beenderen.

Marek hoort de klok met de gouden wijzerplaat tikken en elke tik is een uur in de Wijdere Wereld, weken die razendsnel wegtikken. Uren, maanden, jaren… Zo veel magie en ik zit er middenin. Ik ben Cirnja's oeluk, haar strijdmakker.

Zijn ogen vallen dicht en hij wacht niet langer op een steelse stap in het duister.

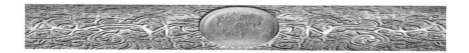

12

Voetstappen roffelen de trap af, de deur vliegt open. Door het raam valt helder ochtendlicht naar binnen.

'Geddit!' roept Cirnja. 'Het is nu al acht uur en hij is nog steeds niet thuis.' Ze balt haar vuisten. 'En ik sliep er dwars doorheen! Ik wilde opblijven tot hij terugkwam en ik viel in slaap. Ik mafte dwars door alles heen! Als een volgezogen aasvlieg!'

Hij rolt het bed uit en zodra zijn voeten de stenen vloer raken, huivert er kippenvel over zijn blote benen. Dit is te echt: de korrels slaap in zijn ogen, de zurige smaak in zijn mond. Niets heeft de gouden glans van magie, alles is ochtendgrauw.

Ze is doodsbang, ziet hij, en wanhopig. Cirnja heeft het al opgegeven, gaat het door hem heen. Ze verwacht haar vader nooit meer terug te zien.

'Ben je al naar de haven gefietst? Om te controleren of de Gouden Amarant daar ligt?'

'Natuurlijk! Dat was het eerste wat ik probeerde toen ik om half zes wakker werd. Niets. Alleen de havensloep, en de sloep reist nooit mee. Die gebruiken we alleen om de Amarant te water te laten.'

'Heb je het Senni verteld?'

Cirnja knikt heftig. 'Ja, ik bedoel, nee! Ze weet van niks. Senni is pas negen! Ik loog. Ik zei dat papa thuis was gekomen. Dat hij meteen weer door moest met een volgende lading.' Ze knaagt op haar onderlip. 'Ik heb pannenkoeken voor Senni gebakken. Alsof er niks aan de hand was. Haar alvast naar school gestuurd…'

'Kon je niemand bellen? Je had toch zo veel ooms en tantes?'

'De meeste Hanzeleden haten telefoons. Ze slepen alleen mobieltjes mee om niet op te vallen en vaak zit er niet eens een simkaart in. Bovendien is mijn vader grootkapitein. Familie komt altijd bij ons langs. Ik weet niet eens waar ze wonen!'

En in het telefoonboek staan ze dus ook niet, denkt Marek. Lastig.

Cirnja trekt een horloge uit haar windjack. De cijfers lopen ook door tot 31,

ziet Marek. Het horloge moet de tijd op de Achtste Oceaan aangeven, net als de klok.

'Drie maanden! Zo lang al! Het was een kort reisje, zei hij. Niet meer dan een tripje!'

Zorg dat ze kalm blijft. Dat ze niet in paniek raakt.

'Geddit keek in zijn agenda voor hij vertrok. Staat daar niet waarheen ze zouden zeilen?'

'Ja, maar de school dan?' Cirnja wappert met haar handen. 'We kunnen toch niet zomaar wegblijven? Het is al bijna tijd! We hadden alleen het eerste uur vrij.'

Waarom windt ze zich zo op over spijbelen? Of wacht. Het gaat om niet opvallen. Als je ergens illegaal woont, en illegaler dan Cirnja en haar familie kan niemand zijn, dan is dat de eerste regel.

'Ik meld je wel af. Ja, ik bel en doe net of ik je vader ben. Daarna doe jij mijn moeder na. Ik ben nieuw: ze weten toch niet hoe mijn moeder klinkt.'

Het nummer staat gelukkig al in zijn mobieltje.

'Met de Rotonde. Wat kunnen wij voor u betekenen?'

Mevrouw Snoeren. Dat is pech. Mevrouw Snoeren is niet iemand die je eenvoudig voor de gek houdt.

Marek probeert met een zo zwaar mogelijke stem te spreken. 'Met de vader van Cirnja. Uit 4B, ja, de havo. Mijn dochter is helaas ziek.' Dit klinkt best wel overtuigend. Een beetje de stem van de trol uit die tv-serie.

'4B. Mag ik haar achternaam?'

'Stra Poulou.'

'En wat is uw eigen geboortedatum?'

'1993,' zegt hij automatisch. Shit, dat is mijn jaar!

'Dan bent u dus zo'n jaar of vijftien, meneer Stra Poulou. Mag ik je echte ouders nu even spreken?'

Hij klikt het mobieltje uit. Dat liep niet al te best.

'Het is in orde,' zegt hij tegen Cirnja. 'Dan maar gewoon spijbelen. Dit is belangrijker.

Bij de voordeur kijkt Cirnja opnieuw op haar horloge. 'Vijf maanden! Zijn schip moet vergaan zijn!' Ze hikt, snuft en ineens stromen de tranen haar over de wangen. Cirnja steunt met haar voorhoofd tegen de deur. Haar schouders schokken. 'Eerst mama en nu hij ook al!'

Wat moet ik hier nu weer mee? denkt Marek. Op haar rug kloppen? Over haar hoofd aaien? Marek heeft wel eerder huilende meisjes gehad, maar dan waren ze steeds ook woedend op hem.

'Hij is vast do… ho… hood!' jammert Cirnja.

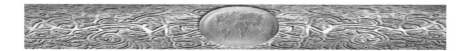

Dit is Cirnja van de Wijdere Wereld en geen jammerend grietje. Mijn oeluk. Hij pakt haar beide handen, knijpt er hard in. 'Als hij dood is, wreken we hem. Gruwelijk.'

Ze kijkt op. Haar ogen glanzen en het is niet alleen van de tranen.

'Ja,' zegt ze hees. 'We snijden hun buik open en knopen hun darmen aan de… de staart van een hondsdolle weerwolf! We gieten gesmolten lood in hun oren tot hun ogen gekookt uit de kassen rollen!' Ze glimlacht en het is de glimlach van een vikingvrouw, van een oeluk.

Het vuur in de open haard is gedoofd. In het witte as liggen geblakerde graten, scherven zee-egel. Marek kan nog een vleugje aroma van die heerlijke soep ruiken.

Cirnja slaat Geddits agenda open.

'Naar Avalon om de gedroogde parkieten af te leveren.' Ze kijkt op. 'Avalon zit vlak bij jullie wereld. Het onderste schiereiland van Prester Johnsland. Net over de horizon.'

'Hij had het ook over barbies. Barbies met vrolijke krullen.'

Ze kijkt op. 'De wc!' sist Cirnja. 'Er zit een inbreker op de wc! Ik hoorde iets verschuiven.' Ze grist een ijzeren pook uit het rek voor de open haard. 'Ik sla hem zijn hersens in!'

Marek zoekt de kamer af naar een eigen wapen.

De kokkelhamer. Erg zwaar is de hamer niet, meer een hamertje-tik dan een moker. De vorige nacht hebben ze er de schelpen van kokkels mee gekraakt.

Cirnja blijft voor de deur van de wc staan. Ze buigt zich naar zijn oor. 'Die sukkel draaide de deur niet eens op slot. Luister, jij trekt de deur open. Dan geef ik hem een hengst op zijn kop.'

Marek knikt. Goed plan.

Hij rukt de deur zo hard open dat de hendel tegen de muur slaat.

'Banzai!' brult Cirnja als een volleerde ninja. Haar pook zwiept door de lege wc en knalt tegen het fonteintje. Witte splinters porselein sproeien door het toilet.

'Leeg?' Ze laat haar pook zakken.

'Ik hoorde iemand doortrekken,' zegt Marek. 'Zeker weten.'

In de wc hangt een sterke geur. Het kost hem twee, drie seconden voor hij hem herkent. Zilt.

'Cirnja, het ruikt naar het strand. Naar zee. Net als gisteren aan de kade.'

'Hoor je dat geklots ook?' Ze houdt haar hoofd scheef. 'Volgens mij komt het van hier.' Ze wipt de klep van de wc-pot op. 'Krijg nou wat…'

De wc-pot is tot de rand toe gevuld met zeewater. Het water zakt gorgelend te-

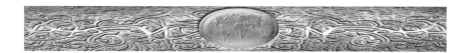

rug, komt opnieuw omhoog. Alsof het meedeint met de golven.

In het midden dobbert een bruine stopfles. Hoewel het glas troebel is, kun je het briefje toch duidelijk onderscheiden.

'Een bericht! Papa stuurde een bericht!'

'Het moet van papa zijn. Deze fles stond op de tafel van zijn kajuit.' Cirnja bonkt de hals tegen de rand van het aanrecht. Een parel rolt de gootsteen in zodra de stop losschiet.

Als dat ding niet nep is, denkt Marek, moet hij duizenden euro's waard zijn. Hij is verdorie nog groter dan een stuiter!

'Waar is dat nu weer goed voor?' zegt Cirnja. 'Nu ja, komt later wel. Eerst het briefje.' Ze mikt de parel achteloos in het zeepbakje.

Het briefje heeft weinig magisch. Zo'n geel plakvelletje, waarop je een bericht achterlaat.

De lettertjes zijn kriebelig en bruin.

'Eerste dochter van mijn hart,' leest Cirnja op. Ze kijkt op. 'Dit bericht moet van Geddit komen! Niemand anders zou mij zo noemen.'

'Ik schrijf dit briefje met mijn eigen bloed. Drooglanders enterden ons schip.'

De letters scrollen over het minuscule briefje en verdwijnen zodra Cirnja ze opgelezen heeft.

'"Wijs ons de weg naar de Zeven Zeeën!" krijsten de drooglanders. Als kapitein was ik natuurlijk de enige die de route kende, de vouwplaatsen en draaimomenten. Ik klemde mijn kaken op elkaar. Bij elke vraag schudde ik mijn hoofd. Ik deed kortom alsof ik doof en stom was. Wat kon ik anders? Een horde drooglanders op weerloze kleihappers loslaten? Ondenkbaar!

Zij ranselden mij bont en blauw. Ze hingen mij aan mijn tenen onder de boegspriet.

Ten slotte sloten ze me op in mijn kajuit.

"Je krijgt nog geen visgraat om af te knagen!" dreigden ze. "Nog geen dauwdruppel voor je droge tong. Roep ons zodra je hongerig en dorstig genoeg bent. Zodra je je de weg naar de Zeven Zeeën weer herinnert."

Ik wist dat ik niet zou blijven zwijgen. Dorst is sterker dan de beste voornemens.

De patrijspoort zagen ze over het hoofd. Hij was helaas te klein om zelf door te ontsnappen, maar niet te klein voor een fles.

Ik zal mijn complete geheugen in deze parel duwen. Al mijn herinneringen. En de fles in zee werpen.

Als de drooglanders mijn deur straks openen, zullen ze een leeg lijf aantreffen. Een man die zelfs zijn eigen naam niet meer weet.

Eerste dochter van mijn hart,
jij bent nu de kapitein van onze familie.'

Cirnja laat het briefje zakken. 'Hij leeft nog.' Ze ademt diep uit. 'We gaan hem bevrijden.'
'Hoe kun je hem ooit vinden?' vraagt Marek. 'Alleen een kapitein weet de weg
tussen de zeeën. Dat zei hij zelf.'
'Wie geen kapitein is, moet slim zijn.' Ze krabbelt twee woorden op het briefje en rolt het op.
'Wat zijn die drooglanders precies?' vraagt Marek terwijl Cirnja een vaas met
venijnig zoemende amuletten in haar tas leegschudt.
'De naam zegt het al: kleihappers maar dan erger. Veel erger dan jullie. Drooglanders haten de zee, begrijp je, al het water. Ze willen de hele wereld in een
woestijn veranderen. Alle continenten. Gortdroog zand van horizon tot horizon.' Cirnja huivert bij de gedachte. 'Ik zag ze een keer onderweg naar Brendaan.
Een zandbank dook uit de golven op. Bomvol drooglanders. In een paar seconden groeide de zandbank zo hoog als een duin. Gelukkig hadden wij waakvissen!
Eén blaf en de drooglanders smeerden hem, met zandbank en al. Ploep omlaag
en weg. Alleen nog maar deinende golven.'

13

'Hoe moet het eigenlijk met Senni?' zegt Marek. 'Straks komt ze uit school…'

'Senni hoeft nooit te merken dat we weg zijn. Vergeet het tijdsverschil niet.' Ze legt haar hand op de klok. 'Het is hier in Amersfoort pas negen uur. Als we nu meteen vertrekken, zijn we ruim voor etenstijd terug.'

Ze fietsen met een grote boog om de school heen. Per slot van rekening zijn ze aan het spijbelen.

De kade langs de Eem ligt in de volle zon te blakeren. Smerig grijs water vol bierblikjes en plastic zakken. Drie woerden vliegen overspannen snaterend achter een vrouwtje aan.

'Dit wordt niks,' zegt Marek. 'Veel te zonnig en te heet voor magie.'

'In de schemering is openvouwen inderdaad een stuk makkelijker,' geeft Cirnja toe. 'Met het kruis van groene sterren om ons de weg te wijzen.' Ze klakt met haar tong. 'Het is niet anders. Als we tot de avond wachten, gaan er voor Geddit maanden en maanden voorbij.' Ze brengt haar vingers aan haar mond, fluit. Marek heeft nog nooit zo'n ijselijk gesnerp gehoord. Luider dan een torenflat vol fluitketels, dan een erf vol brandende pauwen.

De sloep schiet vlot als een opblaasbal uit de diepte. Hij schudt zich tot het water en de zwarte stinkmodder in het rond spatten.

Ik had ongelijk, denkt Marek. Magie doet het prima in zonlicht. Overdag moet het alleen wat luider.

Cirnja fluit opnieuw. De sloep kwispelt met zijn roer en koerst op de kade af. 'Brave boo…'

'Stelletje lamme platvissen!' Een kat met een soldatenlaars op haar staartpunt had niet nijdiger kunnen klinken. 'Dacht je echt dat je me zomaar kon dumpen?' Senni springt van haar fiets af. 'Ik hoor heus wel wanneer je liegt, Cirnja. Ik ben niet stom! Papa is helemaal niet thuis geweest. Ik bleef in het parkje wachten en zodra jij wegfietste, ging ik je achterna.' Ze sjort aan haar fietstas. Een scheut water klotst over de rand. Marek hoort gespetter, een boos geborrel.

'Wat heb je in maryamsnaam voor nats in je tassen?' vraagt Cirnja.

Senni's woede lijkt weg te zakken als zeewater in droog zand. 'Ik, eh, ik heb onze waakvissen opgehaald…'

'Senni, je bent een juweel!' juicht Cirnja. 'Een robijn roder dan Sins eigen hartenbloed! Ik was onze waakvissen straal vergeten.'

'Help me dan. Deze tas is loodzwaar.'

Samen lopen ze naar het water en gieten de tas leeg.

'Dat voelt een stuk veiliger zo,' zegt Cirnja. 'Kom op, aan boord.'

Kromme rugvinnen snijden door het water. Een stompe kop duikt op, ontbloot drie rijen blikkerende tanden.

'Zijn die vissen niet gevaarlijk?' vraagt Marek. 'Als ze vlak naast ons zwemmen?'

'Gewoon je vingers uit het water houden,' zegt Cirnja. 'Zonder waakvissen kom je in een sloep niet ver op de Achtste Oceaan. De eerste de beste jonas-happer slokt je op.' Ze grijpt de roeiriemen vast. 'Laat mij maar. Kleihappers kunnen niet roeien. Senni, jij stuurt.'

'En wat moet ik dan?' vraagt Marek.

'Voornamelijk ons niet in de weg lopen. Blijf op het voorste bankje zitten en verroer geen vin.' Ze mikt de stopfles aan een nylon touw in het water. Het andere einde knoopt ze aan de ring op de boeg.

Het touw komt met een ruk strak te staan en de fles schiet de rivier op.

'Zie je?' zegt Cirnja. 'We hebben helemaal geen kruis van sterren nodig. De fles wijst ons even makkelijk de weg naar Geddit.'

'Nog meer zeemagie?' vraagt Marek.

'Van het eenvoudigste soort. Ik schreef "retour afzender" op het bericht en dat gaat hij nu doen. We hoeven de fles enkel achterna te roeien. Alleen hoop ik dat de magie het houdt. Dit zijn de Oudlanden. Tech is de pest voor magie.'

Tech, denkt Marek. Techniek, machines. Cirnja heeft er duidelijk weinig mee op.

Senni buigt zich naar voren, zoekt de oevers af. 'Cirnja, die truc met je fles werkt volgens mij niet. Hij trekt wel, maar de rivier is nog niks breder geworden.'

'En de horizon?' vraagt Cirnja. 'Die komt toch wel dichterbij?'

'Nog steeds even ver. Hij schuift net zo snel achteruit als jij roeit.'

'Wigard hale me! We varen domweg te langzaam.' Ze laat de riemen los, strekt een hand uit. 'We moeten de horizon verder openvouwen.' Ze klemt haar kaken op elkaar, kromt haar vingers. 'Ik ben verdorie de kapitein, slome sloep!' Ze klauwt door de lege lucht en het is of ze een loodzware schuifdeur probeert te openen. Een onzichtbare deur. 'Senni, help me.'

'Maar ik heb nog nooit…' protesteert Senni.

Het lukt haar nooit, denkt Marek. Mijn beurt. Ik heb de wereld toch al eerder

opengevouwen? Toen ik de vloedlijn vastgreep en de horizon wegduwde.

De herinnering wordt helderder: magie tintelt in Mareks vingers, zo krachtig dat het lijkt alsof er mieren over zijn vingerkootjes rennen, dwars door zijn levende vlees. Hij sluit zijn ogen en reikt naar de overkant.

Het is zo eenvoudig: daar, de ruwe stenen van de kade schuren al langs zijn vingertoppen, schokkend hard en echt. Marek spant zijn hersens, maakt de rivier breder.

Ik heb meer kracht nodig, gaat het door hem heen en zijn geest reikt automatisch naar de amuletten in Cirnja's tas, zuigt hun magie op.

Een ruk in een richting die er anders nooit is, een draai en hij voelt de realiteit meegeven, openvouwen.

Hij opent zijn ogen en de hemel verkleurt, wordt razendsnel donkerder. Sterren gloeien op. Het is geen omgekeerd kruis, maar een boog van bloedrode sterren en hij weet ineens dat dit sterrenbeeld het Kromzwaard heet. Haroens Kromzwaard.

Marek haakt zijn vingers in de horizon, trekt hem naar zich toe. De geur van koriander en kokos brandt in zijn neusgaten, van stranden waar zeeschildpadden zo groot als huizen langsglijden in het maanlicht…

'Nee, idioot!' gilt Senni. 'Je grijpt de verkeerde kant vast. Dat is het zuiden!'

'Laat los!' roept Cirnja en ze rukt zijn hand omlaag.

De oever glipt terug en de hemel stroomt vol zonnig blauw. Nergens meer een spoor van die eindeloos verre horizon.

'Handig,' zegt Senni, 'echt handig.' Ze ritst Cirnja's tas open. 'Moet je zien! Die lamme slingervis van je zoog al onze amuletten leeg!'

De gouden hangers en jaden kralen zijn in dofgeel plastic en groen glas veranderd.

'Cirnja zei…' Marek spreidt zijn handen, laat ze verslagen zakken.

'Het is jouw schuld niet,' zegt Cirnja. 'Ik hield het niet. Zonder jou was het me ook niet gelukt.' Cirnja klemt haar lippen op elkaar. 'Wat vader ook mag beweren, een kapitein word ik nooit. Ik ben gewoon een kluns in openen. Twee rechterduimen.'

'Hij anders wel,' zegt Senni. 'Die stomme oeluk van je kan het prima en dan trekt hij ons de verkeerde kant uit!'

'Misschien kunnen we…' zegt Marek. Hij spreidt zijn handen en meteen weet hij dat het geen zin meer heeft. Er rennen niet langer spookinsecten langs zijn vingerkootjes en elke trilling is uit zijn nagels verdwenen. Hij heeft al zijn magie opgebruikt.

'En nu?' Hij durft Cirnja amper aan te kijken. Een leerling-ober die op zijn eerste dag een blad vol wijnglazen over de cafévloer uitstrooit, kan zich niet erger schamen.

'Naar huis maar,' zegt Cirnja. 'Hier hebben we niets meer te zoeken. Misschien dat daar…' Ze maakt de zin niet af en Marek begrijpt dat ze zich even hulpeloos, even onmachtig voelt als hij. En de klok blijft doortikken. Dagen en weken, terwijl de kans steeds kleiner wordt dat we Geddit terugvinden.

14

De hele stad lijkt op een afgrijselijke manier vlak, kleurloos. Alles is zo afgrijselijk gewoon: de snaterende eenden in de gracht, een sliert doorgebrande kerstlampjes die nog om een boomtak gedraaid zit. Dit is alles wat er is, lijkt een langsdrijvend McDonald's-doosje te sniëren, net als de opengescheurde vuilniszak, de fietsband die halverwege de lantaarnpaal hangt.

Wen er maar aan.

Marek werpt een steelse blik op Cirnja. In het harde ochtendlicht lijkt haar gezicht bijna bleek. De gouden glans over haar huid is zo goed als onzichtbaar. Haar ogen staan nog steeds schuin maar ze zou evengoed uit Japan kunnen komen, of uit Korea.

Ze slaan achter het oude kantongerecht af en rijden de Nieuwe Gracht op.

Cirnja's huis springt uit de rij naar voren. Het is alsof er een speciale, veel kostbaarder zonnestraal op het dak gericht staat. De rode en gele bakstenen lichten op en de ramen, ja, ze lijken weer kostbaar glas-in-lood.

Hij stopt en naast hem laat Cirnja haar fiets tegen een lantaarnpaal vallen, vist haar sleutels uit haar tas.

De klopper hangt tegen de deur van gelakt eikenhout, rood goud, en zijn oogleden schuiven open.

De magie is terug, denkt Marek, en de pijnlijk strakke spieren in zijn nek ontspannen zich en zijn mondhoeken krullen omhoog. 'Cirnja?'

Ze kijkt op en ineens is ze weer wonderbaarlijk vreemd, een elfenmeisje. Niet van hier, absoluut niet van hier.

'Ja, Marek?' zegt ze, met haar sleutel een centimeter van het slot.

'De klopper,' zegt Marek. 'Hij is terug. Ik bedoel, hij doet het weer!' En meteen daarop komt een nieuwe gedachte die zijn bloed in ijswater verandert. *Al hun magie was op. Daarom moest Geddit juist weer op reis.*

'Raak de deur niet aan! Het is jullie magie niet!'

De ogen van de deurklopper rollen: ze zijn anders dan de eerste keer. Hard en levenloos, alsof ze van glas of diamant zijn. 'Wie is daar? Wie wenst dit huis te be-

treden?' Zijn stem wordt bedachtzamer. 'Ik snuif jullie adem op. Ik hoor de klank van jullie harten.'

Cirnja stapt heel langzaam terug, elke beweging traag als stroop. 'Niemand is hier. Je rook de geuren van het dromende water. Je hoorde het kloppen van het diepe, diepe hart van de aarde zelf.'

'Dan is het goed.' De klopper sluit zijn ogen.

'Werkt altijd,' fluistert Cirnja. 'Dat is wat Olga Slangensteen zong toen de trollenwachter van Negen Hoofdens schatgrot bijna wakker werd.'

Ze stappen zo rustig mogelijk op hun fietsen en Cirnja fluistert tegen Marek: 'Kijk niet om. Wat je ook hoort, kijk niet om. Ze hebben misschien nog meer valstrikken opgesteld.'

'Cirnja! Waar ga je naartoe?' De stem komt van boven, uit een van de ramen. 'Ik ben het, Geddit! Ik ben net teruggekomen en…'

Senni draait zich om. 'Je bent een vale leugenkrab, een krijsmeeuw! Je bent mijn vader helemaal niet!'

'Cirnja! Marek!' De stem kaatst tussen de huizen en lijkt minder dan ooit op die van Geddit. Het is te diep voor een menselijke keel, als de nagalm van een enorme bronzen gong.

Iets sist vlak over Mareks hoofd en laat een ijskoude vlaag in zijn kielzog achter. Een ruit aan de overkant flakkert op met kil blauw gletsjerlicht.

'De hoek om!' roept Cirnja. 'Spiegelgeesten kunnen alleen maar rechtdoor.'

Bij het eerste huis springt Cirnja van haar fiets.

'Keer je gezicht naar de muur!' beveelt ze. 'Zorg dat je geen enkel raam ziet. Spiegelgeesten kunnen alleen in rechte lijnen reizen. Om in de zijstraat te komen, moeten ze van raam naar raam kaatsen. En ze zien je alleen als je ze aankijkt.'

'Dat was een beetje stom van me,' zegt Senni. 'Ik was zo bóós, Cirnja.'

'Ik had ook niks in de gaten. Als Marek niet…'

Het licht schiet de straat in en kleurt de muren een uitgeloogd blauw, even verblindend als de vlamboog van een lasapparaat. 'Cirnja. Marek.'

Het weet onze namen nu, denkt Marek. Omdat we ze zelf zeiden.

De stem wordt zachter terwijl de spiegelgeest van raam tot raam wegkaatst en sterft dan helemaal weg.

'Ik denk dat het nu veilig is,' zegt Cirnja als ze een volle minuut niets meer gehoord hebben. 'Ze kunnen niet omkeren. Een spiegelwezen kan een bepaalde route maar één keer gaan.'

'Deze straat is dus voortaan veilig?'

'Tenzij ze een andere sturen.'

'Cirnja?' zegt Senni. 'Ik weet iemand! Vorig jaar, toen we de jonge jodelkrabbetjes kregen van tante Yghaina. Dat was bij haar thuis, in dat oude pakhuis, en

ik weet de weg nog precies. Papa wees hem aan. Van boven, op het balkon. En daarna liepen we.'

'Amsterdam, ja. Dat balkon was van de bibliotheek!'

Ze vist haar portemonnee uit haar binnenzak, schudt. De munten zijn oud lood en de biljetten zo vergeeld en vervaagd dat ze absoluut onbruikbaar zijn als betaalmiddel.

'Dat waren dus vijftigeurobiljetten en een heel stel goud- en zilverstukken. Waren.'

'De helft van de mensen reist zonder kaartje,' zegt Marek. 'Het is maar naar Amsterdam.'

'We gaan niet zwart reizen. Dat is opvallen. Als ze ons grijpen…'

Marek dringt niet verder aan. Haar voorzichtigheid zit te diep. Waarschijnlijk wordt het van baby af alle Hanzekinderen ingehamerd: hou je aan de regels. Opvallen is dodelijk.

'Ik heb wel geld.' Hij zucht. 'Thuis dan. Mijn bankpasje ligt nog op de plank boven mijn bed. Samen met mijn ID-kaart.'

'Ze weten waar je woont,' protesteert Cirnja. Op de een of andere manier ziet ze nu overal moeilijkheden.

'Onze vijanden staan vast niet voor mijn huis te posten,' stelt Marek haar gerust hoewel hij daar allerminst zeker van is. 'Ze waren naar jullie op zoek, toch? Niet naar mij. Hanzelieden, geen Utrechters. We moeten gewoon snel zijn, Cirnja. Erin en eruit, eh? Zij hebben hun spin al opgebruikt om uit te vinden waar ik op school zat. Die werkte toch maar één keer?'

'Ja, we hebben je geld absoluut nodig,' besluit Cirnja. 'Zwart reizen kan niet.'

Spiegels en hun bewoners

De oude Chinezen wisten het al: het is onverstandig te diep in een spiegel te staren. Vooral als spiegels in elkaar reflecteren en een lange, slingerende gang maken, duiken de spiegelwezens op. In die tweede, veel te nabije wereld, ketsen spiegelgeesten rond met slierende armen van gebroken glas en schieten glittervissen met glassplintertanden uit de schaduwen.

Iedereen die tussen twee spiegels staat, is kwetsbaar. Het hoeven niet eens echte spiegels te zijn: ook een ruit voldoet. De spiegelgeest springt van spiegel tot spiegel en klauwt onderweg je ogen uit de kassen.

Reisspiegels zijn de vouwen voor mensen zonder talent. Net als door een vouw kun je in een oogwenk duizenden kilometers ver reizen. Een op de tien budgetreizigers die door een toverspiegel stapt, overleeft het echter niet en wordt in stukken gereten door kristallen jachthonden. Alleen de getemde spiegels van de patriarch zijn veilig. Het nadeel is dat ze hun gewicht in goudthalers kosten.

De spiegelgeesten en hun honden zijn familie van de djinns en drooglanders: geel koper houdt ze op afstand. Sommige reizigers hullen zich daarom van top tot teen in koperfolie voor ze door een wilde spiegel stappen. Anderen dragen mantels en maskers die met spiegeltjes bestikt zijn om hun aanvallers terug te kaatsen.

15

De gele Panda staat voor de flat. Mareks vader is terug uit het dorp.

'Wacht buiten,' zegt Marek.

Cirnja schudt haar hoofd. 'Dat zou niet erg slim zijn. Als ze iets hebben achtergelaten. Iets magisch.'

'Ik ga ook mee,' verklaart Senni.

'Dan stappen we dus met een hele sleep binnen. Alsof dat niet opvalt.' Marek weet niet waarom hij zo moeilijk doet. Misschien omdat het zijn flat is? De enige plaats waar hij meer vanaf weet dan Cirnja?

'Ben jij dat, Magda?' komt de stem van zijn vader uit de keuken zodra de deur openzwaait.

'Nee, ik. Marek.'

Zijn vader stapt de gang in, met een huis-aan-huisblad nog in zijn hand. 'Marek? En wie mag jij dan wel zijn, Marek?' Zijn vader klinkt opvallend vriendelijk. Niets meer van dat vermoeide, dat bittere van het afgelopen jaar. De norse plooien naast zijn mondhoeken lijken minder diep en het is net alsof zijn gezicht gladgestreken is, jeugdiger. 'Zijn jullie de buurkinderen?'

Een grapje? Van zijn vader?

'Ik, eh, ik ben je zoon.' Marek voelt zich een volslagen idioot, even belachelijk als de aangever in een flauwe grap, maar wat moet hij anders zeggen?

'Nou, dat zou me hogelijk verbazen.' Zijn vader grinnikt. 'Een zoon dus. Dat had Magda mij wel eens mogen vertellen!' Nog steeds valt er enkel een onverwoestbaar goed humeur van zijn gezicht af te lezen. En de manier waarop hij 'Magda' uitsprak. Zo liefdevol.

'Zover ik weet, heb ik echt geen zoon.'

Hij liegt niet. De volgende realisatie is nog schokkender: *hij is zo gelukkig omdat hij geen zoon heeft.* Niemand waarvoor hij de kostwinner moet zijn, de veilige vader. Zonder kind is het verlies van de boerderij veel minder erg. Eerder een kans om iets nieuws te beginnen. Misschien ergens in Polen, Letland. Een boer-

derij met echte koeien in de wei, loslopende varkens.

'Ik heb geen zoon,' zegt Mareks vader peinzend, 'en als hij langskomt, moet ik meteen bellen.'

Cirnja glipt langs hem heen, duikt de huiskamer in. Ze is bijna onzichtbaar: elke beweging gaat net de kant uit die je niet verwacht, schichtig als een hagedis, en het is bijna onmogelijk haar in focus te krijgen.

'Nul zes was het,' zegt zijn vader nog steeds met die enigszins slaperige, veel te relaxte stem, 'en dan tweemaal drie. Acht, vijf en dan…'

Hij pakt de hoorn van de vaste telefoon op, typt het nummer in. De verbindingsdraad bungelt los aan het toestel, vakkundig afgesneden door Cirnja.

'Je bankpas!' sist ze. 'Daar kwamen we voor.'

'Mijn vader…'

'Later!'

Marek snelt de trap op, duikt zijn kamer in. Zijn bankpasje en zijn ID-kaart liggen inderdaad op de plank. Hij duwt ze in zijn zak en graait meteen zijn Zwitserse zakmes mee. En het draakje. Vergeet het draakje niet.

'Lastig,' hoort hij zijn vader zeggen, als hij langs de deur van de huiskamer sluipt. 'Niet eens een verbindingstoon. Nu ja, dan mijn mobieltje maar.'

Marek hoort het piepen van de toetsen.

'Ja, hij is hier. Mijn zoon.'

Ze sprinten de portiektrap af. Mareks moeder staat bij de brievenbussen, met een stapel kleurige folders in de hand.

'Wat een haast!' lacht Magda. 'Hoi en hallo, ik ben Magda. De nieuwe buurvrouw van 23C.'

'Sorry,' zegt Cirnja, 'we zijn al vreselijk te laat. We komen morgen wel even langs.'

'Ik zal de gebakjes klaarzetten,' knikt Magda.

'Dat was de spin,' zegt Marek. 'Moet wel. Ze lieten hem de spin zien en vertelden hem dat hij geen zoon had.' Hij bijt op zijn onderlip. 'En mijn moeder ook! Ze herkende me niet eens.'

Ze fietsen zo hard als ze kunnen, nemen een rood stoplicht. Marek heeft het gevoel dat er ogen uit de hemel omlaag gluren, dat er geen enkele plek op aarde meer veilig is. 'Slijt dat? Ik bedoel, weet hij over een paar dagen…'

'Een dwang blijft hangen,' zegt Cirnja. 'Hij haakt zich permanent in je hersens. Je kunt een spinnenbevel slechts met één ander symbool terugdraaien. De tegenkaart: Otmars drietand.'

'Heb je dat?'

'Nee, de dwingers zijn voor noodgevallen. We mogen hier nooit meer dan één

symbool bij ons dragen. Het zou een ramp zijn als de mensen van de Oudlanden ze in handen kregen.'

'Maar de anderen kennen de tegenkaart wel? Als we andere mensen van de Hanze vinden? In Amsterdam?'

'Vast wel.'

Mijn ouders leken allebei zo gelukkig, denkt Marek. Zo veel gelukkiger zonder mij. Het brok in zijn keel valt onmogelijk weg te slikken.

Hanzehavens

De geheime havens van de Hanze liggen op een dozijn plaatsen aan de kusten van de Oudlanden. Elke havenstad zit diep in een vouw verborgen en alleen een Hanze-lid kan haar poort binnengaan.

1. **Alt-Saeftinghe** vind je in het Verdronken Land van Saeftinghe, pal tegen-over Antwerpen. Volgens de overeenkomst met prins Maurits is de haven van de Hanze zo lang als 'de zeemeeuwen krijsen en de zeesterren oesters openwrikken'.

2. **Tintagelhavn** ligt aan de voet van het oude kasteel, waar de branding schuimend op de rotsen slaat.

3 **Hannoverhavn** lijkt niet meer dan een vervuild kanaal langs de verlaten steenfabriek. Tot je de juiste schuifdeur opentrekt en de kilometerslange droogdokken ziet liggen en gouden koepelvilla van de Dietse mercant.

4. **Manhattan-Zuid**. De indianen die Manhattan aan de Hollanders ver-kochten, waren smiechten. Zes jaar eerder hadden ze dat eiland namelijk al aan de Hanzelieden verkocht. Niet dat het uitmaakt: New York zit zo vol contrasten dat er honderden vouwen te vinden zijn.

5. **Maria del Carmen** is een klein rotseilandje in de zee van Cortes. Als je er aanlegt, blijkt het tientallen baaien te hebben en bossen met zestig meter hoge redwoods.

6. **Einars fjord** met het enige restaurant in de Oudlanden dat verse narwal en geroosterde ijsbeerpoten serveert.

7. **Chao** ligt tussen China en Taiwan en wordt ook wel Jaden Kraanvogel-eiland genoemd. Niemand kan je meer vertellen waarom.

8. **Hughada-van-de-dansende-kamelen**. De naam is niet helemaal juist omdat de eigenlijke haven zo'n zes kilometer van het vissersstadje ligt. In de schemering zeilen immense vlinderschepen de Rode Zee op, beladen met dadels en plastic scarabeeën en gipsen faraomaskers die in de Gran Terre hun ogen openen en de prachtigste liederen galmen.

9. **Simhala** is het mythische eiland waar Shiva zijn eerste geliefde kuste en heeft sinds die tijd nog niets aan paradijselijkheid ingeboet.

10. **Tempo Doeloe** wordt door voormalige Nederlandsch-Indiërs gedreven en is een favoriete vakantiebestemming van lieden als Wieteke van Dort en Didier van Brunshaven.

11. **Modderbank** ligt in de monding van de Surinaamse rivier en heeft nog nooit een thaler winst opgeleverd. Veel Hanzelieden zijn intussen vergeten dat daar ook nog een haven ligt.

12. **Penguland** ligt in het zicht van de ijsbergen, helemaal in het zuidelijkste puntje.

HANZEHAVENS
IN DE OUTLANDEN

16

De trein glipt door het groene land, koeien en schapen stippelen de weilanden en de hemel is een eindeloos diep blauw, vol donzige zomerwolken. Het zou de volmaakte vakantiedag kunnen zijn, alsof je door een folder rijdt.

Ik wou dat ik thuis was. Dat papa me duidelijk genoeg kon zien om mij uit te schelden. Dat hij nog wist dat ik zijn waardeloze zoon was.

'Marek, herinner je je het nog?' zegt Cirnja. 'Toen ik je voor de eerste keer zag?'

'Ja?' Hij draait zich naar haar toe, bijna gretig. Met somberen over zijn ouders schiet hij niets op.

'Ik dacht dat mijn moeder zich vergist had. Ik wist het zeker. Ze zei dat je mijn oeluk zou worden. Zwarte duisterwoorden, eh? Tussen de sterren gelezen. Daar liep je een beetje langs de vloedlijn te keutelen en je raapte schelpen op waar echt niets bijzonders aan was. Een jochie. Ik bedoel, ik was véértien en jij hoogstens zes. Maar toen had je ineens een glazen slakkenhuis in je hand en die groeien absoluut niet in de Oudlanden. Je graaide in de lucht en vouwde een weg open. Zo achteloos: zelfs mijn vader loopt rood aan als hij een weg opentrekt. Al zijn aderen zwellen op in zijn voorhoofd. En jij gaf gewoon een draaitje met je pols.'

'Je redde me,' zegt Marek. 'Die drooglander.'

Cirnja haalt haar schouders op. 'Je was mijn oeluk.'

'Je zei al eerder dat ik zo veel jonger was dan jij. Waarom is dat nu niet meer zo?'

'Bij onze volgende reis zeilden we de Elfde Oceaan van Gran Terre op, helemaal tot de Zuidzee en Saladins Kaap. Diep in het zuiden verloopt de tijd juist eindeloos veel trager dan hier. In de maanden dat we daar zeilden, wapperden er jaren in de Oudlanden voorbij. Je had tijd genoeg om mij in te halen en net zo oud als ik te worden.'

'Dus het was geen toeval dat je in mijn klas zat?'

'Nog meer duisterwoorden. Ik las de naam van je school tussen de sterren, en dat je zou verhuizen. Zo'n toekomst staat nooit helemaal vast, maar het viel toch te proberen? En het werkte. Je kwam opdagen en je was beslist geen keuteljochie meer.'

'Duisterwoorden, zei je. Wat zijn dat eigenlijk?' Blijf doorpraten, denkt Marek. Als het stil wordt, hoor ik mijn vader mama's naam weer uitspreken, zie ik Magda's glimlach.

Senni giechelt. 'Duisterwoorden: dat weet zelfs een dreumes die nog in zijn broek plast! Wat zijn kleihappers toch een hobbelmuizen!'

Cirnja werpt haar een bestraffende blik toe. 'Er zijn een heel stel dingen die Marek juist wel kan. Ik leer je zo snel mogelijk lezen, Marek. Zodra het nacht wordt. Al heeft Senni natuurlijk wel een beetje gelijk. Als je geen woorden in het zwart tussen de sterren kunt zien, ben je halfblind. Alsof je met kurken in je oren en pleisters over je ogen de toekomst in stommelt.'

'Goed. Zodra het nacht wordt.'

Duisterwoorden, denkt Marek. De toekomst lezen. Ik heb nog zo veel te leren en het zijn allemaal zaken die blijkbaar zelfs een kleuter hoort te weten.

Cirnja kijkt omhoog naar het bagagerek. 'Wat heb jij eigenlijk meegesleept, Senni? Die bobbel in je reistas?'

Senni trekt de tas omlaag en ritst hem open. 'Dit hier. Voor later.'

'Waar slaat dat nu op?' zegt Cirnja. 'Je hebt je waterpistool meegenomen?'

'Niks geen waterpistool. Dit is mijn Supersoaker. Mijn grootste. Ik ruilde hem met Edwin tegen een gouden opwindkever en er kan wel drie liter in. Niemand in Prester Johnsland heeft zo'n mooi wapen.'

'Hoezo wapen?' zegt Cirnja. 'Dat is speelgoed!'

Senni vouwt haar armen over elkaar. 'Het is een wapen.'

'Jij je zin.' Cirnja snuift. 'Een wapen. Nog dodelijker dan Björns bloedzwaard of Olga's bijl.'

'Ja leuk,' zegt Senni prompt. 'Vertel nog eens een Björn-en-Olgaverhaal?'

'Het duurt nog een half uur voor we aankomen. Goed. Heeft papa je ooit verteld hoe het verder ging nadat ze de emir van de drooglanders verslagen hadden?'

'Ze gingen toch gewoon weer naar huis? Ik bedoel, ze hadden de Zingende Juwelen terug en weer water om te drinken?'

'Nou, dat water viel nogal tegen. De emir had namelijk een rotgeintje uitgehaald, een echt valse streek voor als ze hem toch zouden verslaan.'

'Hij had de kruiken leeggegoten!' roept Senni.

'Erger dan dat. Ze zaten nog steeds vol maar nu met peperolie. Zodra je een slok nam, stond je mond meteen in de fik. Tegen de dorst hielp het natuurlijk helemaal niet.'

'Wat gemeen! En toen?' Senni fronst en dan worden haar ogen groot van ontzetting. 'Ze gingen toch niet dood? Björn was prinses Zilverster nog niet eens tegengekomen!'

'Olga vond er wat op. Ze was altijd de slimste van de twee geweest. Nu, ze la-

gen dus na te hijgen van hun eerste en enige slok, met blaren op hun tong en Olga zei: "Zonder water halen we de avond niet." Ze kauwde op haar lange blonde vlecht maar zelfs dat hielp niet meer tegen de dorst.

"Hadden we Moshes staf nu maar," fluisterde Björn. Zijn keel was zo opgezwollen dat hij alleen nog maar kon fluisteren. "Ik kon gewoon een mep op de rots geven en dan spoot er al water uit."

Moshe was de grootste van alle sjamanen geweest. Toen hij zijn staf op de grond gooide, veranderde die in een slang en zijn slang at alle…'

'Dat weet ik echt wel. Ga door.'

'"Dat had niks met zijn staf te maken," snoof Olga. "Moshe mompelde vast stiekem een spreuk om een watergeest te roepen. Die hens op de rots was alleen maar voor de show." Olga Slangensteen kon het weten, want ze had praktische magie gestudeerd aan de Universiteit van Salhamarra en kon haar eigen nachtmerries berijden.

"Roep een watergeest dan," hoestte Björn. "Beloof hem alles wat hij wenst."

"Zo eenvoudig gaat dat niet. Je moet hun ware naam kennen. Hun geheime naam. Anders gehoorzamen ze je niet. Ze fonteinen de grond uit en kolken je keel binnen, vullen je longen tot je op het droge land verdrinkt en het water uit je neusgaten spuit."

"Wat moet dat een heerlijke dood zijn! Maar je vergist je. Toen we de deur van de Wilde Zeiler openbraken, riep hij een watergeest op. Jij sneed zijn tong af voor hij de bezwering kon voltooien.'

"Tsuna," zei Olga. "Tsuna Tsunami, dat was de naam van die geest." Ze gebaarde naar haar oeluk. "Giet de kruiken leeg en zet ze rechtop." Ze tuitte haar lippen. "Tsuna Tsunami is te kort. Het kan onmogelijk zijn complete ware naam zijn. Ik denk niet dat hij reageert. Net als ik niet luister wanneer een vreemde mij enkel 'Olga' noemt. Maar bij 'machtige krijgsvrouwe Olga Slangensteen' heb je mijn volle aandacht."

"Maar als iemand je nu 'Olga Regenwormensteen' noemt, of 'Olga de tuttebel'?"

"Een belediging bedoel je? Geesten zijn nog lichtgeraakter dan helden. Natuurlijk komt hij dan meteen aanstuiven!"

En Olga stak haar bijl hoog in de lucht en riep:

Hoor mij, Tsuna Tsunami!
Je noemt je Shogun der Golven,
maar ik lach om je!
Voor mij
ben jij
een zielig kabbeltje
met een dotje schuim.

'Gaaf!' zegt Senni. 'Zielig kabbeltje en dat tegen een waterelementaal.'
'Olga was nog niet klaar,' vervolgt Cirnja.

Tsuna Tsunami!
Volgens mij
kun jij
amper een spiering
op het strand duwen.

'En hij kwam?'
'Absoluut, een inktzwarte vloedgolf zo breed als de hele…'
'Jullie kaartjes graag.' De conducteur staat in het gangpad en hij heeft zijn hand al uitgestoken. 'Als jullie geen kaartjes hebben, moet ik jullie namen opschrijven.' Zijn stem is wat onvast, alsof hij in zijn slaap mompelt. 'Moet ik jullie namen opschrijven,' herhaalt hij.

Hij heeft naar een spinnenkaart gekeken, denkt Marek. Mijn vader mompelde net zo toen hij het over opbellen had.

Marek reikt hem de kaartjes aan. 'Kijk eens.'

De man stempelt de kaartjes niet af. Hij laat ze uit zijn vingers glippen alsof hij ze volkomen vergeten is en ze dwarrelen naar de vloer. 'Jullie namen.'

'We hadden toch kaartjes? U zei…'

'Doe niet zo moeilijk, Simnar Saladin,' zegt Cirnja. 'Waarom zou hij onze namen niet mogen weten?' Ze wijst naar haar zus. 'Dit is Annabelle Riffel en ik heet Mona. Mona Grondijs, eh, water. Grondwater. En mijn broer daar, dat is Simnar Saladin.'

'Dat zijn de verkeerde namen. Je weet heel zeker dat je geen Stra Poulou heet?'

'Sorry. Gewoon Grondijs.'

De man draait zich abrupt om en loopt door.

'Uw kaartjes graag,' hoort Marek hem tegen de volgende reiziger zeggen. 'Als u geen kaartjes heeft, moet…'

'Ze weten dat we in de trein zitten,' zegt Marek.

Cirnja schudt haar hoofd. 'Ze gokken en strooien in het wilde weg met spinnenkaarten. Ik denk dat de douane op Schiphol iedere reiziger intussen ook naar zijn naam vraagt. Een beetje verspillend is het wel. Op deze manier kan straks niemand meer een kaart in de Oudlanden gebruiken.'

'Wie zijn ze? Van mijn of jullie wereld? Ze gebruiken computers en magie. Alles dwars door elkaar.'

'In ieder geval zit er iemand van het Kalifaat bij. Het zijn vijanden van de Hanze en als ze ons grijpen, knijpen ze ons uit als een citroen. Ze knijpen ons uit

en stampen op de schillen. Meer hoeven we niet te weten.'

Meer hoeven we niet te weten. Cirnja heeft gelijk: als een zwarte panter je be-sluipt, doet het er weinig toe voor welke voetbalclub hij is. Hij heeft tanden en klauwen en dat is genoeg.

17

'Dit is bizar,' zegt Ralph Harcourt. 'We hadden ze zo goed als! Dat huis op de Nieuwe Gracht. We propten het van onder tot boven onder de magie en de hightech, de beste muizenval die je maar kunt bedenken en dan zit er niemand achter die vervloekte telefoon als Mareks vader belt.'

Timur al-Rashid knort. 'Dit gaat verder dan domme pech. Ze moeten een beschermend amulet dragen of hulp hebben gehad. Als we de ogen van de klopper niet afgedraaid hadden, wisten we niet eens hoe ze eruitzagen.' Hij werpt onwillekeurig een blik op de net geprinte poster. 'Die twee meisjes, onmiskenbaar Hanze. Bovendien, wat ze tegen de klopper zeiden, dat van het dromende water en het kloppende hart, dat is beslist een magische formule. Ze lieten de klopper het hele bezoek vergeten maar de klopper vergat de formule zelf gelukkig niet.'

'De spiegelgeest?' Ralph was zijn fascinatie voor magie nooit kwijtgeraakt, maar Timur bleef de expert. Na de eerste maanden had iedereen zijn territorium afgebakend: Timur al-Rashid ging over alle bezweringen, Ralph Harcourt hield zich bezig met computerzaken en elektronica, terwijl Obromov de benodigde gelden naar hen doorsluisde.

Ralph vroeg nooit van wie het geld afkomstig was, of Timurs gestolen magie: het was genoeg dat ze een gemeenschappelijke vijand hadden.

'De ouders van die jongen?' zegt Timur. 'Misschien moeten we hun dwang veiligstellen?'

'Wat bedoel je?'

'Een indringer kan hun zo een tegenkaart tonen en hem zeggen zich alles te herinneren. Mijn bevel, het nummer dat hij moest bellen en erger nog, mijn gezicht.'

'Wil je dat ik deze keer ga?' vraagt Ralph.

'Jou kennen die meisjes in ieder geval niet. Mij hebben ze misschien gezien, op die ellendige school.' Timur reikt onwillekeurig naar zijn schouder. 'Alles zat daar tenminste van top tot teen onder de spinnen gepleisterd. Geen kans meer om iemand te bevelen.' Hij opent zijn portefeuille en schuift Ralph een kaart toe.

'Gewoon laten zien. Aan allebei de ouders. Dat is genoeg. Zeg vooral niets dat als bevel opgevat kan worden. Niemand kan de tegenkaart daarna nog gebruiken.' Hij tuit zijn lippen. 'Misschien komt alles nog goed. Ik heb een nest spiegelgeesten ingekaatst. Zodra een van die Hanzelieden in een spiegel kijkt, kwaakt de kikker in de wijnfles.'

'Kwaakt de kikker?' Timur al-Rashid spreekt vloeiend Engels maar aan zulke onzin kun je toch merken dat het zijn oorspronkelijke taal niet is.

'Hebben we ze, bedoel ik. Weten we precies waar ze uithangen.'

Mareks vader en moeder zitten comfortabel onderuitgezakt op de leren bank. Magda's benen liggen over de schoot van haar echtgenoot en hij streelt over haar voetzolen. Op het scherm balanceert inspecteur Frost in een krakende dakgoot terwijl hij een zolderraam probeert te forceren met een tuinhark. *A Touch of Frost* is hun favoriete serie en die ochtend heeft Magda in een frivole bui alle zes de seizoenen aangeschaft.

De bel gaat over, een bescheiden dingdong. Heel anders dan de keiharde ratel op de boerderij die tot in de schuren doorklonk.

'De voordeur,' zegt Magda en ze komt met een benenzwaai een ballerina waardig overeind. 'Ik ga wel.'

'Ik zet hem wel op pauze,' zegt haar man. 'Niet meer dan tien euro aan een rusthuis voor zielige kippen geven. En alleen als ze echt zielig zijn.'

De man is opvallend netjes gekleed en in tegenstelling tot haar eigen man weet hij wel hoe je een das moest strikken.

'Goedenavond,' zegt Magda. 'Zeg het eens.'

'Could you call your husband, please?'

Magda's Engels is niet al te best. 'Ik, eh, okay.' Ze draait zich om. 'Een man wil je spreken. In het Engels, dus jij kan het beste het woord doen.'

'Good evening,' zegt haar man.

'I want you to have a look at this. Please.'

'Hij wil dat we ergens naar kijken, Mag.'

De man klapt zijn portefeuille open en toont een kaartje met een... drietand? Op de een of andere manier valt het Magda moeilijk om erop te focussen. Het is alsof de randen flikkeren en de drietanden heen en weer springen.

'Iets met zeelieden?' zegt ze. *'I mean rescue. Of ships?'*

'One final question. Do you have children?'

'No,' zegt Mareks vader. *'We would have liked to have children, but...'*

'Thank you.' Hij trekt het kaartje uit zijn portefeuille. *'Put this somewhere. So you can see it. Just in case you want to call us, yes?'* De man heft zijn hand in wat bijna een saluut is, draait zich om en snelt de trap af. Hij neemt de treden met drie tegelijk.

'Die heeft haast,' zegt Magda. 'Enig idee waar dat op sloeg?'

'Niet in het minst.' Hij draait het kaartje om. 'Er staat niet eens een nummer of adres op. Nou, ja, ik hang het wel op het prikbord.' Hij haakt zijn arm in die van zijn vrouw. 'Terug naar de bank. Die arme Frost staat nog steeds te blauwbekken in de dakgoot.'

18

'De volgende stop is Amsterdam Muiderpoort,' reutelt een luidspreker.
'We zijn er bijna,' zegt Marek. 'Ik ga nog vlug even naar de wc.'
Als hij de deur opent, flitst er iets in zijn ooghoek. Hij zoekt het toilet af. Niets te zien. Misschien gewoon de weerkaatsing van zonlicht in een ruit.
In het zwaaiende toilet wrijft hij over zijn wang. Schuurpapier. *Ik moet me nodig weer eens scheren.*
Hij trekt door en werpt een blik in de spiegel. Over achterstallig onderhoud gesproken: het glas zit vol roestvlekken en onsmakelijke kringen. Hij kan zijn eigen gezicht amper onderscheiden.
Wat zit er nu weer voor rare bleke vlek op mijn voorhoofd? Hij buigt verder naar voren en ineens wordt het beeld kristalhelder. Een gezicht, bleek en glinsterend als gesponnen glas, kijkt naar hem terug. In het voorhoofd fonkelt een kleurloos juweel, gefacetteerd als de pegel van een glazen kroonluchter.
'Ik zie je.' De stem begint als een trilling van het glas tegen de wand, een meegonzen met het bonken van de rails, en zwelt dan aan tot het galmen van een bronzen gong. 'Ik zie je en je bent hier.'
Het wezen wijkt schokkerig terug, krimpt. Het is alsof Marek door een tunnel van in elkaar weerkaatsende spiegels tuurt en het wezen van frame naar frame stuitert.
Een doffe tik en de spiegel valt in scherven op de grond. Elke scherf heeft de vorm van een volmaakte zeshoek.

'We hebben ze,' juicht Ralph. Op het scherm schuiven kolommen magische symbolen voorbij. In de rechterbovenhoek is het gezicht van Marek zichtbaar geworden. Het ziet er enigszins vervormd uit: alsof de foto door een geslepen diamant is genomen of het oog van een aasvlieg.
Een landkaart knipt aan met een pulserende stip. Het scherm zoomt in en Ralph ontdekt de spoorrails.
'De spiegelgeest zag de jongen daar. In de trein vlak voor Amsterdam.' Hij

kijkt Timur aan. 'Hebben we iemand in Amsterdam?'

'Alleen Smeeling en die zit ergens in een buitenwijk. Hij is van het Vlaams Blok en spreekt vloeiend Amsterdams. Ze zullen nooit denken dat hij een van ons is.'

'Waarschuw hem.' Ralph buigt zich over het toetsenbord. 'Ik breek in het calamiteitennet in en laat een algemeen politiebericht uitgaan. Hun foto en een dringende oproep.' Hij bijt op zijn onderlip. 'Zeg, zouden ze op weg naar dat vluchthuis zijn? Dat geval waar we een half miljoen voor betaalde en toen waren alle vogels al gevlogen? We kunnen een val zetten.'

'Smeeling haalt het pakhuis nooit. Nee. Alle kans dat er nog hulpgoederen liggen. Magie die alleen een Hanzelid kan vinden. We lieten salamandereieren achter. Laat ze uitkomen. Als ze toch komen opdagen, dan hangen jouw luisterwebben nog steeds door het hele gebouw.'

'Zonde en jammer. Als we ze missen, hebben we helemaal niets meer.' Ralph pakt zijn mobieltje, typt een nummer in en drukt op de zendtoets. 'Daar gaan ze.' Het is een dubbel bevel: een is een spreuk om Timurs salamandereieren uit te laten komen en het tweede een commando om de luisterwebben aan te zetten.

'"Ik zie je", zei hij, "en je bent hier". En daarna knalde de spiegel uit elkaar.'

De stem van de conducteur onderbreekt Marek.

'Over enkele ogenblikken rijden wij het station van Amsterdam Centraal binnen. Denkt u aan het meenemen van uw bagage?'

'Hopelijk hebben ze niemand op het station staan,' zegt Cirnja. 'We nemen een zijtunnel en dan gaan we door de achteruitgang. Dat ligt het minst voor de hand.'

'Niet zulke grote stappen,' zegt Cirnja in de tunnel. 'Je bent ontspannen en relaxed, eh? Gewoon een dagje uit in de grote stad.'

'Grote stad?' snuift Senni. 'Ik wed dat hier nog niet eens tien miljoen mensen wonen. In Huy Jorsaleem…'

'Ik drentel wel,' zegt Marek. 'Zo goed?'

'Ja, dat is beter. Als ze ergens op letten, is het wel op rennende mensen. Panische vluchtelingen kuieren niet.'

'Laat uw bagage en eigendommen niet onbeheerd achter,' deelt een metalige stem mede. 'In dit station zijn zakkenrollers actief.'

'Net als thuis,' knikt Senni. 'Hakken ze hier hun handen ook af?'

Buiten slaan ze opnieuw af en nemen een tweede tunnel onder het spoor door. Bij de uitgang blijft Marek verbluft staan. Voor een gebouw als een reusachtig scheefhangende ton van roestig koper ligt een ouderwets zeilschip aangemeerd.

Drie masten en zelfs een boegbeeld. Het is een bizar gezicht, eerder uit Cirnja's wereld dan zijn eigen. Alsof hij midden in de Gran Terre uit de trein gestapt is. 'Niet van ons,' zegt Cirnja die zijn gedachten lijkt te raden. 'Er is niks magisch aan dat schip.'

De bibliotheek van Amsterdam is wel wat anders dan de bieb van het dorp: een regelrechte wolkenkrabber met uitwaaierende stenen trappen die eerder bij een opera passen dan een bibliotheek. Op de treden zitten studenten te zonnen en sommigen hebben zelfs een boek open op hun schoot. Drie rasta's dansen loom op de muziek van een doorgedraaide rapper. Het is Nederlands maar Marek kan hoogstens één op de vijf woorden verstaan.

Een jongen en een meisje met rare groene petjes op hun hoofd stappen met-een op hen af.

'Mogen we iets vragen?' zegt het meisje en ze houdt een flesje met een smoe-zelig etiket omhoog. 'Het is voor een onderzoek.'

'Als jullie een bekertje van deze nieuwe vruchtendrank willen proberen?' zegt de jongen. 'Ons vertellen hoe het smaakt? Het is honderd procent biologisch.'

'Ik kijk wel mooi uit,' zegt Cirnja. 'Rare alchemistische elixers van wildvreem-den kloeken. Denk je dat ik een brakwatermossel ben? Voor je het weet, heb ik overal haar en hangen er teken aan mijn oorlellen.' Ze zet haar handen in haar zij. 'Volgens mij hebben jullie niet eens een heksenvergunning. Jullie zijn veel te jong.'

'Ik drink alleen maar cola,' deelt Senni mee. 'Van cola is nog nooit iemand in een slak veranderd.'

'Nee, dank je,' zegt Marek beleefd.

Wat een rotbaantje: mensen smerige drankjes laten proeven. Aan de vaal-oranje kleur te zien was het een soort wortelsap. Waarschijnlijk nog met peterse-lie erdoor ook.

Ze nemen de lift naar de hoogste verdieping en steken het restaurant over naar het balkon. De stad reikt tot voorbij de horizon, een spinnenweb van grachten, kerktorens en koepels.

'Achter dat gebouw was het,' wijst Senni. 'De kant van de dierentuin uit. Ja, ik zie het. Een pakhuis aan het water. Net als ons eigen pakhuis in Huy Jorsaleem, alleen veel kleiner.'

Marek volgt de richting van haar vinger. Een kaal gebouw van rode baksteen is het enige dat hij ziet en het is beslist geen pakhuis. 'Ik snap het. Er staat een an-der gebouw in de weg en daarom kijken jullie er dus maar dwars doorheen. Han-dig hoor, magie.'

'Je kunt niet door een gebouw heen kijken,' zegt Cirnja. 'Dat is kletskoek. Nee,

Senni gluurde er eerst langs en toen ze achter het gebouw was, keek ze verder. Simpel je ogen naar dwangs draaien als er iets in de weg staat. Daar is niks magisch aan. Gewoon een trucje.'

'Aha.' Marek dringt niet verder aan. Het is ongetwijfeld een trucje waar zelfs de kleuters op Gran Terre geen enkele moeite mee hebben.

'… ontvoerd geworden,' hoort Marek als ze uit de lift stappen. Het geluid van het nieuwsscherm bij de ingang staat hinderlijk hard aan voor een plaats waar mensen rustig zouden moeten kunnen lezen. De stem galmt door de hal en hij lijkt verdacht veel op het uitleggerige stemgeluid van Peter R. de Vries. Alleen als je al zijn uitzendingen gevolgd hebt, zoals Marek, hoor je dat hij het net niet is. Een beetje te hees en Peter rolt zijn r niet zo overdreven. 'Als iemand deze drie kinderen zien,' vervolgt de nep-Peter, 'bel dan terstond de onderstaande nummer. Onderneem zelf nee actie. De ontvoerders zijn met wapens en vuurwapengevaarlijk.'

Senni grijpt zijn arm vast. 'Dat zijn wij!'

De foto is schuin van boven genomen, want ze kijken omhoog. Op de achtergrond zijn de huizen van de Nieuwe Gracht zichtbaar.

De klopper, denkt Marek. Zijn ogen waren anders dan de vorige keren. Ze gaven wel licht maar ze waren niet levend. Lenzen: het waren verdorie camera's en wij stonden er gehoorzaam in te koekeloeren!

'Rustig doorlopen,' zegt Cirnja. 'Vooral niet naar het scherm kijken. Dat is gewoon nieuws. Dat staat de hele dag door te tetteren.'

'Hij gaat in een *loop*,' zegt Marek. 'Kijk, daar komt het bericht weer terug. Het is het enige dat ze uitzenden.'

'De Amsterdampolitie vraagt uw medewerking. Kort geleden hebben drie kinderen uit Utrecht ontvoerd geworden.'

'Het is beslist van hen. Ze moeten eens iets aan hun vertaalprogramma's doen. Je kunt zo horen dat het regelrecht uit het Engels komt.'

'Ik denk dat ze haast hadden.'

Bij de bushalte blijft Cirnja staan. 'Hebben jullie bussen en trams eigenlijk camera's?'

'Ik weet het niet,' zegt Marek. 'Zou kunnen. Er hangen tegenwoordig bijna overal camera's.'

'Dan gaan we lopen,' besluit Cirnja. 'Zorg dat je nergens in een spiegel kijkt.'

'En als ik dat toch doe? Per ongeluk?' Meteen heeft Marek spijt van zijn vraag. Het klinkt zo angstig, zo zeurderig.

'Dan knijp je je ogen stijf dicht en je laat je tong uit je mond hangen. Als zo'n bedelende hond weet je. Duw je duimen in je oren, en wriggel met je vingers.'

'Dat is een soort antibezwering? Een magisch afweergebaar?' Het klinkt vol-

komen belachelijk, maar ja, wat weet hij van bezweringen en spreuken?

'Niks magisch. Spiegelgeesten zijn uitgestuurd om naar onze gezichten te zoeken. Als ze nu ineens een heel ander gezicht zien dan besluiten ze misschien dat je het toch niet bent.'

'Dat werkt nooit,' zegt Senni. 'Zo stom zijn ze niet.'

'Nee, waarschijnlijk niet,' geeft Cirnja toe. 'Domweg niet in spiegels kijken dus.'

Marek had zich nooit gerealiseerd hoe ellendig vol de stad met spiegels hangt. Elke auto heeft er om te beginnen al drie. Aan veel ramen zit op bovenverdiepingen bovendien een schuin spiegeltje om te kijken wie er aangebeld heeft.

Na een straat of twee heeft hij al pijnlijke ogen en een knik in zijn nek van het wegkijken.

19

Het omgebouwde pakhuis ligt aan het water en zodra ze uit de schaduw van een steeg stappen, weten ze dat het mis is, goed mis. Zo veel mensen op de kade is niet normaal en ze turen allemaal omhoog, naar Cirnja's gebouw. Twee brandweerwagens schuiven net hun ladders in en de blussers koppelen de slangen los. De brand is blijkbaar voorbij. Een erg heftige brand kan het niet geweest zijn. Er hangt een amper bespeurbare schroeilucht, eerder als van heet metaal dan van verbrand hout en plastic. Zonder de brandweerwagens had je het niet eens opgemerkt.

Senni wijst. 'Dat raam was het. Met de lege ruiten. Ik weet het zeker. Tantes huis.'

'Vrouwe Pech neemt altijd haar vriendinnen mee.' Cirnja stapt op een vrouw met een rood geblokt hoofddoekje en een tas vol preien en bloemkolen af. 'Was het erg, mevrouw? Zijn er doden of gewonden?'

'Nee hoor, meisje, niemand. Ze merkten de brand op tijd op. Alle mensen konden het gebouw uit.' Ze knikt heftig en haar ogen stralen. Voor de meeste mensen is een brand een leuk verzetje. 'Het vuur zat ergens in de muren. Zo raar. Alles brandde van binnenuit, zei Alfred. Hij woont hier en soldeert blote vrouwen van colablikjes. Van binnenuit, ja, en de muren zijn van beton. Hoe dat kan fikken?' Ze kijkt haar aan. 'Ken je daar iemand?'

'Mijn tante,' zegt Senni. 'Ze woont daar.'

'Het was maar één kamer en ik geloof niet dat daar iemand echt woonde. Het was eerder voor de opslag.'

'Bedankt,' zegt Cirnja en ze legt haar hand op Mareks arm. 'We gaan naar binnen. Al weet ik vrij zeker dat er niemand meer is.' Ze knikt. 'Bij een inval moeten we ons onmiddellijk verspreiden, en terugkeren is al helemaal verboden. Deze plaats is besmet. Alleen, we hebben niets anders.'

Ze trekt een spinnenkaart uit haar tas, stapt over het politielint en loopt op de twee agenten bij de ingang af.

'Wij horen hier. Jullie moeten ons doorlaten.'

De agent met de bakkebaarden knikt. 'Natuurlijk, mevrouw.'

God mag weten wie hij voor zich denkt te zien, denkt Marek. Mevrouw de burgemeester, zijn commissaris? Iedereen vindt blijkbaar een eigen, altijd volkomen logische reden om het bevel van een spinnenkaartzwaaier op te volgen.

Binnen zijn alle lampen gedoofd en op de treden van het schemerige trapportaal staan zo veel dozen en kratten geparkeerd dat het eerder een stortplaats lijkt. Een steekkarretje met opklapbare zijden ligt tot Mareks kruin volgestapeld met oude kranten en reclamefolders. Alles is zompig en doorweekt: de brandweer heeft geen risico's willen nemen.

Cirnja lacht en wijst op een bordje: GEEN FIETSEN OF OPSLAG VAN GOEDEREN IN DE GANGEN.

Op de derde verdieping duwt ze een galerijdeur open en de geur wordt sterker.

Zo ruikt kortsluiting, denkt Marek. Of als je te lang in beton doordramt met je boormachine. De kop van je boortje begint te smelten en je elektromotor wordt een soort straalkacheltje.

De vijfde deur staat op een kier en zodra Cirnja de deurknop vastpakt, lost de hele deur op in een wolk as en vlokken.

Een moment staat ze verdwaasd met de losse deurhendel in haar hand, en dan haalt ze haar schouders op en stapt naar binnen.

De ruimte is leeg: alles van waarde is verbrand. De hitte moet ongelooflijk geweest zijn: het blad van een glazen bijzettafeltje ligt in klodders op de vloer. Stalen archiefkasten zakten in elkaar alsof ze van nat karton waren en als Marek een vervormde la forceert, zit hij tot de rand vol grijze as.

Het was zo heet dat zelfs de rook verbrandde. Daarom ruiken we zo weinig.

In een hoek van de kamer wappert een spinnenweb op de tocht, ziet Marek. Raar dat dat niet verbrand is. Zijn spinnenwebben soms onbrandbaar, net als asbest?

'Marek?' Cirnja strijkt met een vinger langs de muur. 'Ze stuurden een salamander. Alchemistisch vuur.' Ze wenkt hem. 'Zie je die druipstrepen? De muur smolt tot glazuur. Als je goed kijkt, kun je zijn pootafdrukken over de muur zien zigzaggen.'

De pootafdrukken zijn onmiskenbaar: minuscule zwemvliespoten, elk in zijn eigen ring van geblakerd azuur.

'Het waren er drie,' zegt Senni. 'Hé, Cirnja, moet je hier eens kijken!'

De muur is opengebarsten en in de diepe spleet kun je de wapening van het beton zien.

'Die ijzeren staven,' zegt Marek. 'Ze zijn goudgeel.'

'Klopt,' zegt Cirnja, 'en goudgeel, dat is precies wat er gebeurde. Alchemistisch vuur vlamt zo monsterlijk heet dat ijzer tot goud verbrandde. Sommige alche-

misten gebruiken ze om lood tot goud om te smelten. Erg roekeloze alchemisten.'

'Die salamanders?' vraagt Marek. 'Wat moet ik mij daarbij voorstellen? Een soort vuurgeesten?'

'Ja, ze leven in vulkanen en zwemmen door de lava. Daarom hebben ze ook vliezen tussen hun vingers. Brandstichters smokkelen hun eieren een gebouw in en als je ze breekt, springt er een jonge salamander uit. Het is buiten een vulkaan natuurlijk veel te koud voor een salamander, maar hij kan toch een minuut of vijf rondrennen voor hij stolt.'

'Hier ligt er eentje.'

Senni raapt een beeldje van zwart glas op. Ze geeft een rare draai met haar pols en smijt hem tegen de muur: de salamander spat in scherven uiteen.

'Senni! Dat slaat echt nergens op. Hij was al dood.'

'Nu weten we het zeker.'

'Ja, en als er iemand van de vijand langskomt, zien ze de scherven. Alleen als je hem met een dwangse draai werpt, kun je hem breken. Hij is zo hard als diamant.'

'Dat zien ze vast niet. Hah, die brakwatermossels vreten zand en vegen hun klompen aan hun eigen kont af.'

Dat moet ik onthouden, denkt Marek. Vreten zand en vegen hun klompen aan hun eigen kont af. Ik weet absoluut niet waar het op slaat maar het klinkt prachtig beledigend. Net als brakwatermossel trouwens.

Cirnja beent naar een gebroken ruit en leunt over de gestolde druipscherven. 'De kade is leeg intussen. Ik hoop dat ze een boodschap achterlieten. Een lijst met vouwpunten of een noodkist zou handig zijn. En dan heb ik het niet eens over een sloep.'

'Kooplieden zijn niet overal welkom,' legt ze uit als ze weer voor de ingang van het gebouw staan. 'Elk land heeft zijn spionnenjagers en zijn inquisitie. Dit was een geheim huis, een onderduikadres. Als je moet vluchten en zo'n plaats besmet is, dan hoor je een boodschap achter te laten voor de anderen.'

Ze neemt een enorme stap. 'Eerst links maar eens. Dertien stappen zoals de kangoeroe hopt.'

Dertien sprongen later blijft ze voor een blinde muur staan. De wand zit drie lagen dik onder de graffiti: ballonletters, grijnzende smurfenkoppen, een prachtige draak die groene vlammen spuwt.

'Ik zie het Tweede Kruis!' roept Senni. 'En dat paarse ding daar, Sinte Brendaans bootje! Dat kan alleen iemand van Gran Terre gespoten hebben.'

'Mooi zo. Nu de boodschap nog.'

Cirnja en Senni zoeken de muur centimeter voor centimeter af, turen soms van zo dichtbij dat hun neuspunten zowat over de steen schuren.

'Dit slaat werkelijk nergens op,' zegt Cirnja een kwartier later. 'Je kunt een boodschap ook te goed verstoppen. Het belangrijkste is toch de waarschuwing? Dat de vijand je vluchthuis gevonden heeft en je absoluut niet naar binnen moet gaan. Dat moet je in een oogopslag kunnen zien.'

'Een oogopslag?' Marek loopt achteruit tot hij aan de rand van de kade staat. Een stap verder en hij ligt in het water.

Op de muur is de omtrek van een kinderlijk huis getekend, met een open deur en een zonnetje boven het dak. Onmiskenbaar het teken voor een veilige schuilplaats. Door het huis is een waarschuwende X getrokken. Elke lijn is een meter of zes lang: veel te groot om van dichtbij op te merken. Helemaal bovenaan, in dezelfde paarse kleur, staat een pijl met drie lussen en het getal 67.

'Ik heb het,' zegt Marek. Hij wappert naar de muur. 'Jullie stonden domweg te dichtbij.'

'Wat?'

'Kijk, hier staan lijnen.' Hij tikt de muur aan en de lijnen flakkeren, verdwijnen.

'Stomme kleihapper!' roept Senni. 'Never nooit een Hanzeboodschap aanraken! Dat weten zelfs sardientjes!'

'Hoe kon ik dat nu weten?' Zijn oren gloeien. 'En jullie zagen zelf helemaal niks!'

'Gewoon domme pech,' zegt Cirnja. Eerst kijkt die stomme oen in een spiegel en nu dit weer, moet ze denken. Ze is alleen te vriendelijk om het te zeggen. 'Wat zag je precies?'

'Dat je het huis niet moest binnengaan. Er stond een kruis door.'

'De boodschap is vier dagen oud,' zegt Cirnja. 'Dus dit is van voor de brand. Verder nog iets?'

'Een pijl met drie lussen en het getal 67.'

'Welke kant wees de pijl uit? En die lussen? Zaten ze onder of boven? De volgorde is ook belangrijk.'

Marek sluit zijn ogen om het beeld terug te halen. Het is opvallend scherp, alsof het in zijn geheugen gebrand staat. Heldere paarse lijnen die tussen de andere graffiti lijken te pulseren. Waarschijnlijk weer een Hanzetruc die elke kleuter kent.

'Er stond meer bij. Ik zie het nu pas. Een spinnenweb en een oor.'

'Een spin die je afluistert? Niets zeggen, want de webben hebben oren?' Cirnja klakt met haar tong. 'Doet er niet toe. Ze moeten hier in ieder geval weg.'

20

Bij de zevenenzestigste stap slaan ze bij een steegje rechts af en klimmen een wankele schutting over. Voor hen ligt een veldje vol roestende winkelwagentjes. Honderden winkelwagentjes. Klimplanten winden zich door de spijlen en openen blauwe en paarse kelken.

Het is doodstil, zo onwaarschijnlijk stil dat je het bloed in je oren kunt horen ruisen.

'Doorlopen,' fluistert Cirnja. 'Vooral niet om je heen kijken en negeer alles in je ooghoeken. Het is echt. Tot je er te nauwkeurig naar kijkt. We lopen nu de eerste lus en een andere weg is er niet.'

In een van de winkelwagentjes komt iets krakend overeind. Een paspop? Marek wendt zijn ogen snel af.

'Waar zijn we?'

'Nog steeds Amsterdam. Niet de Gran Terre. De eerste lus bracht ons een beetje opzij van jullie Amsterdam. Ik zag een vouw: een middeleeuwse muur waartegen een bezorger een hele stapel folders gedumpt had. Gloednieuwe modefolders, die niemand ooit zou lezen. De lus opende hem automatisch.'

De andere wagentjes bewegen nu ook. Een heimelijk geknars van verweerde wielen.

'En dit?'

'Dit is een soort puist op de realiteit, een zweer. Je zou dit het land van de Vergeten Dingen kunnen noemen, van de verknoeide kansen.'

Ze versnelt haar pas.

'Met de katjes die niemand meenam uit het asiel,' vult Senni aan. 'De poppen die niet eens uit de doos gehaald werden.' Ze klinkt gretig, alsof dit een heerlijk avontuur is.

'Poppen?' zegt Marek. 'Wat is er voor engs aan oude poppen?'

'Speel met mij,' lispelt prompt een stemmetje. 'Mij, mij.' En dat is meteen een afdoend antwoord. Het is zo'n afschuwelijk gortdroog stemmetje. Zo zou een pop spreken die zo lang in het hete zonlicht en het stof heeft liggen wachten dat

alle kleur eruit gebleekt is. Poppen met gezichten als vergeelde schedels. Barbies die hun scherpe tanden bloot grijnzen. 'Speel, speel met mij.' Zo gretig, zo hatend hoopvol.

Het koor zwelt aan, honderden stemmetjes als de ritselende poedervleugels van motten, stemmetjes als uitgezogen bromvliegen in stoffige webben.

Als ze me te pakken krijgen, moet ik de rest van mijn leven nepthee drinken met poppen, gaat het door Marek heen. Katjes aaien met ogen als gerimpelde pruimen. Ja, en vachten vol klitten, waaronder je de ribben bij elke aai kunt voelen.

Hij huivert. Er is niets grappigs aan poppen of huisdieren die hun ondankbare baasjes hebben leren haten.

'Naar links!' beveelt Cirnja. 'De tweede lus!' Ze rukt een verveloze tuindeur open in een wolk van turfmolm.

Een bel klingelt, een onaangenaam dof geluid, alsof de bel uit een oud verfblik gemaakt is, met het knipmes van een seriemoordenaar als klepel.

Het beeld is haarscherp. Het roestige blik met de uitgezakte vellen verf, het opengeklapte mes. Het geheime mes, fluistert een geluidloze stem in Mareks hoofd. Het mes dat niemand ooit heeft gevonden. Omdat het hier ligt. Vergeten.

'De deur!' gilt Senni. 'Gooi hem dicht!'

Marek wervelt om zijn as en werpt zijn volle gewicht tegen de deur, wrikt de grendel knarsend dicht.

Iets bonst tegen de deur, laat de planken knarsend doorbuigen. Marek stelt zich een vloedgolf van smoezelige poppen voor, van broodmagere katten en teddyberen met fonkelende ogen.

'Hij houdt het wel,' zegt Cirnja, 'we luidden de bel en daarom zijn we hier veilig. Aanbellen betekent dat er iemand komt en voor hen gebeurde dat nooit.'

Marek voelt hoe de spieren in zijn nek zich ontspannen. Hij kan ze bijna horen ploppen.

'Als er tenminste niemand door de achterdeuren komt,' vult Cirnja aan. 'Op hun eigen manier zijn de Verloren Achtertuinen nog erger. Spinrag en grijs mos en vijvertjes met groen, stinkend water. Een vochtige schemering zelfs op de mooiste zomerdag. Bittere motoren met gebarsten zadels die op hun berijders wachten en van snelwegen en geel natriumlicht dromen.'

'Je weet het wel te brengen.' Marek zoekt hun nieuwe weg af. Aan beide zijden rijzen schuttingen op: twintig, dertig meter hoog. Ze hangen over: onbereikbaar ver boven hen is de hemel niet meer dan een blauwe kronkel.

'Ik denk niet dat iemand ons hier durft te volgen,' zegt Cirnja en Marek begrijpt perfect waarom.

Ze rennen door, maar nu op hun tenen. Niemand mag hen horen. Niets mag nieuwsgierig naar de tuindeur schuifelen om ze wijd open te zwaaien en hen de weg te versperren.

'Hoe ver nog?' hijgt Marek.

'Zevenenzestig stappen natuurlijk en dan nog vijf meer voor de derde lus.'

Vierenvijftig stappen en de gang vernauwt zich. Marek schuurt met zijn schouder langs het ruwe vurenhout en dan moet hij zijdelings verder schuifelen.

'Zie je het einde al?' vraagt hij.

'Nee, natuurlijk niet. Het is net zo onmogelijk als wanneer je naar het water staart om te zien of het al kookt. Zolang je kijkt, gebeurt het gewoon niet.'

Zestig stappen en de weg is zo nauw dat ze zich tussen de schuttingen door moeten wringen. Oorwurmen en duizendpoten tuimelen in Mareks haar en rennen omlaag over zijn wangen. Hij knijpt zijn ogen stijf dicht en uit zijn keel welt een benauwd gejammer op. Hij slikt, duwt het geluid terug.

Dit is erger dan een nachtmerrie. Hij weet absoluut zeker dat het geen droom is, dat je hieruit onmogelijk kunt ontwaken.

Nu hoort hij voor het eerst ook geluiden uit de tuin. Krakende tuinstoelen. En waarom kraken ze? Wat staat daar langzaam uit op om naar de tuindeur te strompelen?

Of het slijmerige geborrel van een fonteintje. Hij ziet het groene water van de vijvers voor zich. Tussen het kroos en luchtbellen drijven dode kikkers. Opgezwollen kikkers waarvan de ogen toch traag in de kassen draaien zodra ze Mareks voetstappen opvangen.

'Marek,' borrelt een stem net achter de planken, hoogstens tien centimeter van zijn oor. 'Ma-rek. Kom je ons...'

'Zevenenzestig!' juicht Cirnja en opnieuw luidt de moordenaarsbel, blikkerig en vermoeid, maar eindeloos welkom. 'De derde lus!'

Zonlicht smakt tegen Mareks oogleden en laat ze openspringen.

Wat is het gedruis van de wereld toch heerlijk! De claxon van een vrachtwagen die door een rood licht scheurt, de snerpende stemmen van twee Amerikaanse toeristes die een taxichauffeur weigeren te betalen, de bries op zijn gezicht, vol zilt en dieselolie.

Ze staan opnieuw aan de oever van het IJ, achter het Centraal Station. Het licht van de ondergaande zon kleurt de ramen van de gebouwen aan de overkant gloeiend brons en rood-goud.

Cirnja kijkt op haar horloge.

'Dat was vlot. Het is net acht uur.' Ze wandelt naar de rand van de kade en kijkt omlaag. 'Hier zou de lus moeten eindigen.'

'Beetje vies water,' zegt Senni. 'Nog erger dan in Utrecht.'

'Dat valt te regelen.' Cirnja wroet in haar tas rond. 'Dit zijn onze laatste restjes magie. Glazen schelpen van de Dromende Kliffen. Als er nu geen reactie komt, staan we met even lege handen als een kleihapper.' Ze werpt een hand-

SINT GUNDMAR
DE KIKKER DIE IN
GOUDSTUKKEN ZWEMT

EN ZEEMONSTERS VERSLINDT

vol glinsterende schelpjes in het grijze water.

'Ik zie niks,' zegt Senni. 'Ze zinken gewoon.'

'Een beetje…' De rivier wordt zo doorzichtig als bronwater. Boven twee roestige fietsen met onherstelbaar verbogen voorwielen zweeft een sloep met een omlaag geklapte mast. Een grijnzende kikker vormt het boegbeeld. In zijn ene hand houdt hij een goedgevulde zak met goudstukken vast, in zijn andere een kromzwaard met haaientanden. Aan zijn bolle buik te zien, heeft hij niets tegen het goede leven.

'Prima,' zegt Cirnja. 'De boot staat onder bescherming van Sint Gundmar, de Kikker Die In Goudstukken Zwemt.'

Ja, denkt Marek, Gundmar is precies de juiste beschermheilige voor een koopman.

'Op mijn vingers fluiten lijkt een beetje onbeleefd,' zegt Cirnja twijfelend. 'Goden zijn vaak zo snel beledigd.'

'Laat mij maar,' zegt Senni. 'Kikkers zijn dol op vliegen en daarvan heb je er hier genoeg.' Senni's hand flitst naar voren. Ze wervelt rond, springt. Als ze haar hand opent, liggen er vier bromvliegen, een wesp en een dozijn muggen op haar handpalm te trekkepoten.

'Aanvaard dit offer, o Keizer der kikkers wiens geringste kwak klinkt als het rinkelen van tienduizend goudstukken,' zegt ze plechtig en ze strooit de insecten over de rivier uit.

De sloep breekt borrelend door de waterspiegel en schudt het water af als een natte hond.

'Denk je dat de waakvissen…' begint Senni. 'Ik bedoel, ik liet ze zomaar achter in Utrecht.'

'Maak je maar geen zorgen. Voor de waakvissen zijn alle oceanen één reusachtige vissenkom. Zodra ze ons horen, duiken ze op.'

21

Ze laten zich behoedzaam van de steiger zakken. De sloep deint amper mee, merkt Marek als zijn voeten de planken raken. Alsof het eigenlijk een aanzienlijk massievere boot is.

'Eens even kijken.' Cirnja tast onder de achterbank. 'Mooi zo. Ze hebben hier in ieder geval een noodtas gestouwd.'

Ze trekt de rijgveter van de tas los en even vraagt Marek zich af waarom ze geen rits gebruikt hebben. Een rits is een stuk handiger, of nee, een rits is techniek, iets uit de Oudlanden. Waarschijnlijk komt hij binnen een mijl op de Achtste Oceaan muurvast te zitten.

'Alle werkelijk noodzakelijke spullen zijn er in ieder geval.' Cirnja haalt een koord uit een plastic beschermhoesje. Het glanst als parelmoer.

'Spinragkabel. Hier werkt hij amper, maar we kunnen hem vast afstellen.' Ze draait zich naar Marek en houdt de kabel op. 'Ja, je pakt hem met allebei je handen vast. Net als Senni en ik. Hij moet al je vingerafdrukken kunnen proeven.'

De kabel voelt eigenaardig levend aan in Mareks handen, alsof er een reeks miniharten in klopt.

'Zet je schrap,' zegt Cirnja. 'Niet loslaten.'

Een venijnige steek en dan krast een ijskoude naald over Mareks vingertoppen en trekt de windingen van zijn vingerafdrukken razendsnel na.

'Dat is genoeg,' zegt Cirnja en ze rolt het koord op. 'Hij kleeft nu aan alles vast behalve aan ons. Zo'n koord is trouwens sterk genoeg om een driemaster aan te meren in een orkaan.'

'Ze hebben ook Tesaband,' zegt Senni. 'Dat is nog beter. Geen magie en het werkt overal.'

Cirnja pakt het volgende voorwerp.

'Dit geval hier, we noemen het een wissellamp. Dat "wissel" omdat hij altijd werkt, zowel in de Oudlanden als in de Gran Terre. Hier gebruikt hij elektriciteit.' Ze pakt de hendel vast. 'Kijk, als je dit geval draait, laad je zijn accu op. Zodra we in de Wijdere Wereld zitten en al jullie techniek uitsputtert, dan nemen

de heilige antennes het over. Het kruis en de maansikkel zuigen magie op, mana, en laten de zilveren zonnecirkel om het lampje stralen. De meeste werkelijk gevaarlijke plaatsen zitten barstensvol zwarte magie. Het handige is dat de lantaarn dan juist harder gaat branden. Duisterlingen haten licht, vooral helder zonlicht, en daar is deze lantaarn juist goed in.'

Ze pakt een boek op met een plastic kaft.

'Dit is het belangrijkste onderdeel van het hele reddingspakket: de *Lonely Planet-gids voor de Gran Terre*. Het beschrijft alle landen en hun gewoontes. De goedkope adresjes, waar de waard toch je strot niet doorsnijdt of je als slaaf verkoopt. De al te scherp gekruide gerechten die je beter kunt vermijden. Neem een hap van Brendaanse wettelings-in-het-zuur en je loopt tien dagen later nog met een zuinig rimpelmondje rond. Of de heilige pelgrimsdagen thuis, in Prester Johnsland. Laat je schoenen dan beslist op je hotelkamer achter! Anders hakken de Schaterlachende Harlekijns je voeten namelijk af met hun sikkels en moet je op bloederige beenstompjes verder strompelen.'

'Dat zijn inderdaad handige zaken om te weten.' Marek bladert in het boek. 'En dat staat allemaal op honderdvijftig bladzijden? Knap. Dit lijkt trouwens alleen over Nederland te gaan.'

'De reisgids heeft zo veel bladzijden als er nodig zijn. Hij vertelt je alleen over waar je bent. In Prester Johnsland of Fusang zal de gids zo'n tienduizend bladzijden tellen.' Ze neemt de gids uit zijn handen. 'Er is meer. Kijk, als ik nu mijn duim op de pagina druk...'

De letters kronkelen, verschuiven. Ze staan plotseling in een spiraal op de bladzij en ze doen Marek nog het meest denken aan de afdrukken van vogelpoten.

'Dat is Handels Soemerisch. Modern spijkerschrift. Alleen analfabeten kunnen het niet schrijven.'

'Zoals ik.'

'Wat je niet weet, kun je leren.'

Cirnja ritst een nieuw zakje open. 'Dit hier is reisbrood. Als je het in zeewater doopt, zwelt het op tot zeshonderd keer zijn eigen gewicht. Gebruik nooit meer dan een paar korrels.'

'Cirnja!' roept Senni. 'Daar zijn ze! Mijn allerliefste schattevissen!' Senni's haren druipen. 'Ik stopte mijn hoofd onder water en floot ze.'

Kromme vinnen snijden door het water en Marek voelt zich meteen een stuk veiliger. Alsof je een stel gemene honden naast je hebt lopen: van die absoluut verkeerde, naar iedereen grommende rothonden met bekken als berenklemmen en een zeldzaam slecht humeur, maar ze staan wel aan jóuw kant.

Hij draait zich naar Cirnja.

'Wat doen we? Proberen we nog een keer over te steken naar de Gran Terre? Nog even en de schemering valt in .'

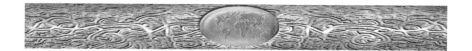

'Met de reddingskist moet het lukken. Die is juist bedoeld om uit de Oudlanden te breken. Magie genoeg: de hele bodem is volgeplakt met amuletten.' Ze vist de fles met de parel uit haar tas en bindt hem met het spinnenkoord aan de voorplecht vast.

De fles schiet vooruit en trekt het koord strak. Ze drijven langzaam van de kant weg.

'De hemel is al rood. Nog even wachten. Zodra hij groen kleurt, probeer je de horizon naar ons toe te trekken.'

'Prima.'

'En dames en heer ook, bevalt het een beetje op het water?'

Een man slentert naar de rand van de steiger. Hij heeft een borstelig snorretje, ziet Marek, een beetje zoals zo'n Engelse piloot uit een ouderwetse oorlogsfilm. Achter hem staan een stuk of twaalf anderen en de hele groep is subtiel verkeerd. Drie Hare Krishna's met kaalgeschoren hoofden en oranje gewaden, een motorrijder in een veel te heet leren pak voor dit zomerweer, terwijl hij toch geen enkele rits heeft opengetrokken. Drie Antilliaanse meisjes met opgekamd haar en venijnig klikklakkende stilettohakken.

'Stra Poulou is het niet? De meisjes Stra Poulou?'

In de open reddingsdoos straalt de lantaarn met een intens groene gloed, alsof het uit tienduizend vuurvliegen gedistilleerd werd. En het is niet het lampje dat straalt, maar de zilveren zonneschijf.

'De lantaarn!' sist Marek tegen Cirnja. 'Hij heeft magie!'

'Hij kan niets doen,' zegt Senni. 'Onze waakvissen…'

De man moet uitzonderlijk scherpe oren hebben. 'Waakvissen zijn het probleem niet, indringster,' zegt hij en hij strekt zijn linkerhand uit, kromt zijn vinger. De andere leden van zijn groep staan achter hem, stokstijf, met hun armen op precies dezelfde manier opgeheven. Ze hebben allemaal hun ogen gesloten en hun tanden zitten op elkaar geklemd in een doodskopgrijns, alsof ze intense pijn lijden. En dan ziet Marek iets afgrijselijks. Ze verouderen voor zijn ogen. De vouwen in hun mondhoeken worden dieper, hun huid valer. Rimpels waaieren uit over hun voorhoofd en door het haar van een van de meisjes schiet ineens een grijze streep.

Hij zuigt ze leeg, denkt Marek en hij moet bijna kotsen van afschuw en walging. Voor hem zijn het niet meer dan een soort magische batterijen. Hij steelt hun levenskracht voor zijn eigen bezwering. Al hun dagen en jaren. Dit is verkeerd, zo eindeloos verkeerd.

'Water,' zegt de man, 'ik noem je bij je ware naam.' Het woord dat van zijn lippen sproeit, zit vol vreemde gorgels en geklater en Marek zou het in geen duizend jaar kunnen herhalen. 'Gehoorzaam mij.'

'Ik luister. Ik gehoorzaam.'

De stem lijkt van alle kanten tegelijk aan te rollen. Hij is samengesteld uit het monotone geklots tegen de palen, het meeuwengekrijs, het zenuwachtige geklepper van een touw tegen de mast van een aangemeerd zeilschip.

'Breng de kinderen hier,' beveelt de man.

'Ik luister. Ik gehoorzaam.'

Onder de sloep vormt zich een hand van grijs water. Bruisende vingers krullen en dan komt de hand in beweging, tilt de boot hoog boven de rivier en draagt hem naar de steiger.

De hand beweegt traag, zo traag als een bejaarde met een rollator. Senni's waakvissen stuiven naar voren, springen op, en bijten in de wiebelende waterhand, maar water is onkwetsbaar. Het kan niet bloeden en gapende wonden vloeien meteen weer dicht.

Voor Marek wordt de wereld ondraaglijk scherp en lijkt de tijd stil te staan. Langs de kade drijven bolletjes piepschuim, een dode duif, doorweekte treinkaartjes. Het is de grens tussen water en land, realiseert hij zich, tussen natuur en stad. Een vouw, denkt Marek, een dubbele vouw, en ik kan hem openen.

Hij kromt zijn vingers en godzijdank tintelen zijn nagels, rennen er vurige mieren over zijn vingerkootjes.

Ik kan het.

Hij grijpt de steiger in gedachten vast en duwt hem keihard van zich af. Vouw de wereld open en maak alles groter. Sleur de Gran Terre de horizon over tot de man een stipje wordt en zijn magie ons niet meer kan bereiken. Elke richting is goed: desnoods Haroens Kromzwaard van het allerdiepste zuiden.

Twee, drie tellen verduistert de hemel en gloeit het groene kruis van Prester Johnsland op. De daken van het Centraal Station krimpen tot speelgoedgebouwtjes, wijken naar de horizon.

Een droge tik in zijn hoofd, even definitief als het breken van een tot het uiterst gespannen meertouw en het kruis dooft.

De steiger ligt niet verder dan een meter of tien.

De man knikt. 'Ik begrijp waarom Harcourt jullie zo graag wilde hebben. Een vouwer en nog zo'n krachtige ook.'

'Sorry,' zegt Marek tegen Cirnja en Senni. 'Ik deed. Ik…'

Senni veert overeind en steekt haar kin omhoog. Als je Senni niet zou kennen, zou je het parmantig kunnen vinden, grappig. Ze kijkt de man recht aan. 'Die waterelementaal van je, dat is maar een kleintje. Zo'n miezertje. Zal ik je eens een echte laten zien? Olga, Olga Slangensteen riep hem. Hij wilde eerst niet komen, maar ze maakte hem boos. Zo boos.'

'Nee!' roept Cirnja. 'Dat is waanzin. Je weet niet eens of het wel zijn echte naam was! En het is geen bezwering! Alleen een spotvers om hem woedend te maken. Bovendien verzin ik het maar. Het is onzin!'

'Dat is net wat we nodig hebben. Een woedende watergeest. En papa zegt dat de beste spreuken kakelvers zijn.' Senni legt haar hoofd in haar nek en haar stem schalt over het water:

Hoor mij, Tsuna Tsunami!
Je noemt je Shogun der Golven,
maar ik lach om je!
Voor mij
ben jij
een zielig kabbeltje
met een dotje schuim.

Senni spuwt in het water, en Marek weet dat het een magisch gebaar is. Veel krachtiger dan een volwassene dat zou doen. Senni méént het.

Tsuna Tsunami!
Volgens mij
kun jij
amper een spiering
op het strand duwen!

Ze ploft op de bank neer en grijpt de boorden vast.
'Zet je schrap. Dit gaat heftig worden.'
Achter hen begint een dof gerommel, een geluid zo zwaar en diep dat Marek prompt aan een ander Björn-en-Olgaverhaal moet denken. Machtig als het kloppen van het hart van de wereld.
Hij werpt een blik over zijn schouder Een muur van inktzwart water komt aanrollen: schuim vormt spierwitte aders. De golf is even breed als het IJ.
'DOTJE SCHUIM!' brult een stem als duizend Niagara's. 'SPIERING OP HET STRAND! IK BREEK ALLE GRATEN IN JE LIJF!'
'Had ik gelijk of niet?' zegt Senni. 'Man, wat is hij vreselijk kwaad. Net wat we nodig hebben!'

De vloedgolf vult de halve hemel.
Hij is hoger dan de Domtoren, denkt Marek. Hoger dan tien kerktorens. Senni is gek: dit overleven we nooit.
Het is een spookgolf, ziet hij nu. Niet helemaal van deze wereld, want hij kan er dwars doorheen kijken. De monstergolf rolt over een rondvaartboot heen, passeert een zeilboot zonder dat de zeilen zelfs maar meetrillen. In de Oudlanden is de vloedgolf niet meer dan illusie, een luchtspiegeling.

Marek en de twee Hanzemeisjes hurken echter in een sloep vol magische voorwerpen, de sloep zelf is pure magie en voor hen is de golf volkomen solide. De golf haalt de sloep in, tilt hem op en de bodem valt uit Mareks maag. De versnelling duwt hem zo krachtig omlaag dat de bank protesterend kraakt onder zijn plotselinge overgewicht. Hij balt zijn vuisten, knijpt zijn ogen stijf dicht.

'Hou ze open, dombo!' Senni stompt hem keihard tegen zijn arm. 'Dat is zonde! Je bent Cirnja's oeluk! Hoe kun je je verhaal nu ooit vertellen als je hier met dichtgekleefde ogen zit?'

Senni heeft gelijk. Denk als Björn Bloedzwaard, als een oeluk! Je sterft maar één keer en het is inderdaad pure verspilling om er niet met volle teugen van te genieten.

De sloep suist als een surfplank langs de kromming van de vloedgolf. Het water buldert en bruist en wordt een overhangende tunnel, vol bloedrood avondlicht. De fles zweeft voor de boeg uit, aan het strakgetrokken spinnenkoord.

Zo'n oerkracht, zo'n dreunend geweld! Een omgekeerde waterval is het, een die de hemel in stort, omhoog in plaats van omlaag. Marek grijpt het boord met beide handen vast en kijkt over de rand omlaag.

De stad ligt al kilometers achter hen. In de schemerige diepte zijn de weilanden blokjes donkergroen vilt geworden. De koeien niet meer dan grijze stipjes.

Hoogtevrees doet zijn keel dichtknijpen (ik kreeg al de bibbers van een achtbaan!) en hij kijkt weer naar die muur van water.

Dat is absoluut geen verbetering. Dit water leeft: tentakels stollen uit het water en tasten naar de sloep. Een haaienkop van kronkelend wier en schuim duikt op. Elke tand is een scherf messcherp koraal. De ogen zijn kompaskwallen met gele strepen.

Met een slag van zijn staart glijdt hij op de sloep af. De muil gaapt wijder en wijder: een draaikolk vol tanden.

Marek zit verstijfd op de bank en probeert een waarschuwing naar Cirnja te schreeuwen. Het blijft in zijn keel hangen, niet meer dan een ratelende gak.

Dit was het dan, flitst het door hem heen. Opgeslokt door een spookhaai. Met boot en al...

'Waakvissen!' Senni mept met haar vlakke hand op het water. 'Grijp hem, Happer! Bijt hem, Dolkvin!'

Ze klinkt zo opgetogen, zo totaal gelukkig dat Marek een steek van jaloezie voelt. Senni is helemaal hier. Ze woont in haar eigen avontuur.

Twee waakvissen schieten onder de kiel vandaan en stuiven op de haai af. De voorste doet zijn naam eer aan en hapt een oog uit. Dolkvin bijt zich als pitbull in de neus van zeewier vast.

De waterhaai schudt woest met zijn kop, jankt. Een tweede beet en zijn magie hapert, faalt. De haai valt in een stroom koraal en zwierend wier uiteen.

Nu begrijp ik waarom Senni zich zo veilig voelde. Onze waakvissen zijn zo veel woester en gemener dan elk ander zeemonster...

'Waar ben je?' rolt de stem van Tsuna Tsunami aan. 'Ik vul je brutale muil met zeeschuim, ik laat mossels in de kassen van je ogen wonen!'

'Hij kan ons niet zien,' zegt Cirnja. 'We zijn gewoonweg te klein, te nietig. Het is alsof je een microbe probeert te vinden die op je eigen oogleden zit te giechelen.'

'Morzel al je graten!' brult de watergeest maar de overtuiging is uit zijn stem verdwenen.

'De horizon!' joelt Senni. 'Daar gaan we!'

De horizon lijkt inderdaad onzinnig dichtbij. Niet verder dan een meter of dertig. Twintig, tien...

Het land verdwijnt, de Aardse hemel met zijn laatste flarden zonsondergang.

Een gigantische zee strekt zich voor hen uit. In de schemering fonkelt een kruis van groene sterren.

Cirnja slaakt een zucht van opluchting die uit haar tenen lijkt te komen.

'We hebben het gehaald. We zitten in Geddits eigen tijd. Nu loopt onze klok even snel als de zijne. De weken en maanden snellen niet langer als een schaduw voorbij.' Ze leunt tegen Mareks schouder en valt prompt in slaap. Hij sluit zijn eigen ogen. Het is krankzinnig: hij raast in de kromming van een monstergolf door een volkomen onbekende oceaan maar hij weet dat hij veilig is.

In zijn droom ligt Marek in zijn eigen bed, op de boerderij. Het ochtendlicht valt naar binnen door een spleet van de blauwe gordijnen waar zijn moeder oerbeesten op genaaid heeft. Een knalrode tyrannosaurus rent achter een lichtgroene stegosaurus aan.

Buiten kraait een haan.

Grappig, denkt hij, ik wist niet dat we een haan hadden. Schapen mekkeren en dat is precies zoals het op een boerderij hoort. Zelfs als ze geen schapen hebben en de varkens en koeien nooit uit hun stal komen.

Als hij het gordijn opentrekt, ziet hij zijn vader en moeder hand in hand over het erf lopen. Ze lopen zo licht, zo opgetogen dat ze bijna dansen. In de verte glooien heuvels, heuvels zo vibrerend groen en sappig dat je dolgraag door de halmen zou rollen.

Ik ben thuis, denkt hij, ik ben eindelijk weer thuis en zelfs in zijn droom springen de tranen hem in de ogen.

Noodkoffer

*E*lke Hanze-noodkoffer bevat een aantal essentiële zaken:

A. Wissellantaarn, met zwengel (1) om de accu in de Oudlanden op te laden. In de Gran Terre schakelt hij automatisch over op magie en vangt hij zijn kracht (mana) op met een stel antennes. Het kromzwaard (2) werkt het beste in het Kalifaat, de Keltische spiraal (3) in Brendaan, het Egyptische kruis (4) in Veneto Secundo en Prester Johnsland, de richtingwijzer van gestapelde stenen (5) in Ultima Thule, terwijl de beeltenis van Huitzilpochtli (6) voor Atzlan-Cibolai bedoeld is. Fusang gebruikt het teken voor rijkdom (7). De Maori's ten slotte vertrouwen voor licht op de gedroogde ogen van gluurvissen die ze langs de rompen van hun kano's hebben geplakt.

B. Spinragkoord. Dit koord rekt zich zo lang als nodig is en kan desnoods een halve kilometer worden. Het kleeft aan alles vast dat niet tegen het tasteinde (T) gehouden werd.

C. Oortjes. Voor de belangrijkste talen zijn er magische amuletten in de vorm van oortjes. Hang ze om en je spreekt en verstaat de taal. Schrijven en lezen is echter een andere zaak. Hanzn Sprach (1), Mandarijns (2), Inuit (3), Arabisch (4), Nahuatl (5), Maori pidgin (6), Gaelic (7), Italiaans (8).

D. Minizakje reisbrood. Dit voedsel blijft desnoods eeuwen goed en zodra je ze in zeewater doopt, zwelt het op tot zeshonderd keer zijn eigen gewicht. Gebruik nooit meer dan een paar korrels. De smaak is helaas afgrijselijk.

E. Waterfles. Deze met magie geladen fles zet zeewater prompt om in drinkwater.

F. Rollen Tesaband. Dit is het enige materiaal dat zowel in de Oudlanden als de Gran Terre perfect werkt.

G. Een rol koperfolie om magie af te weren of te bewaren.

H. Drie paar matrozenmuilen met wegwijsgesp.

I. Een pak illusievliezen in koperfolie.

J. Glazen vishaken en een uitschuifbare haaienspeer.

K. De onontbeerlijke handleidingen voor verdoolde reizigers: *Magie voor Dummies* en de *Lonely Planet-gids voor de Gran Terre*.

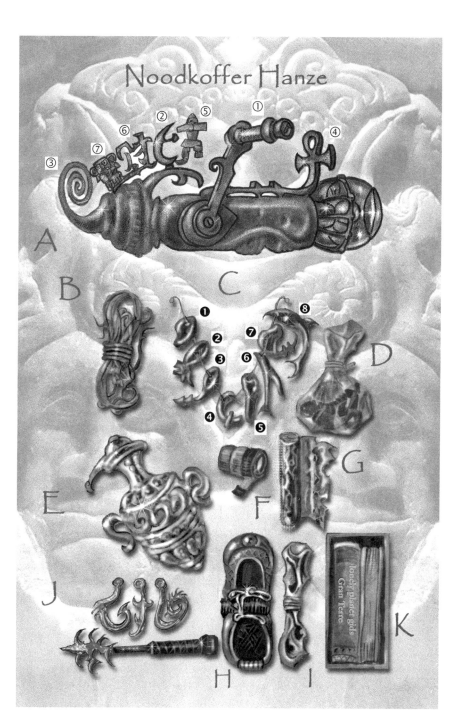

22

Alex van Dessen staat in de deur van de logeerkamer en het is alsof zijn hoofd vol mist zit. Waarom heeft hij al zijn oude jongensspullen in die kamer opgeslagen? Die vliegtuigmodellen en dat skateboard. Het rare is dat al die spullen er heel recent uitzien, zo nieuw, en hij kan zich niet herinneren dat hij ooit modelletjes in elkaar geplakt heeft. Veel te priegelig werk. Geef mij maar een stevige schop, of een hamer met een stel spijkers onder handbereik.

Die poster van die blonde del? 'Shakira' melden schots en scheve tattooletters. Allemaal krullen en hij heeft niets met krullen. Alex heeft nooit van die Shakira gehoord en het lijkt hem ook niets voor Magda. Magda draait bij voorkeur van die Nederlandse bands, Bløf, Pater Moeskroen, Anouk.

Lelijke gordijnen trouwens. Flink verbleekt en waarom heeft Magda er van die rare oerbeestjes op geborduurd? Misschien iets voor een neefje?

Hij pakt het skateboard op. *Ik weet zeker dat ik nog nooit op een skateboard gestaan heb. Die zag je alleen in Amerikaanse films. Ik had rolschaatsen en noren in de winter.*

'Alex?' roept zijn vrouw uit de badkamer. 'Kun je even komen?'

'Ja hoor.' Hij voelt een vlaag van opluchting. Alles is beter dan deze kamer. Dan het afgrijselijke gevoel dat zijn herinneringen als gebroken aardewerk in zijn hoofd liggen.

'Wat is er?'

Ze kijkt hem aan met een blik die hij absoluut niet kan plaatsen. Twijfelende opwinding? Een beetje alsof ze een allemachtig duur cadeau voor me gekocht heeft waarvan ze niet zeker weet of ik het wel mooi vind. Dat is het. De vorige Vaderdag toen ze met...

'Ik moet je iets vertellen,' zegt ze en dan weet hij antwoord al. Niet dat je een Sherlock Holmes hoeft te zijn met dat verkleurde buisje in haar hand.

'Je bent zwanger!' Hij pakt haar bij de schouders vast en ze drukt zich tegen hem aan.

'Ja,' fluistert ze, 'ja, eindelijk. Je wordt vader.'

'Wow,' zegt Alex. 'Wow.'
'Je vindt het goed? Wel oké?'
'Het is fantastisch!'

Vijf minuten later staat hij met zijn arm om haar schouders in de deuropening van de logeerkamer. 'Ik ben bang dat gasten voortaan op een veldbed moeten slapen of de bank. Dat bed is veel te groot.' Hij gebaart naar de muur. 'Ik haal ook meteen een paar emmers blauwe verf. Zo'n mooie pastelkleur.'
    'Je weet nog niet eens of het een jongetje wordt.'
    'En de andere muur verf ik roze. Dan zitten we goed. Zelfs als het een tweeling wordt.'

Die avond propt Alex de verkleurde gordijnen en de modelletjes in vuilniszakken. De posters trekt hij van de muur.
    Weg met die ouwe meuk. Een nieuw begin.

23

'Hij is dood,' zegt Ralph. 'Door een of ander magisch wapen. Die vervloekte indringers!'

Op de tafel ligt de *Sp!ts* opengeslagen op de foto van het slachtoffer. VERDRONKEN MAN OP STEIGER GEVONDEN, schreeuwt de kop. Ralph kent de tekst intussen bijna uit zijn hoofd. Smeelings longen waren met water gevuld geweest, zo barstensvol dat ze uitgescheurd waren. Zijn colbert en ondergoed bleken echter kurkdroog. De politie vermoedt een misdrijf.

Ja, natuurlijk vermoedt de politie een misdrijf maar verder dan een vermoeden zullen ze nooit komen. Wat snappen zulke clowns nu van magie?

Ralph Harcourt voelt zich lichtelijk onpasselijk. Misselijk en hulpeloos en hij heeft de neiging met zijn handen te wapperen of zenuwachtig op het tafelblad te trommelen.

Dit is de eerste keer, de allereerste keer, dat er iemand van zijn team gestorven is. Nee, niet gestorven, vermóórd door een índringer. Houd dat vast.

Bij Homeland Security heeft hij drie keer een verdachte gearresteerd, maar dat verliep altijd uiterst beschaafd. Steeds met een team van minimaal acht man en geen van de verdachten had een wapen getrokken of was zelfs maar op de vuist gegaan.

'Het is oorlog,' zegt Timur al-Rashid. 'Smeeling was een soldaat.' Hij maakt een vreemd handgebaar, een draai van zijn duim waarbij hij tegelijk een wijsvinger opsteekt. 'Soldaten sterven.' In zijn stem klinkt een zekere voldoening door en Ralph begrijpt dat ineens volkomen. Nu is het echt. Menens. Geen jongensspel meer. Het bloed van een van je eigen mensen, van een martelaar, maakt het doel heilig. Maakt je vrij om terug te slaan. Keihard.

'*No more mister Nice Guy!*' zingt het door zijn hoofd. We zullen die indringers respect bijbrengen. Respect voor Amerika, voor het Vrije Westen.

'De Bijbel verbiedt tovenarij,' zegt hij. 'Alle magie.' Het is een rare opmerking, want hij heeft al twaalf jaar geen kerk vanbinnen gezien en de Bijbel heeft hij sinds de zondagsschool zelfs niet meer doorgebladerd.

'Niet alleen de Bijbel,' zegt Timur. 'De Koran keurt magie even hard af. "Luister niet naar djinns en kwade geesten."'

'Ze komen van buiten,' zegt Ralph peinzend. 'Eigenlijk zijn ze niet helemaal menselijk. Toch?'

Boek 2

De Loerende Zandbanken

1

Cirnja trekt aan Mareks oorlel. 'Word eens wakker.'

'Ik dacht dat het al ochtend was. Er kraaide een haan.'

'Hier niet.'

De hemel is gevuld met schitterende sterren en het is zo onwaarschijnlijk donker dat hij zelfs hun kleuren kan onderscheiden. Daar is de Kleine Beer, de Draak. Gerbens vader zette bij heldere winternachten zijn telescoop midden op het erf en vroeger had hij Marek de sterrenbeelden geleerd.

Marek verplaatst zijn blik en zoekt de tekens van de dierenriem. Daar heb je Castor en Pollux van de Tweelingen, de Steenbok. Dat moet…

Hij verstijft. Er zijn domweg te veel sterrenbeelden. Neem dat kruis van groene sterren nu, of die sliert daar die in een lichtend wolkje eindigt. En die vette, bijkans paarse lichtpunt twinkelt niet en moet dus een planeet zijn.

Marek kan alle planeten in een oogopslag herkennen, de vette stip van Jupiter, de bloedrode druppel van Mars, Venus die vlak voor de zon opkomt en aan de horizon staat te stralen. Geen van die planeten is ook maar vagelijk paars.

Zijn maag trekt samen en hij voelt een diepe angst, het verliezen van elk houvast. De sterrenhemel is het enige dat altijd hetzelfde is, het fundament van alles. Hij kijkt Cirnja smekend aan.

'Leg het me uit. Ik ken de hele sterrenhemel en ik weet dat dit niet kan.'

'Tja, wat zal ik zeggen? De hemel van de Gran Terre is wijdser dan die van jullie. De horizon ligt letterlijk oneindig ver zodat de sterren nooit onder hoeven gaan.' Ze gebaart naar het zuiden: 'Die boog van sterren is Haroens Kromzwaard. Als je daarheen koerst, kom je uiteindelijk in het Kalifaat aan. Dat sterrenbeeld daar is de Gevederde Slang, van Atzlan-Cibolai. Daar zeilt Sinte Brendaans Boot, de Rat van Fusang. Het Masker brengt je naar de havens van Veneto waar de edelen maskers op hun gezichten groeien als insecten hun dekschild.'

'Ik wou dat ik een telescoop had. Zo veel nieuwe sterren. Onbekende planeten.'

Hij herinnert zich de eerste keer dat hij Saturnus het veld van de telescoop zag binnenglijden. Een planeet met een ring. Tegen het zwart van de nacht leek het

een kostbaar juweel en de adem had in zijn keel gestokt. Zo mooi. Zo vreemd. Zou die paarse wereld ook in een cirkel van ringen draaien? Met een dozijn manen van ijs?

'Je hebt niet bijster veel aan sterren,' zegt Cirnja. 'Behalve voor de richting natuurlijk. Alleen dwazen proberen de toekomst in de sterren te lezen.'

'Weet ik,' knikt Marek. 'Astrologie werkt van geen kanten.'

'Ja, de onzin die sommige kleihappers geloven. De toekomst kun je immers alleen maar in het zwart lezen? In de donkere stukken tussen de sterren.'

'Dat werkt wel?' Thuis zou hij haar uitgelachen hebben. Astrologie is klets. Sterren en planeten geven niks om de liefdeslevens van mensen en met hun carrière en bankrekening bemoeien ze zich al helemaal niet.

'Het gaat een beetje als bij wolken. Je kunt er elke vorm in zien die je maar wilt. Galopperende zeepaarden, regendraken, heksen met touwhaar en kromme neuzen. Kijk naast de sterren. Probeer de letters in het zwart te zien. Daar bijvoorbeeld, naast het zeil van Sinte Brendaans Boot.'

Ze wijst en ineens is het alsof de hemel zich binnenstebuiten keert. Het zijn niet langer fonkelende sterren tegen een duistere nachthemel maar zwarte lettertekens tegen een hemel van wit poederlicht. Het moeten er miljoenen zijn: sommige letters zo groot als een kwart van de hemel, andere petieterig klein.

'Zoek letters die je herkent,' raadt Cirnja hem aan. 'Negeer de rest. De toekomsten van alle mensen die nu leven staan tussen de sterren geschreven, alle veertig miljard. De meeste mededelingen slaan natuurlijk niet op ons.'

Het is een wirwar: alsof iemand duizenden doorzichtige kranten over elkaar heen heeft gelegd.

'Daar staat een zin in het Nederlands. Kus. Wacht, dat is een O. Kus Olga's Schwester? Dat is "zuster" in het Duits. Ja, het staat daar echt. Enig idee waar dat op slaat?'

'Misschien iets met prinses Zilverster? Ze was inderdaad de jongste zus van Olga Slangensteen. In sommige verhalen dan. Kus prinses Zilverster?' Cirnja krabt over de muis van haar duim. 'Duisterwoorden zijn tricky. Ze zeggen nooit duidelijk wat ze bedoelen. Net als veel voorspellingen snap je ze pas als het te laat is. Natuurlijk was de "neef van je neef" geen ver familielid maar je bloedeigen broer. Dat soort ongein.'

Marek snuift. 'Dit is net zo erg als astrologie! Waarom wauwelen ze toch altijd over de liefde?' Hij concentreert zich. 'Wacht, nog een paar letters. Een zin: vraag de planeet alles of sterf.' Hij spreidt zijn handen. 'Welke planeet? Jullie dierenriem zit bomvol planeten.'

'Ik denk dat het om de reisgids gaat. De *Lonely Planet-gids*. Hou het gewoon in gedachten.' Ze pakt hem bij de arm. 'Stop nu. Het is stom om de hemel te overvragen. De goden haten hebberds.'

'Goed. Oké. Mocht ik prinses Zilverster ooit ontmoeten, dan zal ik zeker niet nalaten haar te kussen. Alleen liever niet met Björn in de buurt.'

Zodra hij zijn blik afwendt, lijken de sterren te verschuiven, rond te darren als kikkervisjes. Die komeet bijvoorbeeld, zo laag in het westen dat zijn staart over de golven lijkt te zwieren, hing die er eerder ook al?

'Mag ik je nog iets vragen?'

Cirnja grinnikt. 'Iets dat zelfs de zwarte woorden je niet kunnen vertellen? Ik zal mijn best doen.'

'Het gaat om Senni. Waarom heeft zij toch zo'n pesthekel aan me? Ze blijft mij maar uitschelden en op me inhakken. Niets wat ik doe, is ooit goed. Ik weet intussen echt wel dat ik niks weet en een stomme kleihapper ben.'

'Je hebt zeker nooit een zusje gehad? Senni doet heel erg beleefd tegen de mensen die ze niet, hoe zeggen jullie dat, niet ziet zitten. Als ze je 'u' of 'meneer' noemt, kun je het wel schudden. Nee, ze bewondert je juist. Ik denk dat ze ook een beetje jaloers op mij is. Dat je mijn oeluk bent.'

'Ik wist niet…'

'Meisjes van negen zijn nog gecompliceerder dan katten. Weinig kans dat je ze snapt.'

Hij kijkt naar Senni, naar de manier waarop ze zo ontspannen met haar hoofd op het gewatteerde hengsel van de noodtas ligt, met haar mond halfopen, en in zijn hersens verschuift iets. Senni is ineens geen hinderlijk lawaaierig rondhopsbeestje meer, geen gehaaide kraai, die hem steeds voor de voeten loopt als hij eigenlijk veel liever met Cirnja alleen zou zijn.

Ze voelt zich veilig. Ze vertrouwt ons, mij en Cirnja. In gedachten trekt hij een vlammende kring om Senni zoals een oeluk met de punt van zijn zwaard zou doen. *Niemand mag haar deren. Als iemand haar kwaad doet, vermoord ik hem.*

Het is een nieuwe emotie, feller dan verliefdheid en tegelijk volkomen kalm. Hij hoeft niets van Senni. Bij andere meisjes heeft Marek zich ook wel de grote beschermer gevoeld, maar dat had altijd iets dubbels, de baas spelen omdat hij sterker was. Die meisjes hadden meegespeeld en zich tegen hem aangevlijd terwijl ze bewonderend naar hem opkeken. Senni zou nog liever zijn neus afbijten dan zo zwijmelig doen.

Ik ben haar broer, realiseert hij zich, *Senni's grote broer* en dat is een even machtige en wonderbaarlijke titel als Cirnja's oeluk.

'Je snapt het,' zegt Cirnja. 'Ik zie het aan de blik in je ogen.'

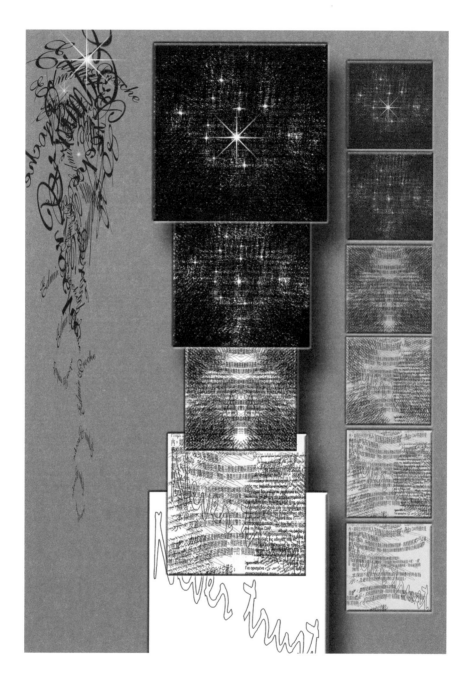

2

Het is eindelijk avond, na een werkelijk moordend hete dag. Boven het zand van de Korte Duinen van Soest golft de lucht nog en Ralph Harcourt ziet de dennenstammen kronkelen alsof ze wuivend zeewier zijn. De zandverstuiving ligt verlaten onder een tropisch mistige hemel: bij zesendertig graden waagt niemand zich in de volle zon. Later op de avond zullen horden pubers toestromen om kampvuren aan te steken en de boomboxen van hun scooters te laten schallen.

'Heet genoeg voor je?' grapt Ralph. 'Ik bedoel, jij bent natuurlijk heter gewend. Kamelen, eh?'

'Een drooglander djinn zou dit onaangenaam kil noemen en hinderlijk vochtig.'

Ze wandelen dieper de duinen in en het gortdroge mos verkruimelt onder de zolen van Ralphs Nikes. Zijn collega draait om zijn as, rent in spiralen rond, stapt met gesloten ogen achteruit.

'Dit is wel doolhof genoeg,' zegt Timur ten slotte. 'We zijn uit het zicht van iedere dwangsgluurder of spinnenwerper.'

'Huhum.' Spinnenwerper: zijn collega heeft het ongetwijfeld over iets magisch. Toch blijft het irritant en Ralph vermoedt dat Timur zulke uitdrukkingen weloverwogen gebruikt. Om Ralph met zijn neus op zijn onwetendheid te drukken.

Je gaat je gang maar. Ik weet dat je mij even hard nodig hebt. Als het om techniek gaat, heb je twee linkerhanden.

'Zullen we dan maar?' Ralph vist de vlammenwerper uit zijn aktetas. Het is een zakmodel, goed voor een vuurstoot van hoogstens een minuut, maar de vlam is witheet, bijna onzichtbaar.

'Niet zo haastig. Ik strooi eerst zout. Drooglanders heersen niet alleen over de woestijn maar ook over geheime zandbanken van de zee, de schepenverslinders.' Hij snijdt een zak Jozo-keukenzout open en leegt hem over het zand. 'Ga je gang.'

Het zand gloeit op onder Ralphs vlam. Eerst rood, dan bijna wit.

Na een halve minuut houdt Timur zijn hand op. 'Stop maar. Het zand mag niet smelten. Aan glas hebben we niets.'

Hij knielt voor de berg nagloeiend zand.

'Emir van het zingende zand,' declameert Timur, 'van de duinen eindeloos. Hoor mij!'

Het zand verschuift, vormt zich tot een gezicht. Een slangentong likt over lippen van geblakerde kiezels.

'Ik verwachtte eerder een bericht. Ik leende jullie vonkende amuletten, honingzwaar van het zonlicht. Negentig soldaten tilde ik uit het zand en ik hoor de vlammen van hun zielen niet langer.'

'Ik stuurde ze een geheim Hanzedepot in en het sprinklersysteem reageerde op hun hitte. Een dodelijke regen uit alle plafonds.' Timur haalt zijn schouders op. 'Het is oorlog. Soldaten sterven. Dat is hun taak.'

'Het is van geen belang. Hebben jullie de parel?'

'Helaas. De parel is overigens wel naar jullie op weg. Geddits dochters ontsnapten naar de Gran Terre en ze zijn op zoek naar de grootkapitein.'

'Geddit stra Poulou. Ah, zonder parel is hij een lege huls. Niemand kan de kaarten lezen. Voor ons zijn ze als het zwaaien van spinnenpoten, het ritme van de regen. Zonder geheugen voor hem helaas ook.'

'Ze zijn op weg,' herhaalt Timur.

'Ik zal naar elk zeil speuren, de plons van iedere roeiriem beluisteren.' Het gezicht zonk terug tot een zandhoop.

'Had je hem niet moeten vertellen hoe ze naar hem op weg zijn?' vraagt Ralph. 'Met een levende vloedgolf?'

'De emir is niet meer dan een bondgenoot en een onbetrouwbare. Een vijand van onze vijand is daarom nog geen vriend. Als de Hanze en de drooglanders elkaar afmaken… Dit is maar een schermutseling. Onze oorlog met de djinns is eindeloos veel ouder.'

Ralph knikt. 'Het zijn allebei indringers. Monsters.'

Zo'n geluk dat wij elkaar vonden. Timur is een krijger, een strijdmonnik van een geheime Syrische orde van mystieke derwisjen. Ralph herinnert zich die avond dat Timur hem zijn achtergrond openbaarde nog perfect. Ze zaten op geborduurde kussens in Timurs appartement, terwijl hij een fles bier in de hand had en Timur het ene glas mierzoete muntthee na het andere dronk.

'Onze orde is ouder dan de meeste landen,' vertelde Timur. 'Ouder dan de geschiedenis zelf. Allah schiep de mensen uit klei, dat vertellen de heilige geschriften ons. Maar daarvoor had Hij de djinns uit vuur en wervelstormen geweven, als een meesterwever een schitterend tapijt.' Hij leunde achterover in de kussens. 'De djinns, de drooglanders, heersen over het zand, de hete woestijn. Ze zijn nooit vergeten dat zij de eersten waren. Dat eens de hele wereld hun toebehoorde, de Gran Terre en de Oudlanden. Ze willen de mensen vernietigen, onze weelderige tuinen in ritselend zand en lege rivierbeddingen veranderen. Vergis je

niet, in hun ogen zijn wij niet meer dan ratten, vunzig ongedierte! Hun oorlog zal pas stoppen als de laatste fontein droogvalt en onze koikarpers als gebleekte graten op de tegels van de lege vijvers liggen.'

'Jullie bewaken de landen van de mensen,' had Ralph geknikt en hij herinnerde zich zijn bewondering, zijn eerbied voor die felle strijders die de mensenwereld verdedigden tegen al die monsters uit de buitenste duisternis.

'Eerst stierven we als vliegen wanneer we op de djinns afstormden met onze ijzeren kromzwaarden, onze lansen en bogen. De djinns rukten onze hoofden af, braken onze zwaarden op hun knie en plukten de pijlen grijnzend uit hun oogkassen.

'De grote Hassan-i Sabbah echter, hij vond een djinn onder een palmboom die door een vallende dadel gedood was. Hassan looide de huid en naaide die om zijn eigen lichaam vast.

Zo vermomd sloop hij de stad van de djinns in tijdens het uur van hun siësta.

Hij vond de emir, hun leider, diep in slaap, in een hangmat die geknoopt was uit de lange, glanzende haren van maagden die nooit een man gekust hadden.

"Vraag," mompelde de emir in zijn slaap, "en jullie zullen merken dat ik alle antwoorden weet. Ja, alle! Dat ik wijs genoeg ben om de emir van de djinns en vuurgeesten te worden."

Hassan begreep dat de emir over zijn jeugd droomde, toen de stamoudsten hem testten.

Hij stapte dichterbij en boog zich naar het puntige oor van de djinn: "De leeuw is de machtigste van de dieren en toch vreest hij de beet van een cobra. Het nijlpaard dat al zijn vijanden kan vertrappen onder zijn poten die als de zuilen van een tempel zijn, draaft toch wild van pijn de woestijn in als een schorpioen zijn stekel in zijn bil drijft. Ieder wezen heeft zijn zwakheden. Wat zijn de zwakheden van een djinn?"

De emir gniffelde in zijn slaap.

"Dat weet ieder kind, zelfs als het nog niet meer dan een sputterend vonkje in het allergewoonste bergkristal is. Vers water natuurlijk, dat ieder vuur dooft. En het zachte gele koper dat de magie van een djinn gretig opslokt."

"Ah," mompelde Hassan, "daarom bouwden ze de muren van hun kastelen dus van koper. Om de magie van andere djinns af te weren." Hij keerde zich naar de djinn. "Slaap in vrede. U heeft ons precies het juiste antwoord gegeven."

En Hassan sloop weg uit de stad der djinns en vertelde hun geheim aan al zijn vrienden.'

'En de volgende veldslag liep vast heel anders af,' had Ralph gezegd.

'Ja, Hassan en zijn mannen mikten hun kromzwaarden van honderdvoudig gesmeed Damasceens staal weg en hamerden nieuwe messen uit hun koperen kookpotten. Toen de djinns op hen afstormden, doopten Hassans soldaten hun

pijlpunten in de kruiken met helder bronwater.' Hij spreidde zijn handen. 'Die nacht keerden heel wat minder djinns terug dan er vertrokken en vonden, zoals het gezegde gaat, heel wat beeldschone vrouwen een leeg en kil bed.'

'De djinns, zijn zij ook indringers? Ze komen uit de Gran Terre?'

'Natuurlijk!' Timur had zijn armen gespreid. 'Dit is de wereld van de mensen. Alleen van de mensen!'

Ralph weet nog steeds niet wat hij van dat verhaal moet geloven. Het is precies wat een Amerikaan graag zou horen: mystieke woestijnstrijders die tegen geesten vechten en de wereld beschermen.

Hij durft ook niet al te lang door te vragen. Zonder Timur staat hij met lege handen, gewoon een gek die zijn schaarse bezoekers lastigvalt met vitrinekasten vol magische amuletten en betoverde dolken. 'En deze handschoen hier, toen hij nog werkte kon je je hand dwars door een betonnen muur steken!'

Dat is nog zijn grootste schrikbeeld: dat hij niet langer mee zou mogen doen. Dat hij weer een buitenstaander zou worden, een búrger. Net nu hij de wereld, de ware, wijdere wereld begint te begrijpen.

3

De tweede dag begint hun eerste tech uit te doven, al die handige snufjes die ze uit de Oudlanden meegenomen hebben.

De oortjes van Mareks mobieltje weigeren mp3's af te spelen en produceren enkel het knarsen van voetstappen over een blijkbaar eindeloze oprijlaan en zo nu en dan een onderdrukte giechel. De lens van de camera is in een vochtig vissenoogje veranderd.

Hij houdt zijn Nokia omhoog. 'Cirnja, enig idee wat mijn mobieltje probeert te worden?'

'Met een mobieltje praat je met elkaar. Een postduif misschien?'

'Geen telefoons dus in de Gran Terre. Lastig.'

'In de grote steden als Huy Jorsaleem gebruiken de allerrijkste mensen magische zakspiegeltjes. Ze toeteren als iemand door jouw spiegel probeert te kijken. Je hebt natuurlijk geen geluid maar ieder beschaafd mens kan liplezen.'

'Je vader stuurde anders een fles. Waarom riep hij je niet via een spiegel?'

'Een zakspiegel reikt niet verder dan twee-, driehonderd mijl en dat is amper een stadswijk. Om tussen de landen met elkaar te spreken heb je een monsterspiegel nodig. Manshoog en geladen glas kost toch al snel een zilverstuk per vierkante duim.'

'Ik heb een Salvetia Nigra,' deelt Senni met een zekere trots mede. Ze rommelt in haar rugzakje en houdt een spiegeltje op. 'Ja, hij doet het weer bijna: de poetspootjes wriggelen. Zie je? Hij kan de vorm van wel negentig lippen onthouden. Bovendien is het glas zelfreinigend.' Ze veegt met een smoezelige duim over de spiegel en de harige spinnenpoten poetsen de afdruk vrijwel meteen weg. 'Steggie, hè?'

'Ja, beslist steggie,' knikt Marek.

'Alleen wel jammer dat er helemaal geen spelletjes op staan.'

Mobiele toverspiegels

Net als de meeste andere tech-spullen werken mobieltjes niet al te best in de Gran Terre. Edelen of rijke Hanzelieden gebruiken daarom mobiele toverspiegels. Ze zijn vrij klein, de afmeting van een zakspiegel. Elk mobieltje heeft een scherf van een gebroken toverspiegel als scherm en kan enkel contact maken met scherven van dezelfde spiegel.

De mobieltjes geven uitsluitend beeld door. Een stem reikt nooit verder dan in de openlucht: als je zestig meter uit elkaar staat, word je al onverstaanbaar.

Op het piepkleine scherm is meestal alleen de mond van de beller zichtbaar.

Mobieltjes zijn prijzig: het jaarloon van een koetsier en daarom vrijwel onbetaalbaar voor gewone lieden. De lijsten van de mobieltjes worden vaak met juwelen versierd of steken levende spinnenpoten uit die de schermpjes schoonpoetsen. Zodra er contact is, kun je elkaar door de spiegel aanraken of kussen: een functie waarvan vooral geheime gelieven gretig gebruikmaken. Zowel Prada als Nokia vervaardigt luxe spiegelmobieltjes voor de Gran Terremarkt.

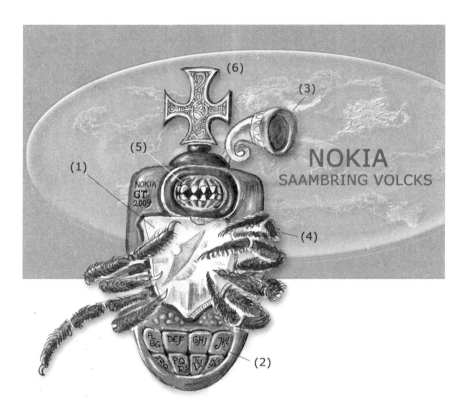

Overzicht van de Nokia GT2009:
1. Spiegelscherfscherm.
2. Toetsenbord voor de ware naam van je contact.
3. Minibazuin die loeit bij een oproep.
4. Harige spinnenpoten om het scherm schoon te poetsen.
5. Bloedcodemondje. Laat hier een bloeddruppel in vallen om hem aan te zetten. Als het bloed niet klopt, bijt het mobieltje de dief.
6. Uitklapbare antenne om mobieltje op te laden.

4

De vierde dag wrikt Cirnja de valse bodem van de noodtas open. In een met fluweel beklede doos ligt een half dozijn hangers in de vorm van geglazuurde oortjes.

'We dragen ze zelden openlijk. In veel landen werden ze verboden. De ordebewakers en de geheime politie herkennen buitenlanders aan hun gehakkel en als je de taal spreekt als een inboorling val je veel te weinig op.'

Ze hangt een zeegroene hanger om Mareks nek.

'*Loqusnai tes Hanzn sprach?*' zegt ze en ze kijkt hem verwachtingsvol aan.

'Sorry, ik versta er geen woord van.'

'Het werkt vast niet voor kleihappers,' zegt Senni. Ze klinkt eerder ongerust dan spottend.

'Lik eens over je hanger,' zegt Cirnja. 'Hij moet je herkennen en wat is er intiemer dan spuug?'

De hanger smaakt naar zout en bittere rook. Marek likt voor de tweede keer en een golf van geluid waait dwars door zijn hersens. Het is alsof hij in een voetbalstadion staat waar duizenden mensen om het hardst joelen, maar wel elk voor een andere club en in een andere taal. Dreunt dat spreekkoor een alfabet op? '*Alef, epsan, semnar, trevi, vau!*'

De spreekoren sterven weg.

'Kun je de handelstaal nu spreken?' Cirnja zegt nog steeds '*Loqusnai tes Hanzn sprach?*', alleen begrijpt hij haar deze keer perfect.

'*Bel*,' knikt hij. '*Mi comprai tes gran bel.*' Ja, ik begrijp je prima. Hoewel 'gran bel' natuurlijk ook 'met een buik die trots uitpuilt van de goede spijzen' kan betekenen.

'We hebben een oortje voor elk van de zestien belangrijkste vreemde talen.'

'Voor als domme mensen tegen je kletsen,' verduidelijkt Senni. 'Alle normale mensen kennen natuurlijk de handelstaal. *Hanz sprach.*'

De zesde dag doemen bergketens uit de ochtendmist op. Ze moeten gigantisch zijn, want ze reiken tot halverwege het zenit. Tien kilometer, twaalf?

Ze blijven vaag als een droom, zonder enig detail, en alleen als je heel goed kijkt kun je schapenwolkjes langs de bergwand zien slieren. Toen Marek en zijn ouders naar Kreta vlogen, bleef het vliegtuig nog ver onder de schapenwolkjes en volgens het tv-scherm zaten ze zeven kilometer hoog. Deze schapenwolkjes hangen nog niet eens halverwege de bergwand.

'Hoe noemen jullie die bergketen, Cirnja?'

'De Sal Agur. Hij slingert langs de zuidwestkust van Prester Johnsland.'

'Het is er wel zestig onder nul,' zegt Senni verlekkerd en ze leunt tegen de mast, spreidt haar handen in de traditionele vertellershouding. 'Björn en Olga hadden elk een slapende salamander in hun hart zitten om hun bloed te verwarmen. Hun neuzen en oren hadden ze in Huy Jorsaleem achtergelaten. Die zouden toch maar afvriezen.'

'Waarom moesten ze ook alweer naar de hoogste top klimmen?' vraagt Cirnja. 'Misschien is het handig als Marek dat ook weet?'

'O ja, de zoon van de Noordenwind had Olga's ziel gestolen en winden nestelen alleen op de hoogste toppen van...'

Er moeten duizenden Björn-en-Olgaverhalen bestaan, begrijpt Marek nu, een soort *Goede Tijden, Slechte Tijden* dat zich in alle landen van de Gran Terre afspeelt. *Ik wed dat ieder kind 's nachts zijn eigen oelukverhaal verzint om dat in de ochtend met rode konen aan zijn vriendjes en vriendinnetjes te vertellen.*

'"Wie gaat daar?" brulde een stem van onder de brug vandaan. "Wiens voetstappen horen mijn harige oren over mijn zorgvuldig gemetselde bogen bonken?"'

Het grappige is dat die verhalen zo goed blijven hangen. Ontbrekende puzzelstukjes die precies in de gaatjes van je geheugen passen. Senni noemde ze leerverhalen en dat klopt. Ze zitten boordevol goede raad (kijk een weersperwer nooit in de ogen en let uitsluitend op zijn linkervoet) en praktische aanwijzingen. (Zodra het laatste hoofd over de grond rolde, vette Björn zijn zwaard in met berenvet. Niets roest eerlijk ijzer zo snel als het kleurloze gharstenbloed.)

5

Het is de namiddag van de negende dag en de vloedgolf raast onvermoeibaar voort over de Achtste Oceaan. Het land blijft op die ene keer na een mistige lijn langs de horizon. Daarachter moeten de immense Sal Agurbergketens uit de Björn-en-Olgaverhalen nog steeds oprijzen, de fabuleuze kathedraal van de patriarch met zijn parken vol brandende paradijsvogels.

Marek kan intussen elke glimmende kopspijker van de boot uittekenen, iedere knoest in het hout. En dan die stomme grijnzende kikker. Wie gebruikt er nu een kíkker als boegbeeld?

Hij bladert niet langer in de *Lonely Planet-gids voor de Gran Terre*. De afgelopen week is de tekst tot een enkele regel gekrompen: 'O mijn liefje, de zee is wijd, de zee is diep en niemand kan haar kennen.'

De sloep had eerst zo ruim geleken. Al halverwege de eerste week begon hij echter te krimpen en nu voelt het alsof ze met zijn drieën samengepropt zitten in een hutkoffer.

Elke handeling, elke hebbelijkheid, wordt ongelooflijk irritant: de manier waarop Senni tussen haar tanden kinderliedjes fluit of dat domme gefrutsel van Cirnja aan haar nagels. Hoe vaak moet een meisje haar nagels in vredesnaam lakken? Als Marek ze knipt is, is het hoogstens één keer per week. Cirnja's nagellak heeft bovendien zo'n lelijke kleur, een soort nepgoud dat eerder opzichtig geel is. Het kan bovendien opvallend slecht tegen zilt en spattend schuim. Tegen de avond zijn haar nagels weer groen uitgeslagen en begint het gekwast en gevijl weer van voren af aan.

Het ergste, het allerergste zijn Senni's moppen. Ze moet er honderden, nee, duizenden, kennen en de meeste zijn zo bloeddorstig of zo flauw dat Marek ze niet eens begrijpt.

'… en toen hij zijn darmen uit de gapende wond in zijn buik zag kronkelen,' zegt Senni glimmend van plezier, 'toen barstte Dragometh de Berserker in een bulderende lach uit: "Nu heb ik geen waarzegger meer nodig en kan ik mijn toekomst in mijn eigen darmen lezen."'

'Vat je hem?' zegt Senni. 'Als je darmen uit je lijf zakken, dan ga je beslist dood. De enige toekomst die Dragometh in zijn darmen kon lezen, was dat hij helemaal geen toekomst meer had!'

'Ja, erg grappig,' zegt Marek.

'Ken je die van de maagd en de kelpie? Een kelpie is een mensenetend waterpaard dat…'

Marek werpt een smekende blik op Cirnja.

'Senni, het is zonde om alle goede moppen in één keer te vertellen. Marek blijft nog wel een tijdje bij ons en…'

'Is het nog geen tijd om te eten?' vraagt Marek met de moed der wanhoop, hoewel hij bijna moet kotsen bij de gedachte aan verse vis.

'Heb je alweer honger?' Cirnja steekt haar hand buiten de reling en geeft die speciale ruk met haar duim die hem laat wegdraaien in een richting die er eigenlijk niet hoort te zijn. Dwangs, ja, dat was het woord. Ze sluit haar hand en als ze hem weer opent, liggen er drie sardientjes op haar handpalm met hun vinnen te wapperen. Het zijn niet exact sardientjes, want sardientjes kunnen niet protesterend fluiten en bovendien hebben sardientjes maar twee ogen.

'Sorry, Senni,' zegt Marek. 'Met een volle mond kan ik niet luisteren.'

Hij bijt de kop van het schril protesterende nepsardientje af en ritst het vlees met zijn tanden van de graten. Wat smaakt rauwe vis toch onbeschrijflijk smerig! Van dat taaie kauwvlees, slijmerig en bitter. Hij zal er nooit aan wennen.

Hadden ze nou niet even een campinggasje in de nooduitrusting kunnen stoppen? denkt hij zeker niet voor de eerste keer. Desnoods een magisch? Ik bedoel, als je flessen hebt die zeewater automatisch in sprankelend bronwater veranderen, waarom dan niks om mee te koken?

Senni wijst. 'Dat is een goede tentakel. Allemaal haken en ik wed dat ze giftig zijn ook!' Een zeeslang glipt uit het schuim boven hen omlaag en kronkelt met opengesperde muil op de sloep af.

'Grijp hem, Happer!' juicht Senni.

Marek is niet bang voor monsters meer: na negen dagen vindt hij ze zelfs zeldzaam saai. De waakvissen krijgen ze toch iedere keer te pakken, lang voor ze de sloep bereiken.

'Hoe lang nog denk je, Cirnja?' vraagt hij voor Senni aan een nieuwe mop kan beginnen.

Ze mikt de twee overgebleven visjes in de vloedgolf terug. 'Wist ik het maar…'

'Volgens mij wordt de golf lager,' verklaart Senni.

'Ja hoor, dat roep je elk half uur.'

'Nee, hij zakt! Erewoord! Moge er mossels in mijn verdronken oogkassen groeien als ik lieg!' Ze steekt de loop van haar Supersoaker in het water en trekt de schuif naar achteren. Het reservoir van het waterpistool vult zich gorgelend.

'Ay ay, Kapitein!' Senni presenteert haar waterpistool. 'Ik ben er helemaal klaar voor.'

'De fles!' wijst Cirnja. 'Ahriman is mijn getuige, deze keer…'

De fles zweeft niet langer aan zijn koord recht voor de boeg. Hij trekt de sloep nu schuin omlaag. Drie seconden later begint het spinrag te zingen, strak als de snaar van een reuzenmandoline.

De sloep duikt schuin langs de kromming van de golf omlaag, snel als een surfer. Marek klauwt zich naar de reling, kijkt over de rand.

Zo laag al! We varen amper hoger dan een kerktoren.

Onder hem zijn de golven niet langer trage deiningen over peilloos diep groen water. Vlak onder het oppervlak schemert zand, glinsteren schelpen. Glazen schelpen.

Marek hoort zichzelf 'Een zandbank!' schreeuwen en dan zakt de vloedgolf ineen als een dichtgedraaide watersproeier. Het voorsteven ploegt door een duin en de landing slaat Mareks kaken op elkaar en slingert hem naar voren.

Als hij opkrabbelt, zakt het laatste water borrelend in het zand weg.

'De waakvissen!' roept Cirnja. 'Waar zijn onze waakvissen?'

Senni wappert haar vrije hand naar het noorden. 'Die zwemmen nog met de vloedgolf mee, vrees ik.'

Aan de horizon kan Marek nog net een streepje blauw onderscheiden. Het geeft een laatste zwiep en zakt achter de horizon weg.

'Dat is op zijn zachts gezegd kut,' zegt Cirnja. 'Geen waakvissen. Wie moet ons nu tegen de drooglanders beschermen? Ik rekende…'

'"Kut" mag je van onze juf Annetje nooit zeggen,' protesteert Senni. Ze gebaart met haar Supersoaker. 'Het is Kwalitatief Uitermate Teleurstellend.'

Marek kijkt om zich heen: zand zo ver het oog reikt, onder een zinderend witte hemel. De hitte lijkt over hem heen te vallen als een zware, steenwollen deken.

'Waar heeft de vloedgolf ons in vredesnaam gedropt, Cirnja?'

'Vlak bij mijn vader hoop ik.' Ze geeft een rukje aan het touw. 'Hup?'

De fles blijft roerloos in het zand liggen.

'Deze wil nergens meer heen. Het bericht moet "retour afzender" zijn.'

'Ja, hallo daar,' komt een schrille stem. 'Jullie zijn zeker bijzonder opgetogen nog in leven te zijn?'

De kikker is op de voorsteven geklommen en hij ziet er treurig uit: uit zijn kromzwaard zijn grote happen genomen en zijn geldzak lijkt op een verkreukeld boterhamzakje, zo leeg dat er niet meer dan een paar munten in kunnen zitten. Alle verf is van het beeld verdwenen en het hout ziet sponzig en grijs.

'Kan er niet eens een eenvoudig bedankje meer af,' zegt de kikker, 'tegenwoordig?'

'Eh, bedankje?' zegt Cirnja. 'Waarvoor precies?'

De kikker blaast zijn rimpelige wangen bol. 'Dacht je echt dat een stel miezerige waakvisjes tegen een magische vloedgolf opkon? Tsuna Tsunami is een van
de machtiger watergeesten: hij kan piratenvloten omknikkeren als notendopjes
in een orkaan, trotse paleizen tot zand vermorzelen. Hij had onze sloep zo kunnen optillen en tot splinters kunnen knijpen tussen zijn tienduizend bruisende
vingers.'

'U voorkwam dat?' zegt Marek en hij probeert vol ontzag te klinken. Iedereen
wil altijd en eeuwig respect hebben, zelfs magische boegbeelden, en je kunt het
er nooit te dik bovenop leggen. 'Eh, machtige en wijze kikker?'

'Zeker. Niet minder dan achthonderddertien keer knoopte ik een valse sloep
van zeewier en wrakhout. Achthonderddertien keer vermorzelde de watergeest
hem brullend van woede tussen duim en wijsvinger. Als je zulke lieden een "kabbeltje" noemt, vergeten ze dat de eerste duizend jaar niet meer.'

'Nou, bedankt dan maar.' Marek knikt heftig. 'Heel erg bedankt.'

'Graag gedaan.'

De kikker valt uiteen in brokken verweerd wrakhout, vol wormengangen en
boormossels. Uit de schatzak rolt een laatste koperen stuiver, groen van de aan-
slag.

'Een beetje een zeurpiet,' zegt Cirnja. 'Ik bedoel, waar zijn magische boegbeelden anders voor?' Ze loopt naar de sloep en vist de noodtas uit de voorplecht.

'Het ziet er hier allemachtig droog uit.' Marek veegt over zijn voorhoofd. Zijn
hand komt kletsnat terug. 'Heet ook.'

'Ik had weinigs beters verwacht,' zegt Cirnja. 'Dit moet het geheime toe-
vluchtsoord van de ontsnapte drooglanders zijn. De Loerende Zandbanken
waar matrozen over fluisteren na hun zevende kroes bier. Stuivende duinen, een
zinderhete hemel en nergens water.'

'Nergens water? We zaten een paar minuten geleden nog midden in de oceaan.'

'Dat is zout water, *mon dear* oeluk. Dorstig water en dat geldt niet.'

'Spannend,' zegt Senni. 'Zeg, ik ga vast op verkenning uit. Oké?' Zonder op
toestemming te wachten, sprint ze het duin op. Aan de schelpen en de knoedels
verdrogend zeewier te zien, moet het kort geleden nog een zandbank geweest
zijn.

'Cirnja, Marek!' roept ze van de top. 'Ik heb papa's schip gevonden!'

'Liggen, stomme griet!' Cirnja wappert verwoed met haar armen, wijst naar
de grond. 'Waar zit je verstand? Straks ontdekken de drooglanders je!'

'Jammer voor de drooglanders,' moppert ze, maar ze laat zich toch op de
grond vallen.

6

Marek kruipt op zijn buik de top op en gluurt omlaag. De Gouden Amarant ligt twintig meter lager, tegen de glooiing van het duin. Het was inderdaad 'retour afzender' zoals Cirnja al zei. Haar masten steken schuin omhoog. Op haar romp en masten fonkelen zoutkristallen. Bij de achtersteven, naast haar roer, ontdekt Marek een vlot van mandflessen.

'Cirnja? Hebben ze jullie schip helemaal naar hun eigen land gesleept?'

'Dat was niet nodig. Waar drooglanders wandelen, vlucht het water angstig weg. Al het groen verandert in stuivend zand. Drooglanders kunnen zandbanken uit het diepst van de oceaan omhoog roepen. Ze plunderen de gestrande schepen, maken de bemanning tot slaaf.' Cirnja trekt haar kijker uit haar windjack. 'Ik zag iets bewegen. Links van het schip.'

Twee minuten later steekt ze Marek de kijker toe. 'De bemanning. Zo te zien leeft iedereen nog.'

Een lange rij mannen sjokt over de dorre zeebodem. Ze bukken zich bij elke derde stap en wroeten in het zand. Kettingen van zandsteen lopen van enkel naar enkel.

'Wat voeren ze daar uit?' vraagt Marek.

'Ze verzamelen schelpen,' zegt Cirnja. 'Schelpen en zee-egels. Visgraten. Zie je de vier matrozen met hamers en aambeelden? Ze kloppen de schelpen tot gruis. Dit is het rijk van de drooglanders. Alles moet zand worden. Niets mag aan water herinneren.'

'Waar hangen de drooglanders zelf trouwens uit? Bij slaven zou je toch bewakers verwachten.'

'Ja, met zwepen,' zegt Senni.

'O, die bewakers zijn er beslist. Dichterbij dan je denkt. Drooglanders graven zich pijlsnel door het zand. De woestijn is hun oceaan, het hete zand hun water.'

Het is een zeldzaam rottig idee. Misschien glippen er op dit moment drooglanders door het zand? Pal onder Mareks voeten.

'Hoe pakken we dit verder aan, Cirnja? Ik bedoel, heb je een plan of zo?'

Een plan of zo. Wat klinkt dat kinderachtig. In de slechtere tekenfilms maken ze altijd 'plannen'. Er is altijd wel een held met een magisch zwaard of zo'n irritant pienter jochie beschikbaar.

'We wachten tot het donker wordt, denk ik. Daarna klimmen we aan boord. Bevrijden iedereen.'

Het klinkt onwaarschijnlijk eenvoudig. Marek kan zo een tiental redenen bedenken waarom het wel mis moet lopen. Een wachtpost, krakende dekplanken. Een rat die piepend wegvlucht. Een getrainde waakrat en wie zegt dat in dit magische oord de ratten niet kunnen praten?

Marek kijkt over de vlakte uit die zwaait en wiebelt in de opstijgende hete lucht. De gloednieuwe woestijn ligt vol wrakken en de geknakte masten laten het op een dennenbos na een orkaan lijken. Zo veel wrakken, honderden, misschien wel duizenden. Voor drooglanders moet het kapen van schepen bijna routine zijn, even eenvoudig als het binnenhalen van een net vol spartelende haringen.

Toen Marek een jaar of acht was, lijmde de halve klas koortsachtig modelletjes van ouderwetse schepen in elkaar. Hij herinnert zich de doosjes ineens weer haarscherp: Airfix antieke schepen door de eeuwen en het plaatje was steevast vele malen mooier en kleuriger dan het uiteindelijke resultaat.

Het was een van die belachelijke wedstrijden geweest van ik-heb-er-lekker-veel-meer-en-mooiere-dan-jij-en-bovendien-kan-ik-plakken-zonder-lijmklod-ders.

Het rijkelijk late voordeel is dat Marek de meeste schepen nu moeiteloos herkent. Dat lompe geval met zeilen van gelakt papier moet een Chinese oorlogsjonk uit de Mingdynastie zijn. Verderop liggen twee Arabische feluca's naast een gebroken olietanker die wel heel ver afgedwaald moet zijn. De romp ziet er lelijk gesmolten uit: staal houdt het niet bijzonder lang in de Achtste Oceaan en misschien is de kaping het beste wat de bemanning overkomen kon. Een kwartier later was het schip onder hun voeten opgelost.

Niet een van de schepen lijkt ook maar vaag op de Gouden Amarant.

'Cirnja, ik zie verder nergens vlindervleugels of drakenlantaarns. Geen enkel ander Hanzeschip.'

'Waakvissen. Om elk Hanzeschip patrouilleren waakvissen, en drooglanders blijven mijlen uit de buurt. Onze vissen hebben speciale giftanden voor drooglanders. Holle tanden die het puurste bronwater injecteren. Ik vraag me af wat voor rottruc…'

'Een verrader? Een matroos die een deel van de lading kreeg?'

'Alle matrozen zijn familie, Hanzelieden, en niemand is zo stom om een

drooglander te vertrouwen. Voor djinns zijn mensen niet meer dan sprekende beesten. Beloftes aan een mens hoef je echt niet te houden.'

De zon klimt hoger tot hun schaduw aan hun voeten ligt. Ten slotte kruipen ze weg onder de omgekeerde sloep. Nergens anders valt ook maar een spoor van schaduw te bekennen. Marek ligt met zijn oor op het zand en hij kan de drooglanders in de diepte horen tunnelen. Geknars en het schuren van klauwen: een leger van monsterachtige mollen die door hun zandzee zwemmen.

7

Cirnja schudt hem wakker. 'De hoogste tijd, o mijn oeluk,' fluistert ze. 'Kijk niet zo serieus: oeluks begaan bij voorkeur dwaze en doldrieste heldendaden. Toen Olga en Björn het paleis van de Onzegbare binnenslopen, hingen ze de slapende wachter een krans van madeliefjes om en schilderden ze zijn slagtanden blauw.'

'Ja, dat lijkt me dolle gein.'

Het is nacht en verrassend koud. De hemel staat vol vlammende sterren. In het uiterste noorden ontdekt Marek het groene kruis. Het lijkt kleiner. Zwakker dan alle andere sterrenbeelden. De Achtste Oceaan en Cirnja's Prester Johnsland moeten hier gruwelijk ver vandaan liggen. Aan de Oudlanden durft Marek niet eens te denken.

'Onze vijanden slapen,' zegt Cirnja. ''s Nachts klopt hun hart traag als stroop en is hun vuur bijna gedoofd. Alleen het noemen van hun naam kan ze wekken. Gebruik dus nooit het woord dee, er, oo, oo, ge.'

'Ja, stop maar. Ik snap het. Je bedoelt dro…'

'Niet zeggen!'

'Sorry.'

'Als ze ons ontdekken, slaan we keihard terug,' zegt Senni, 'geen genade voor verderfelijk gespuis!' Marek vermoedt dat ze weer uit een Björn-en-Olgaverhaal citeert.

'Hoe dan, vraag je je af, ja?' vervolgt Senni. 'Zo zonder waakvissen en met niet één doodsamulet?' Ze knoopt haar windjack open. 'Tadai!'

Daar is Senni's Supersoaker weer, de duurste waterpistool uit de speelgoed- winkel. In de tank past drie liter, zoals ze hen zeker vijf keer per dag informeer- de. Drie kletsnatte liters en opgepompt spuit hij elf meter ver.

'Het zou kunnen werken,' geeft Cirnja toe.

'Een waterpistool?' snuift Marek. 'Is hij soms met heilig wijwater gevuld? Net als bij vampiers?'

'Wat zijn vampiers nu weer?' zegt Cirnja. 'Nee, droo…, die lui blijven zo goed als onkwetsbaar voor normale heldenwapens. Zelfs als je een kromzwaard uit een

drakentand snijdt. Het zijn levende wervelwinden met een vuurjuweel als hart. Geen vlees en bloed: hun lichaam bestaat uit stuivend zand en malend gruis. Smijt echter een emmer water over ze heen en ze zakken in elkaar. Smelten.'

'Ja,' knikt Senni, 'als een zandkasteel in de branding.' Ze begint fanatiek met de schuif te pompen.

Als ze het duin afdalen, valt het Marek op hoe helder de nacht is. In de Gran Terre is het sterrenlicht onwaarschijnlijk intens, vol wervelende kleuren en delicate tinten die Marek nooit eerder heeft kunnen onderscheiden. Zijn nachtzicht werkt beter dan ooit: alsof het eigenlijk voor dit spectrum bedoeld is. In dat gloednieuwe licht wordt elke schelp zichtbaar, iedere zandkorrel breekt het sterrenlicht als een minuscule diamant.

De matrozen slapen in een wijde kring om het vlot van glazen drijvers en mandflessen. Hun ademhaling loopt griezelig synchroon: Marek hoort elke ademtocht aanzwellen en wegsterven als een verre branding.

Ze dromen van de zee, gaat het door hem heen en even is het alsof hun dromen dwars door Mareks hoofd waaien. Golven rollen aan, grijs als walvisruggen en de geur van nat zeewier brandt in zijn neusgaten.

Cirnja buigt zich over de stuurman. 'Ze dragen slaapmaskers van zand. Tot een dro… een van die lui, ze wegblaast, kan niemand ze wekken.'

Marek knielt naast haar. Over het gezicht van de stuurman ligt inderdaad een masker van flinterdun zand, aan elkaar gekit als het huisje van een kokerworm. Alleen zijn neus steekt erbovenuit en Marek ziet de neushaartjes wapperen bij elke uitademing.

'Kunnen we ze niet bevrijden?' Hij herinnert zich een tv-film, *Spartacus*. 'Woedende slaven zijn vaak de beste vechters.' Hoewel de slaven toen verloren.

Hij strekt zijn hand uit en het masker voelt taai en korrelig onder zijn vingertoppen.

'Het zit aan hun huid vastgegroeid,' zegt Cirnja. 'Je krijgt het alleen los als je ze levend vilt.'

'De meeuwen,' mompelt de stuurman. 'Hoe verkoelend krijsen ze. Zo zoetekens zingen de stormen, bollen de wijde walvissen…'

'Bovendien hebben de matrozen geen wapens,' besluit Cirnja.

'Kijk daar eens!' wijst Senni. 'Een touwladder.'

'Ah,' zegt Cirnja, 'dat komt mooi uit.'

Van de reling hangt een touwladder omlaag, uitnodigend omlaag. Marek vertrouwt het van geen kanten. Zo eenvoudig kan het toch onmogelijk gaan? Misschien hebben die geniepige drooglanders er een koeienbel aan gehangen? Zet

één voet op een bengelende sport en de bel galmt over het doodstille dek.

Hij kijkt op. De zeilen hangen slap. In het tuigage… Hij knijpt zijn ogen tot spleetjes, maar daar wordt het beeld alleen onduidelijker van. Knopen van kolkende duisternis. En zijn dat stijf opgevouwen vleugels, puntige oren?

'Cirnja! Die zwarte vlekken. Het zijn net slapende vleermuizen.'

'Slapende, eh, zandfiguren, ja. Wat anders? Geen reden tot paniek, mijn oeluk.'

'Zolang je hun naam niet noemt,' zegt Senni.

Ze klimmen omhoog en de slingerende touwladder bonkt bij elke stap tegen de romp.

'Brendaans baard!' vloekt Senni als een splinter in de muis van haar duim afbreekt. 'Wat is dit voor een knullige ku… kwalitatief uitermate teleurstellende ladder? Vast niet van ons.'

Marek hoopt van harte dat drooglanders inderdaad zo doof zijn als Cirnja beweerde.

Hij slaat een been over de reling en in het sterrenlicht lijkt het dek wijder dan een voetbalveld. Nergens dekking, nergens schaduwen om in weg te duiken. Uit de tuigage klinkt een sputterend gegons, als het zoemen van een hoogspanningsmast.

'Die slingers over het dek, Cirnja?' fluistert hij. 'Ze glimmen. Net slakkensporen. Slijmerige slakkensporen.' Een schip bewaakt door hongerige monsterslakken, gaat het door hem heen. Marek háát slakken sinds hij als kleuter een naaktslak plette onder zijn blote hiel. Die akelige borrelende plop en al dat taaie slijm… De slak gaf een doodskronkel die hij nog steeds onder in zijn buik voelt.

'Slakkensporen? O, hun voetafdrukken bedoel je. Ze zijn van gierend wervelend zand gemaakt en bij elke stap schuurt hun voetzool de planken. Levende schuurmachines, eh? Ze kunnen dwars door een kluisdeur wandelen en het enige dat je ziet, is een gat in de vorm van hun lichaam.'

'Net als in jullie leerfilms,' verduidelijkt Senni. 'Als de kattengod Tom voor die buldog vlucht en dwars door een deur knalt.' Ze knikt blij. 'Wanneer een woestijngeest je aanraakt, spat je bloed in het rond en worden al je botten gruis. Toen Björn met die stomme berserker naar…'

'Hierheen, kletskous,' zegt Cirnja. 'Vaders kajuit ligt op het achtersteven.'

Klinkt het gonzen uit het tuigage luider? Achterdochtiger? Marek probeert soepel over het dek te sluipen. Niet dat het uitmaakt: Senni lijkt er juist behagen in te scheppen om stampend als een dronken ezeldrijver over het dek te snellen.

Als een woestijngeest je aanraakt, spat… Hij duwt de gedachte resoluut weg. Dat is slap kleihappersgebibber! Een oeluk kijkt niet om zich heen als een angstig nestvogeltje.

Hij heft zijn kin op. Ik ben een oeluk! Cirnja's oeluk, en opnieuw komt die verschuiving, een woest plezier waarin hij bijna even groot wordt als deze wijde, wijde wereld.

'Dit trapje op!' wenkt Cirnja hem. 'Dat is vaders cabine.'

Ze duwt de deur open, centimeter voor centimeter.

Geddit leunt over een opengeslagen atlas en krast met een kleurpotlood over een kaart. Hij bijt op het puntje van zijn tong, zo geconcentreerd is hij bezig.

Het moet een verdraaid inspannend werkje zijn, denkt Marek. Hij merkt ons niet eens op.

Cirnja kucht. 'Papa? Wij komen je bevrijden.'

Geddit veert op: zijn kruk kantelt, smakt tegen de vloer.

'Wat moeten jullie hier?' Zijn stem schiet omhoog. 'Wie zíjn jullie?'

'Je dochters, blinde garnaal!' Cirnja sist van ergernis. 'Herken je je eigen dochters niet eens?'

Senni rukt aan haar arm. 'Hou op! Natuurlijk herkent hij ons niet! Zijn geheugen zit in onze parel! Geef hem de parel.'

'O, shit, ja,' zegt Cirnja. Ze stapt naar voren. 'Kijk, papa…'

'Donder op!' Geddit molenwiekt met zijn armen. 'Jullie mogen hier helemaal niet komen! Dit is míjn kamer!' Een panische zwiep van zijn arm maait de Supersoaker uit Cirnja's handen. 'Kapers!' brult hij. 'Piraten!'

'Papa! Je moet…'

'Vrienden drooglanders, help me!'

Uit zijn ooghoeken ziet Marek de touwen van de tuigage zwaaien. Het zoemen is abrupt gestopt en de stilte lijkt over het hele schip uit te waaieren. Het is een luisterende stilte, alert als het opwippen van de oren van een lynx.

'Mijn pistool!' jammert Senni.

'Geen tijd!' Marek sleurt Senni aan haar kraag de drempel over. 'Ze hoorden hem! Hij noemde hun naam!'

Senni rukt zich los en sprint naar de reling. 'Weg hier, oeluks!' joelt ze en ze barst dan in zo'n gegiechel uit dat ze de touwladder bijna uit haar vingers laat glippen.

Ze ploffen hijgend achter het duin neer.

Olielampen flakkeren aan op het schip en veranderen in sissende vuurkolommen. Drooglanders zwermen over het dek, springen tussen de touwen heen en weer. Marek hoort hun schorre kreten uit de masten. 'Indringers! Waterbolle zandrovers!'

'Geddit was ons compleet vergeten,' zegt Cirnja. 'Hij klonk verdorie als een kleuter.'

'Kleuters kunnen beter kleuren,' zegt Senni vol verachting. 'Zag je hoe lelijk hij op die kaart zat te krassen? En wij mochten zelfs niet in zijn Grote Atlas bladeren!'

8

'Wat moeten we nu?' vraagt Marek en zijn hoofd is ellendig leeg. Niet één sluwe oeluklist, niet eens een onzinnige, maar opbeurende opmerking.

'Ik kan de vloedgolf weer roepen,' biedt Senni aan. 'Als ik nu net doe of ik hun emir ben? Met een zandmasker en nepzwaard? Zo kreeg Björn de robijnen toch eerst ook te pakken?'

'Het lijkt me veiliger niks te ondernemen voor ze weer slapen,' zegt Cirnja. 'Alleen binden we Geddit deze keer stevig vast voor we hem wekken. In mijn tas zit een rol Tesaband. Dat gebruiken mensenjatters in de Oudlanden bij ontvoeringen en het mooie is dat het tech is. Tot het afslijt, heeft magie er geen vat op.'

'Geloof je echt dat ze zomaar hun ogen sluiten? Alsof er niets aan de hand was?' Het lijkt Marek op zijn zachts gezegd onwaarschijnlijk.

'Het zijn geen mensen. Denk eerder aan een kolonie aalscholvers. Iets wekt hen, ja? Ze vliegen krijsend op, wieken in het wilde weg rond. Als er verder niets alarmerends meer gebeurt, strijken ze weer neer, steken hun koppen mopperend onder de vleugels terug en vallen in slaap.'

'Maar Geddit? Zou die hen niet…'

'Het zal nooit bij ze opkomen Geddit te ondervragen. Ze weten dat hij niet meer verstand dan een kleuter heeft. Bovendien is Geddit waarschijnlijk al straal vergeten dat we langskwamen. Zonder geheugen heb je geen herinneringen.'

De olielampen doven de een na de ander en het sterrenlicht vloeit terug over de zeilen. Een uur later beweegt niets meer op het schip.

Cirnja komt overeind. 'Tweede poging en deze keer brouwen we er een betere saga van, eh? Een waarvan de wijzen versteld zouden staan, zelfs als het verhaal op de oogleden van een balkende ezel getatoeëerd werd.'

Senni knikt. 'Die lamme zeedruiven hebben de touwladder niet eens binnenboord gehaald.' Ze likt over haar lippen. 'Dit wordt even eenvoudig als vuur stelen van een salamander!'

Marek vindt dat niet bijzonder geruststellend klinken. Hij heeft de geblaker-

de pootafdrukken van de salamander in het warenhuis gezien, de gesmolten archiefkasten. Hoe makkelijk is het precies om vuur te stelen van een salamander zonder met verkoolde vingers te eindigen?

'Wat is die tent daar?' vraagt Marek op het dek. Het kost hem moeite, maar hij fluistert niet langer, al is luid spreken nog te veel gevraagd. 'Hij viel me de eerste keer niet op.'

Op de voorplecht is een yurt opgezet, een bolle nomadentent die uit nacht en schaduwen gemaakt lijkt. Aan een speer die als standaard in het dek gedreven werd, wappert een banier van twinkelend sterrenlicht.

'Dat moet de staatsietent van de emir zijn,' zegt Cirnja.

'Naai mij een staatsietent, beval de emir aller, eh, van die woestijnlui,' zei Senni. 'Van zijde, geweven door de blinde spinnen uit de diepste grottenduisternis en daarop geborduurd alle duisterwoorden die de sterren fluisteren. Alsook een tapijt...' Ze spreidt haar handen. 'Sorry, de rest ben ik vergeten. Er was ook nog iets met een tapijt.'

'Zeker weer een Björn-en-Olgaverhaal?'

'Prinses Zilverster vertelde hem over die tent, om hem te waarschuwen. Natuurlijk ging hij toch en bij de tent was hij alles straal vergeten.' Ze klakt met haar tong. 'Net als ik.'

Senni drukt haar oor tegen de deur van Geddits kajuit, wenkt hen.

'De kust is deze keer veilig. Ik herken zijn geronk uit duizenden. Een zeekoe met een cirkelzaag, eh? Dat zei Esle altijd.'

Geddits blote voeten steken onder de dekens uit en bij elke snurk rammelen de kleurpotloden in het jampotje mee. Zelfs als Cirnja Tesaband om zijn enkels en polsen wikkelt, blijft hij onbewogen doorsnurken.

'Hoeft zijn mond niet?' fluistert Senni. 'Op de tv plakken ze altijd tape over iemands lippen.'

'Doe niet zo stom. Hoe moet hij de parel dan inslikken?' Ze kietelt onder Geddits voetzolen. 'Tijd voor je pil, papa.' Hoewel het vast grappig bedoeld is, klinkt haar stem hees van emotie.

Geddits ogen springen open.

'Mondje open,' zegt Cirnja en ze houdt hem de parel voor.

'Wat is dat? Toch niet zo'n smerige pil?' Geddit probeert zijn hoofd weg te draaien. 'Ik wil niet, ik wil niet! Hij is vreselijk bitter wed ik!'

'Stel je niet zo vreselijk aan!' Cirnja ramt de pil tussen zijn lippen en knijpt zijn neus dicht. 'Slik door!'

Geddit gehoorzaamt met rollende ogen.

'Wat? Wat? Hoe?' Geddit schudt zijn hoofd, knippert en staart hen dan aan.

'Senni? Cirnja? Mijn innig geliefde dochters!'

Dat ging vlot, denkt Marek. Binnen drie seconden van kapers en piraten naar innig geliefde dochters.

'Je fles spoelde aan,' zegt Senni zodra ze het Tesaband om Geddits polsen losgesneden hebben. 'In ons toilet en…'

'Verhalen komen straks wel,' zegt Cirnja. 'Ik wil eerst antwoord op één vraag, Geddit. Hoe konden die, die monsters, in Brendaans naam ooit aan boord klimmen? De waakvissen hadden ze aan flinters moeten scheuren.'

'Het is mijn schuld. Mijn eigen domme schuld. Ik stuurde onze waakvissen weg, liet een touwladder zakken…' Hij haalt diep adem. 'Ik stond achter het schipperswiel. Het was mijn wacht. Alle anderen sliepen.

"Geddit!" hoorde ik plotseling een stem. "O, Geddit! Help mij alsjeblieft. Voor de waakvissen me verscheuren!"

Ik rende naar de reling en kon mijn ogen amper geloven. Esle dobberde langszij. Ze danste angstig rond op een vlot van glazen mandflessen. De waakvissen cirkelden grommend om haar heen.

"Roep ze terug voor ik zink!" jammerde ze. "Die mormels bijten al mijn flessen stuk."'

'Onze waakvissen zouden mama nooit aanvallen,' snuift Cirnja. 'Ze kennen haar geur veel te goed.'

'Mama zou geen "Help me toch, alsjeblieft!" jammeren,' zegt Senni. 'Ze voerde haar tong nog liever aan de albatrossen!'

'Jullie hebben natuurlijk gelijk en ik dacht niet zo helder. Ik was opgetogen, zo dolgelukkig dat Esle nog leefde. Ik floot de waakvissen meteen weg, wierp een touwladder uit.'

'Ze was een drooglander,' onderbreekt Senni hem. 'Een vermomde drooglander.'

'Je hebt het geraden. Zodra ze over de reling klom, rukte ze haar gezicht af. Het was een masker van vissenhuid geweest, met haren van gebleekt zeegras.' Hij balt zijn vuisten. 'Ik maakte geen schijn van kans: drooglanders zijn te sterk. Ze tilde me met één hand op, zo hoog dat ik trappelend in de lucht hing. Met haar andere hand draaide ze het stuurwiel een halve slag.

Een spreuk, een ruk met haar duim en hun loerende zandbank rees uit de golven. De rest kun je raden. Ons schip strandde. Een dag later was al het water verdampt en konden de waakvissen ons niet langer verdedigen.'

'Jij kon er niets aan doen,' zegt Cirnja. 'Als ik mama's stem had ge…' Ze verstijft. 'Hoe wisten de drooglander hoe mama eruitzag?' Haar gezicht wordt één stralende glimlach. 'Ze hadden een voorbeeld. Mama leeft nog!'

'Er was een vrouw,' zegt Geddit en aan zijn stem kun je horen dat de herinne-

ring nu pas betekenis krijgt. 'Ze joeg me iedere nacht het bed in als ik te lang over de kaarten gebogen zat. Gaf me deze kleurpotloden.' Hij slikt. 'Ze keek altijd zo droevig. Soms stroomden de tranen haar over de wangen. Ik begreep nooit waarom.' Hij trapt keihard tegen een tafelpoot, briest. 'Natuurlijk keek Esle droevig! Alle sidderalen, haar eigen man herkende haar niet eens...'

'Waar heb je Senni's wapen gelaten?' vraagt Cirnja.

'Dat rare speelgoedgeweer? Boven op de kast.'

'Goed. Breng ons naar hun aanvoerder. Wij gaan mama bevrijden en ons schip terugstelen.'

'Sorry, Cirnja, een geweer werkt domweg niet en een uit de Oudlanden al helemaal niet. Kogels blijven met een doffe plop in hun taaie zandlijven steken. Ze merken ze amper op.'

'Mijn geweer schiet niet,' protesteert Senni. 'Het spuit. Water.'

'Een waterpistool! Dat verandert de zaak. Ik zou bijna medelijden met ze krijgen.' Geddit duwt de deur open. 'We boffen trouwens: de emir van de drooglanders voerde de kapers persoonlijk aan. Een betere gijzelaar kun je je amper wensen.'

9

De zwarte tent is groter dan Marek eerst geschat had. Hoewel de tent op het dek staat, is hij op de een of andere manier wijder dan dat dek, hoger dan de masten.

Hij moet groter in die andere, geheime richting zijn, begrijpt Marek. Niet hoog of breed, maar reusachtig in die rare richting waarin Cirnja haar duim draait bij magie. Dwangs is hij hoger dan een kathedraal, wijder dan een stadion.

De ingang wordt door twee wachters met gekruiste speren versperd. Hun huid is grauw en korrelig en beweegt in trage kolken. Wervelwinden in slow motion, denkt Marek. De djinns werden van vuur en zandstormen gemaakt.

Hun ogen blijven gesloten en uit hun lijf klinkt dat zenuwachtige zoemen, het sputteren van statische elektriciteit dat hij eerder uit de masten hoorde.

'O nee!' zegt Senni. 'De rotzakken!' Ze wijst omhoog naar de palen die de versierde luifel van de tent opspannen. Op de punten zitten twee waakvissen gespietst. Hun muilen met naaldtanden gapen, hun messcherpe vinnen zijn afgebroken. Ze zijn net zo definitief dood en verdroogd als de gelakte kogelvissen die ze in Spanje in de souvenirtentjes verkochten.

'Wadhram en Ehrbrun,' zegt Senni. 'Toen de zee wegzakte, stikten ze op het zand! Ze flapperden wanhopig met hun vinnen, hapten naar lucht…'

'De djinns staken ze op hun speren en zetten ze voor de staatsietent van hun emir te pronk.' Cirnja slaat haar arm om Senni's schouder. 'Dat doen djinns alleen met de vijanden die ze het meest bewonderen. Om ze te eren.'

'Ik heb ze nog geaaid toen ze guppies waren. Ik goot vers slangenbloed in hun kom.' Senni wrijft boos de tranen uit haar ogen. 'Zo eren de djinns hun gevaarlijkste vijanden?'

'Dat klopt,' zegt Geddit en Marek weet dat hij liegt. In de doorschijnende buik van de waakvissen flakkert een waxinelichtje: een diep bewonderde vijand gebruik je niet als feestlampion. Gelukkig heeft Senni het niet opgemerkt.

'Kom,' zegt Geddit en hij duikt onder de gekruiste speren van de wachters door, stapt de tent in.

Marek had een schitterende gouden troon verwacht, wandtapijten en schat-

kisten vol parels en smaragden. De immense zaal is zo goed als leeg. Een zeldzaam lelijk kleed dat uit pluizige kabels en stukken leer geknoopt is, kronkelt naar het skelet van een walvis. Tussen de twee voorste botten heeft de emir zijn hangmat gespannen.

Achter de hangmat zweeft een manshoge spiegel waaruit het gouden licht van een zonsondergang stroomt. Het goud verkleurt naar oranje, een somber granaatrood en dan wordt de spiegel donker.

'De emir kent alle tienduizend spreuken van de djinns,' waarschuwt Geddit als ze voor de hangmat staan. 'Als hij je aanraakt, verandert je bloed in stof, verdroogt je hart tot een rimpelige pruim.'

'Dat zei de prinses ook.' Senni staart omlaag naar haar voeten en ze verbleekt. 'Dat tapijt! Het is van vlechten en baardhaar geknoopt, van gelooide mensenhuid...' Senni's stem krijgt de zangerige klank van een verhalenverteller. 'De emir, hij beval: knoop mij een tapijt uit de gelooide huiden mijner verslagen vijanden, opdat hun geknechte geesten mij waarschuwen, ja voorwaar, indien steelse voetstappen mij besluipen in het allerdiepste van de nacht.'

'Emir. O emir...'

De stem begint buiten de tent, van boven de luifel. De stank van ingedroogd vissenvlees, van wekenoude rotting vult Mareks neusgaten en hij weet dat het dode waakvissen zijn die spreken.

'O emir aller drooglanders.'

'Vijanden besluipen u,' fluistert nu ook het kleed met gelooide monden en de vlechten kronkelen, de baarden wapperen. 'Ze komen om u...'

De emir opent zijn ogen en rolt uit de hangmat, snel als een springende jachtspin.

'Ah, vijanden,' zegt hij, 'sluipend in de nacht. Ik verwachtte jullie al. O ja, helden en heldinnen. Helaas, er waren ogen die jullie zagen, dode oren om te horen, liploze monden om te spreken.'

De emir geeft een dwangse draai met zijn duim en trekt een kromzwaard uit de lege lucht. Sterlicht flikkert langs de snede, die ongetwijfeld scherp genoeg is om een diamant te klieven.

'Mag ik jullie namen weten? Voor het geval een bezoeker er ooit naar vraagt als hij zijn vingers aan jullie gevilde huiden afveegt of zomerwijn uit jullie schedels drinkt?'

Cirnja stapt naar voren. 'Ik ben Cirnja stra Poulou en Marek is mijn oeluk.'

'Oeluk? Dat is een groot woord.' De emir draait zich naar Senni. 'En jij?'

'Je mag mij prinses Zilverster noemen,' zegt Senni. 'Ik kom je vermoorden. Net als jij mijn lieve vissen vermoord hebt!' Ze haalt de schuif heen en weer en heft haar pistool op.

'Kijk toch eens aan, een machinegeweer. Een uzi, niet? Dertig jaren terug

stond er ook zo'n dwaas voor ons met een granaatwerper. Wat hebben ze gelachen toen we de scherven uitspuwden en zijn vingers een voor een van zijn handen plukten.'

'Het is geen machinegeweer,' verklaart Senni. 'Het lijkt er alleen maar op,' en ze haalt de trekker over.

'Nee, Senni!' schreeuwt Geddit. 'We hebben hem...'

Het water druipt van het kromzwaard, rolt van het voorhoofd van de emir en valt op de grond.

'Helder bronwater is dodelijk voor een djinn,' zegt de emir. 'Zoet water en wapens gesmeed van geel koper. Zout water, dat de tong van de reiziger schroeit en zijn dorst enkel vergroot echter...'

Senni laat haar wapen zakken. 'Shit. Ik vulde hem in de vloedgolf, met zeewater.'

'Zodra ik ontwaakte, rook ik de geur van zilt en zout en wist dat ik niets te duchten had.' De emir draait zich naar de ingang. 'Misschien is het tijd dat ik de wachters roep? Levend villen laat ik meestal aan hen over. Het is een secuur maar beslist saai werkje.'

'Bronwater en geel koper,' zegt Cirnja. 'Eén van de twee is niet slecht.' Haar hand schiet naar voren en verdwijnt in de borstkas van de emir.

Marek had een fontein van bloed verwacht, rondvliegende botsplinters. Een djinn aanraken is even fataal als je arm in een houtversnipperaar steken.

Cirnja's hand komt echter intact tevoorschijn, niet eens geschramd. Ze omklemt een juweel waarin bloedrode vlammen dansen.

'Ik lakte mijn nagels elke dag en in de lak had ik koperpoeder opgelost.'

De emir staart ontzet naar het gapende gat in zijn borst dat zich weigert te sluiten. Dan ziet Marek de sluwheid in zijn gezicht terugvloeien. Vurige kikkervisjes darren in de dieptes van zijn ogen rond en Marek begrijpt dat het geniepige plannetjes zijn, razendsnelle leugens.

'Het hart van een djinn is heet,' zegt de emir, 'en het wordt elke hartenklop heter. Hoe lang denk je het vast te kunnen houden, meisje? Voor de blaren uit je vel bollen en het vlees gekookt van je vingerkootjes valt?'

Cirnja schenkt hem haar allerliefste glimlach. 'Tja, dat is inderdaad een probleem. Voor die tijd zal ik je hart onder mijn hak moeten vermorzelen.'

'Probeer het. Zelfs een mokerhamer kan het hart van een djinn niet vermorzelen.'

'Ik heb koperen kopspijkertjes in de zool van mijn schoenen geslagen. Je hart zal breken als een merelei onder een nijlpaardpoot!' Ze gooit het hart van de ene hand naar de andere over. 'Langer dan een seconde of tien hou ik het niet meer vol.'

'Sluwer dan een hermelijn en stralend wreed,' zegt de emir goedkeurend. 'Je bent inderdaad een ware oeluk. Ik stem toe.'

'Waarmee?'

'Met alles wat je vraagt.'

'Bevrijdt onze matrozen. Blaas hun maskers weg, breek hun boeien!'

De emir tuit zijn lippen en een ovenhete vlaag woestijnwind strijkt langs Mareks oren.

'Ze zijn vrij.'

'Hoe weet ik dat...'

Uit het ruim klinkt gerommel, kreten.

'Waar is de zee gebleven?' roept een matroos.

'We zijn gestrand!' schreeuwt een ander.

'Mijn handen beginnen intussen lelijk te schrijnen,' zegt Cirnja. 'Heet geval, dat hart van jou.'

'Ik deed wat je vroeg.'

Ze kijkt hem recht in de ogen, alsof ze al zijn vurige gedachtes wil lezen. 'Geef me mijn moeder terug. We weten dat je Esle gevangen houdt.'

'Je keek al die tijd naar haar.' De emir gebaart naar de spiegel achter zijn hangmat. 'Dat is een vouw, een kunstmatige doorgang. In feite de vouw waardoor we uit de Stromendblauwe Cirkel ontsnapten.'

In de spiegel trekt het waas van duisternis op en Marek ziet een vrouw opgekruld in de palm van een marmeren reuzenhand liggen. Haar ogen zijn gesloten en hoe gespannen Marek ook kijkt, hij ziet haar borst niet rijzen en dalen.

'Jullie Esle wacht aan de andere zijde van het glas. Toen we haar op onze zandbank vonden, wist ik dat ze het perfecte lokaas was. Ze is in coma. Een diepe droomloze slaap, waaruit je haar makkelijk kunt wekken, grootkapitein Geddit. Eén gefluisterd woord in haar oor is genoeg. Een kus op haar mooie lippen.'

'Maar?' zegt Cirnja en aan de wijze waarop ze het juweel vasthoud, tussen de uiterste punten van haar nagels, begrijpt Marek dat het juweel intussen gloeiend heet moet zijn. Van haar duimnagel stijgt een loom sliertje rook op.

'Esles kamer ligt in het allerdiepste Noorden,' vervolgt de emir. 'Ver voorbij Ultima Thule, waar de tijd zo razendsnel stroomt dat de seconden weken zijn en er in een minuut jaren voorbijrazen.' Hij spreidt zijn handen. 'In haar magische slaap kan de tijd Esle niet deren. Maar jij, o liefhebbende echtgenoot, jij zou stokoud zijn voor je haar gewekt had, een krom, kaal mannetje, seniel, en waarschijnlijk hartstikke dood voor je uit de spiegel kon stappen.

Niet dat je de kans krijgt.' Hij tolt om zijn as en slingert zijn kromzwaard naar de spiegel. Barsten zigzaggen door het glas en dan kletteren de scherven over het dek. Het is gruis, niet één fragment groter dan een vingernagel.

'Weet je,' zegt de emir op conversatietoon, 'wij djinns zijn niet bang om...'

Cirnja laat het juweel aan haar voeten vallen en vermorzelt het hart onder

haar hak. De emir grijpt naar zijn borst, spuwt een mondvol haaientanden over het dek en zakt ineen tot een spitse zandkegel.

'Dat roept de emir altijd als een oeluk hem doodt,' zegt Senni. 'In alle verhalen. "Wij djinns zijn niet bang om te sterven want elk gedoofd vuur kan opnieuw aangestoken worden en iedere ochtendbries tot een wervelwind aanzwellen."' Haar gezicht verkreukelt en werpt zich in Cirnja's armen. 'Ik wil niet meer in een verhaal wonen. Ik wil naar huis! Ik wil Esle!'

Boek 3

Veneto Secundo, de stad van de levende maskers

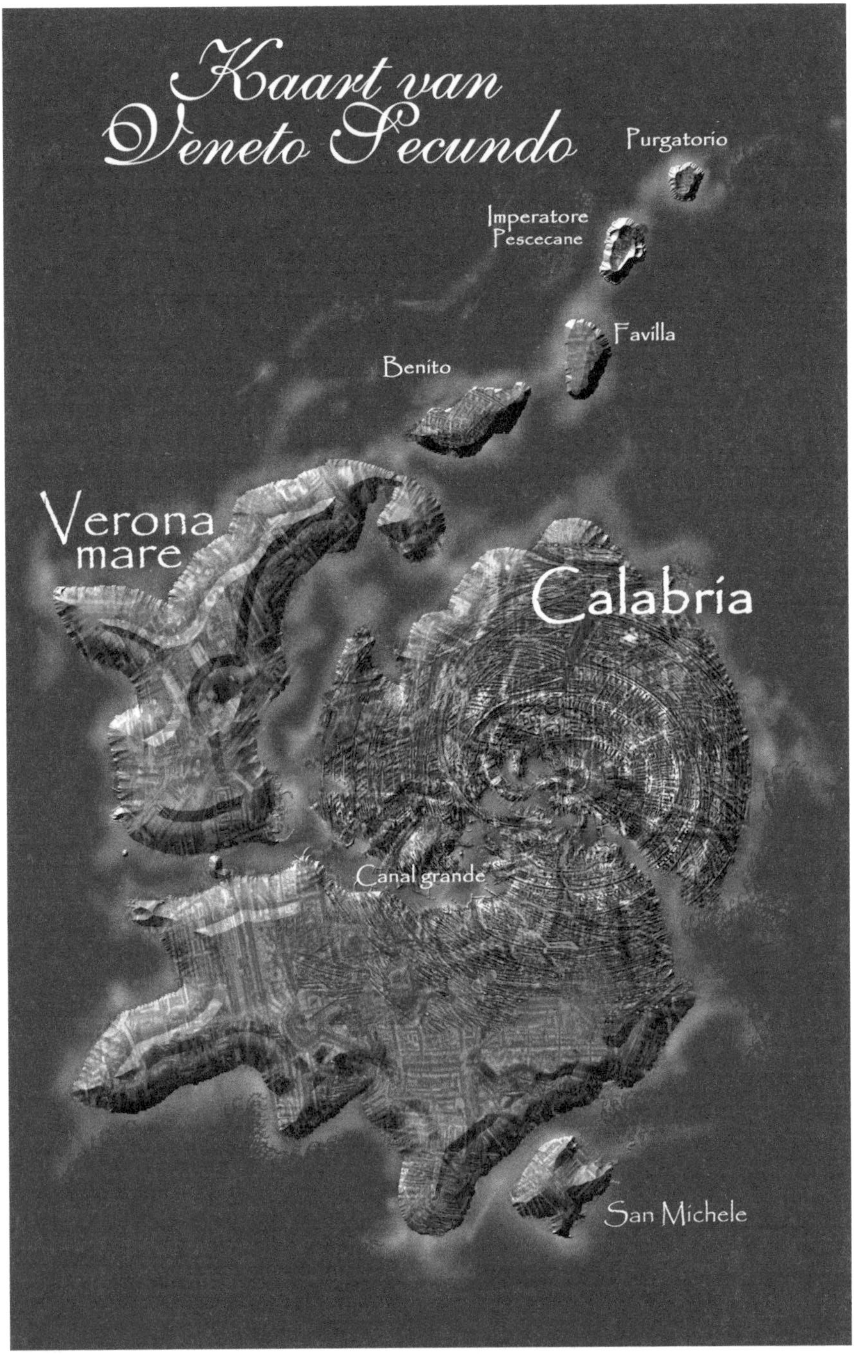

Kaart van Veneto Secundo

Purgatorio

Imperatore Pescecane

Favilla

Benito

Verona mare

Calabria

Canal grande

San Michele

1

Ochtend. Het enige dat van de djinns is overgebleven, zijn treurige hoopjes zand op het dek, als de uitwerpselen van strandpieren. Net als windstoten wegsterven zodra de storm gaat liggen, hebben de drooglanders de dood van hun emir niet overleefd. Hun gedoofde harten steken uit het zand: melkachtige bergkristallen met hier en daar een juweel.

De matrozen hurken in een kring om Senni heen. Soms gieren ze het uit en klappen ze in hun handen, andere keren kreunen ze of geven ze een instemmende roffel op de planken.

'Björn en Olga,' zegt Senni, 'en deze keer was prinses Zilverster er ook bij. Dat leek haar verstandiger. Ma… Björn bedoel ik, Björn Bloedzwaard en zijn oeluk hadden al zo vaak slecht naar haar geluisterd en haar wijze raad in de wind geslagen.'

Senni vertelt hoe ze hun vader bevrijd hebben, denkt Marek. Blijkbaar mag je in de Gran Terre nooit over jezelf opscheppen en hoor je alles als een oeluk-verhaal te vertellen.

'En de emir greep zijn kromzwaard en keek de prinses aan: "Dat wapen van je is zeker tovertech, uit de Oudlanden. Nou, ik kan je…"'

Marek grinnikt. De matrozen weten donders goed wie prinses Zilverster is. Dat Senni zich versprak en Björn bijna Marek noemde, was vast niet per ongeluk.

'De vloed komt op,' rommelt Geddit. Hij staat naast Marek aan de reling, massief als een grizzlybeer en Mareks nekspieren ontspannen zich. Die zware stem, zo zeker, zo competent. Geddit is de kapitein, de grootkapitein voor wie de golven beven, en hij heeft alles onder controle. Marek hoeft geen sluwe, onverschrokken oeluk meer te zijn, die joelend op monsters afstormt. Geen Björn Bloedzwaard. Nu even niet. Gewoon vijftien en iemand anders is verantwoordelijk.

De vloed begint met een koel briesje en een schittering aan de horizon. De duinen, zijn ze minder hoog? Dan kleurt het zand donker en twee hartenkloppen la-

ter waaiert een vlies van water uit. Krabben werken zich met zwaaiende scharen uit het zand omhoog. Heremietkreeften ploppen uit hun glazen slakkenhuizen.

'Of misschien is vloed niet het juiste woord,' zegt Geddit. 'Het water komt niet op: de Loerende Zandbanken zakken terug in de diepte. De magie van de emir kan ze niet langer boven de golven houden.'

Het dek kantelt onder hun voeten, de masten zwaaien en het schip komt los. 'Hijs de zeilen!' roept Geddit. 'Licht de ankers.' Het is maar show, een ritueel, want de matrozen klimmen al door de tuigage, rollen de flinterdunne stof uit. 'We gaan naar huis! Terug naar Prester Johnsland en Huy Jorsaleem waar…'

'Alle zeelieden prinsen zijn,' vult een spreekkoor van matrozen uit de eerste mast aan.

'En alle dames hun lippen tuiten,' joelt de middelste mast.

'Zolang we onze zilverstukken laten rollen,' besluit de derde mast.

'Hebben jullie op de sterren gelet?' vraagt Geddit. 'Afgelopen nacht? Zelf ben ik nogal in gebreke gebleven. Niet dat ik wist hoe je een ster moest schieten of dat ik een kapitein was…'

'Jullie sterrenbeeld leek kleiner dan eerst,' zegt Marek. 'Dat omgekeerde kruis. Piepklein eigenlijk. Niet langer dan mijn duim.'

'Was er een ander sterrenbeeld het helderst? De Hand, Brendaans Boot?'

'Sorry. Ik heb er niet speciaal op gelet. We tuurden naar het schip.'

'Als Johns kruis zo gekrompen is, moeten we een allemachtig eind uit de koers zitten.'

'Jullie wisten toch waar jullie strandden? Je zei dat je net je positie bepaald had toen je de stem van de drooglander hoorde.'

'Zo werkt dat niet. De Loerende Zandbanken zwalken over de oceanen. Ze kaatsen van horizon naar horizon als luchtspiegelingen. Of misschien kun je beter zeggen dat ze niet op een speciale plaats liggen maar overal een beetje. Ze duiken op als de emir het beveelt en alleen dan worden ze solide. De enige beperking is dat ze nooit dichter dan duizend mijl bij de kust in de buurt kunnen komen.'

'We kunnen dus zo ongeveer overal in de Gran Terre zijn?'

'In ieder geval een allemachtig eind van huis.' Geddit zuigt de lucht diep in zijn longen. 'Deze oceaan ruikt eigenaardig. Naar oud zilver en cipressen, ja, lavendel en duiven. Tienduizend duiven. Cirkelgrachten met brak water.' Hij fronst. 'Waarom zei ik dat?'

'Cirkelgrachten met brak water,' zegt Senni achter hun rug, 'waar de zwarte zwanen voortglijden als gondels en iedere man een masker draagt. Toen Olga en…'

'Veneto. Veneto Secundo! Van alle rottige pech. Je kunt nog beter een albatros op je mast spijkeren…'

'Wat is Veneto?'

'Veneto Secundo. De machtigste handelsstad van de Gran Terre en onze grootste concurrent. Ze haten de Hanze omdat zij de weg naar Italië en de Oudlanden nooit teruggevonden hebben. Na zijn terugkeer uit China opende Marco Polo een vouw naar Veneto Secundo en zeilde met een handelsvloot uit. Een sluipmoordenaar mengde echter paardenharen door zijn kwartelpastei en Marco Polo stierf aan een maagbloeding, lang voor ze konden aanleggen. Geen van zijn nakomelingen kon een vouw openen.' Hij spreidt zijn handen. 'Ze troostten zich maar door een stad te bouwen die een half continent besloeg en rijker te worden dan keizers. Zelfs de bedelaars flaneren op pantoffels van marterbont en vegen hun billen met zijde af.' Hij knikt. 'Hun doge is trouwens onsterfelijk. Hij sloot een verbond met de haaiengod. Zolang hij elk jaar duizend mensenoffers aan zijn god offert, zal hij nooit ouder worden.'

'Onsterfelijk is niet hetzelfde als onkwetsbaar,' vult Senni aan. 'Björn stak de naald van een miereneter in het linkeroog van de doge en nu hebben ze een nieuwe.' Zij fronst haar wenkbrauwen. 'Dat moet zo'n honderdvijftig jaar geleden geweest zijn en ik wed dat ze nog steeds een bloedhekel aan oeluks hebben.'

2

Het is nacht en de sterren van de Gran Terre werpen sidderende banen over de golven, elk met zijn eigen unieke kleur. Voor de boeg van de Gouden Amarant hangt een sterrenbeeld met zulke fonkelende sterren dat de hemel onder het gewicht van hun magie lijkt door te buigen. Fiere koningssterren: dit deel van de hemel behoort hun duidelijk toe.

'Het Masker,' wijst Geddit. 'Zie je die sliert sterren die de snavel vormt? Het vogelmasker mag alleen door de hoogste edelen gedragen worden, door de doges met Polobloed. Niet dat ze een masker nodig hebben.'

'Veneto ligt onder het Masker,' zegt Senni. 'Zo werkt dat altijd.'

'Hoe ver van hier?' vraagt Marek. 'Ik bedoel, halen we dat wel met het water, de proviand?' Bedorven water, scheepsbeschuit waaruit de wormen kruipen. Marek heeft niet alleen scheepsmodellen geplakt maar ook over hun expedities gelezen, de reizen om de wereld waarbij hoogstens een op de drie schepen terugkeerde.

'De magische bekers en vaten zijn goed voor zo'n twintig jaar en veranderen moeiteloos zout water in zoet. We kunnen zeewier opdreggen met een sleepnet en aan verse vis zal nooit een gebrek zijn. Hoe ver het naar Veneto is... Weet je, de afstanden zijn hier ongelooflijk veel groter dan in de Oudlanden. Tien-, twintigduizend mijlen tussen de continenten. Een vloot van Veneto doet soms wel een halve eeuw over een handelsreis. De vader vertrekt en zijn kleinzoon keert terug met grijs in zijn baard.'

Geddit opent de atlas in het licht van een zwevende vuurbol. De getemde bliksem sist en knettert en de stank van ozon doet Marek naar adem happen. Het is de bolbliksem of een walmende olielamp. Het lampje van Mareks dubbellantaarn geeft intussen nog minder licht dan een glimworm. De meeste tech is weggelekt en ze zijn te ver van de andere continenten om hun mana met de antennes op te zuigen.

Geddit klapt zijn sextant uit, een verstelbare telescoop met schaalverdeling. Zodra hij de telescoop richt, schuiven aan het uiteinde geschubde oogleden

open. Een kristallen oog tuurt de nachthemel in. Waarschijnlijk is de sextant een getemde demon, net als zo veel instrumenten van de Gran Terre.

'Ay,' zegt het sextant. 'Oi, oi.'

'Wat bedoel je?' vraagt Geddit. 'Wees duidelijker.'

'Wil je eerst het slechte nieuws horen of het nog beroerdere?'

Geddit balt zijn vuisten. 'Begin maar met het slechte nieuws.'

'Alle vouwen op deze oceaan voeren regelrecht naar de haven van Veneto Secundo. De zwaarbeveiligde oorlogshaven waar de Nocchio's elk schip van kiel tot kraaiennest zullen doorzoeken.

Welnu, het slechtere nieuws is dat er binnen vijf jaar zeilen geen enkele vouw te bekennen valt. Dat had je waarschijnlijk al op je kaart gezien, niet? Anders had je me nooit gewekt.'

'En naar Veneto? Als we zeilen?'

'Negen jaar. Als je tenminste kunt zeilen.' Een afwachtende stilte volgt waar het leedvermaak bijna vanaf druipt.

'Zeg het maar.'

'Jullie genieten nu een stevige bries, een die de mijlen onder je boeg laat doorbruisen. Jullie varen helaas aan de rand van wat ze in Veneto het Wiel der Stormen noemen. Een reusachtige orkaan in slow motion met een as van windstilte. Een oord waarin de oceaan glad als een spiegel is. Venetiaanse schepen mijden het als de pest. Elk schip dat de As der Stilte invaart is onherroepelijk verloren.'

De sextant heeft het perfect getimed: de straffe bries zinkt weg en de zeilen hangen ineens slap aan hun koorden. Alle geluiden lijken te verstommen: het kraken van de masten, het gorgelen van het langsstromende water.

'Keer het schip!' brult Geddit. 'Iedereen aan de roeiriemen. We kunnen…'

'Nee hoor,' zegt de sextant. 'Vergeet het roeien maar. Er staat nog steeds een zeestroming, een die te sterk is om tegenin te roeien. Hij krult regelrecht naar het centrum. Als een kolk in een leeglopende badkuip, eh?'

'Jij…' Geddit heft de sextant boven zijn hoofd.

'Ja, smijt me stuk. Wij demonen vrezen de dood…'

'Papa!' roept Senni. 'Hij wil juist dat je hem breekt! Dan is hij vrij.'

Geddit legt de sextant voorzichtig op de navigatietafel neer. 'Leuk geprobeerd.'

'Negen jaar,' zegt Senni. 'Als we Veneto binnenzeilen, ben ik achttien. Behalve dat we niet eens kunnen zeilen. We zitten hier voor eeuwig vast.' Ze kijkt naar Marek op en het vertrouwen in haar ogen doet zijn maag samentrekken. 'Jij bent de oeluk, de Björn. Red ons.'

DE STERRENBEELDEN VAN DE GRAN TERRE

TUATHA DE BRENDAAN (het Land, of Volk, van Brendaan) ligt onder de sterren van het **ZEILSCHIP**. Volgens de Ierse legenden was Sint Brendaan een vrome monnik die naar het westen zeilde in een boot van varkenshuid en wilgentenen en zo Amerika ontdekte. Brendaan de Grijze was in werkelijkheid een piratenkoning en hij reisde met zijn plunderaars heel wat verder dan Amerika. De Ieren vermengden zich uiteindelijk met de inheemse elven tot een bijzonder bloeddorstig en magisch volk.

ULTIMA THULE ligt onder het sterrenbeeld **SEDNA'S HAND**. Toen de Inuit-godin Sedna nog een sterfelijk meisje was, werd ze door de Stormvogel geschaakt. Haar vader redde haar, zeer tegen haar zin overigens. Toen Sedna's echtgenoot hun kajak achtervolgde, hakte de vader Sedna's vingers af en wierp die in zee. De stormvogel moest ze als liefhebbend echtgenoot een voor een uit het water vissen. Uiteindelijk hielp het weinig en hij verscheurde de vader met zijn snavel. De vingers veranderden in walvissen, robben en papegaaiduikers. Sedna heeft nog steeds iets tegen vaders.

Boven **PRESTER JOHNSLAND** hangt het **SMARAGDEN KRUIS**. De Radja van Sirith schonk het Jezus' eerste dochter bij haar geboorte om boze geesten af te weren.
Verstandige moeders hangen zo'n kruis boven het ledikant van hun baby, al is hun kruis niet van goud maar van geel koper en zijn de smaragden van groen glas. Het helpt evengoed tegen boze geesten als het origineel.

Boven **VENETO SECUNDO** hangt dreigend het **MASKER** van de Nocchio. De Nocchio zijn de levende monstermarionetten van de doge en elke burger die 's nachts omhoogkijkt, wordt zo aan zijn macht herinnerd.

Door de hemels van **ATZLAN-CIBOLAI** kronkelt de **GEVEDERDE SLANG**. Atzlan was het thuiseiland van de Azteken en toen hun Mexica onder de voet werd gelopen door Spanjaarden, vluchtten hun magiërs hierheen terug. Op Cibolai leeft het volk dat de oerwouden van de Amazone cultiveerde, in steden van vruchtbare modder en goud. Op ruimtefoto's zijn hun prehistorische dijken nog te zien: irrigatiewerken die eens half Brazilië besloegen.

Het **KROMZWAARD** bekroont het **KALIFAAT VAN DE DERDE HAROEN**. Hier heerst de onsterfelijke kalief over een bevolking van drie miljard. Het kalifaat en Prester Johnsland voeren al eeuwen oorlog, maar de afstanden zijn te groot om ooit elkaars landen te bezetten. Hoewel er geruchten zijn van een immense armada die op Prester Johnsland afkoerst…

De **VLIEGENDE VIS** wijst de weg over de **MAORI WINDWEGEN**. De Maori volgden hun totemdier tot ver voorbij Nieuw-Zeeland en vonden eilanden waar de vogels langere poten dan giraffen hadden en de palmbomen tot de top van de hemel groeiden.

De **RAT VAN HET GELUK** beschermt **FUSANG**, het Land van de Gouden Bergen. In de vijftiende eeuw zwermden de enorme Chinese schatschepen uit: superjonken met niet minder dan acht zeilen en een bemanning van in de duizenden. Drie waagden de oversteek naar het mythologische eiland waar de zon opkomt. Hun navigator was een taoïstische tovenaar en toen een orkaan opstak, vouwde hij de weg naar de Gran Terre en een kalmere zee open.

3

Cirnja staat twee eindeloze weken later op de boeg en graait met haar handen in het rond.

'Waar ben je mee bezig?' vraagt Marek.

'Ik weef een net,' zegt ze zonder haar gebaren te stoppen. 'Een net van maanlicht en zeemist.'

Marek ziet nu inderdaad lichtende lijnen tussen Cirnja's vinger hangen, vloeiende, kronkelende draden. Magie, ja, want bij elke graai draait ze met haar duim.

'Met Vidrals net kun je spoken en geesten vangen. Djinns. In de noodvoorraad zat er eentje maar de tech had hem finaal leeggezogen. Je kon er nog geen spookmot mee vangen.'

'Aha, een djinn-net. Dat lijkt me nuttig.'

'Kwam je voor iets speciaals? Het is na middernacht.'

'Mijn schoenen,' zegt Marek. 'Toen ik ze uittrok, vielen de zolen eraf en de veters verkruimelden.' Hij houdt een touwtje op. 'Ik denk dat ze nu van verdroogd zeewier zijn.'

'Dat heb je met tech. Zo ver van jullie landen lekt alle tech uit de superlijm weg en van plastic blijft helemaal niks over.'

'Het waren gloednieuwe Nikes,' zegt Marek treurig. 'Heb je misschien iets degelijkers voor me?'

'Matrozenmuilen. Er zit spinrag in de zolen geweven en je kunt recht tegen een mast opklimmen. Bovendien hebben ze allemaal een volg-mij gesp. Zelfs in een wildvreemde haven trekken ze je naar het enige logement waar matrassen luizenvrij zijn en de waard niet in de soep spuwt. Of natuurlijk naar onze ambassade als je iets doms gedaan hebt en de burgers met drietanden en netelnetten achter je aan rennen.'

'Lijkt me wel handig, ja.'

Hij houdt zijn schoenen op. 'Wat moet ik hiermee?'

'Mik ze overboord voor de zingende kwallen en hoop dat ze erin blijven.'

4

'Irritant,' zegt Timur. 'Ik weet zeker dat het ritueel klopt. Alle vorige keren…'

'Misschien is het zand niet droog genoeg?' zegt Ralph.

'Klets. Alleen op Mercurius is het zand droger. De emir had moeten antwoorden.'

'Dat probleem hadden we vroeger ook wel bij Homeland Security. Lui die domweg hun mobieltje negeren hoewel je midden in een belangrijke operatie zit.'

'Zet die vlammenwerper van je nog een keer aan. Hij staat absoluut in zijn hoogste stand?'

Het is middernacht voor ze het opgeven.

5

Het is de twintigste dag en de Gouden Amarant dobbert op een spiegelgladde zee. De stroming voert hen steeds verder weg van de winden, dieper en dieper de windstilte in. Dagen geleden is het laatste minuscule wolkje achter de horizon weggezakt. Net als eerder in de sloep lijkt het schip elke dag verder te krimpen. Het dek dat een voetbalveld leek, voelt nu als een piepklein achtertuintje.

Over de reling kun je tien, twintig meter diep in het kristalheldere water kijken. Zwermen geel en paars gestreepte vissen volgen het schip. Waarschijnlijk is het niet werkelijk zo, maar in Mareks ogen zijn het steeds dezelfde vissen. Net als het schip drijven ze passief op de zeestroom mee. Zo loom dat je verdraaid goed moet kijken om een borstvin te zien zwaaien.

'Wind,' zucht Geddit. 'Ik zou mijn rechterduim voor een zuchtje wind geven.' Hij spuwt in het water. 'Wat is dit voor waardeloze oceaan? Alleen vette loddervissen, niet één fatsoenlijk zeemonster!'

'Een zeemonster bijt ons roer af,' zegt Cirnja. 'Breekt onze romp met een zwiep van zijn staart. Geen waakvissen meer, weet je nog? Ze stonden op speren voor de tent van de emir.'

'Nu je het erover hebt,' zegt Geddit. 'Laten we eens zien hoe ver Senni intussen met de eieren gevorderd is.'

De waakvissen darren door de kom van geslepen diamant. Elk breekbaarder materiaal is onverstandig, zelfs kogelvrij glas.

Marek buigt zich over de kom. De jonge waakvissen zijn niet groter dan guppies en pas van vlakbij zie je hun haaienvinnen, de venijnige haken aan hun staart.

'Jij durft,' zegt Senni. 'Voor je het weet springen ze uit het water en bijten ze in je neus.'

Marek deinst achteruit.

'Jullie hebben trouwens goed gemikt,' zegt Senni. 'Het is voedertijd.'

Ze pakt een zakje van paardenhaar en schudt grijze vlokken over het water. De

waakvissen springen schril piepend uit het water, wapperen woest met hun vinnen, bijten in elkaars staart.

'Verpoederde haaientanden,' somt Senni trots op, 'zeeslangschubben. Dat leerde mama mij. Zo weten de vissen later wat ze moeten verslinden.' Ze giet een handje zand in het water. 'Dit heb ik zelf verzonnen. Drooglanderzand. Ik veegde het op van het dek.'

'Sluw,' zegt Geddit. 'Ik zie dat je een ware dochter van je moeder bent.'

'Iemand moet haar verstand gebruiken op dit schip,' zegt Senni. Vast iets dat haar moeder vroeger zei. Ondanks haar opmerking glimt ze van trots.

Twee handen gemalen zeekrokodil en schorpioenvis volgen tot de waakvissen verzadigd naar de bodem zakken en zelfs niet meer op een reepje gepekelde sprot reageren.

'Nu komt het belangrijkste,' zegt Senni. 'Goed dat jullie hier alle drie zijn.' Ze klapt een koperen zakmesje open en jaapt de punt in de muis van haar duim. Drie druppels bloed ploffen in de kom en worden gretig door de waakvissen opgeslokt.

'Dat is om ons te herkennen. Voor als we in een storm over de reling kukelen en of een stel dronken vrienden je in zee jonast. De waakvissen zitten nu plofvol, dus zo leren ze dat we niet als voedsel bedoeld zijn.' Ze reikt Marek het mesje aan. 'Nu jij en een flinke guts graag. Geen zielig druppelkraantje. Jij bent geen Stra Poulou, niet eens Hanze. De waakvissen hebben heel wat meer bloed nodig om je te herkennen.'

Oeluks zijn niet kleinzerig als je de verhalen mag geloven. Hij drukt de punt in zijn vel en het mes zinkt een volle centimeter in zijn vlees. Marek sist tussen zijn tanden en weet het daarbij te houden.

'Wow,' lacht Cirnja, 'een regelrechte waterval.'

'Zo is het wel genoeg,' zegt haar zus als het water roze begint te kleuren. 'Druk je duim er even op. Ik naai je zo wel dicht.'

'Heb je ze al namen gegeven?' vraagt Marek. 'Zeewolf, Grommende Pitbull?'

'Nah, dat is te vroeg. Ze vreten elkaar nog veel te vaak op. Meestal blijven er maar een stuk drie van de zestien over.'

6

Midden in de nacht schiet Marek overeind in zijn hangmat. Dat is het! De oplossing!

'Cirnja? Cirnja, ik heb het!'

Een geeuw die haar mondhoeken ongeveer moet uitscheuren. 'Als je in je slaap praat, wurg ik je. Wat heb je, o mijn oeluk?' Een tweede geeuw volgt, nog dramatischer dan de eerste.

'We hebben wind nodig, toch? Djinns, drooglanders, ze zijn van wind gemaakt! Wervelwinden, eh? Tornado's.'

'Is er een maffe kletskikker in je tong gekropen? Een djinn op ons schip laten? Ik heb nog nooit zoiets onzinnigs gehoord!'

Marek grijnst in het donker. 'Daar ben ik een oeluk voor. Het is niet onzinniger dan met een bosje gentianen bij de Bleke Dame van Woud aankloppen. Of Grons gevleugelde sandalen van zijn voeten te stelen.' Zijn grijns wordt breder. 'Is het geen dolle gein om je zeilen met een drooglander te vullen?'

'Als je het zo stelt…' Ze ontsteekt het olielampje met een draai van haar duim. 'Kom op. We gaan nog een paar andere maffers wakker schudden.' Ze gaapt opnieuw. 'Ik zie niet in waarom ik het enige slachtoffer van je waanideeën zou zijn.'

'Dit is belachelijk riskant,' zegt Geddit. 'Beslist het idiootste idee dat ik ooit gehoord heb. Ja, dat idee van jou bevalt me.'

'Elk gedoofd vuur kan opnieuw aangestoken worden,' citeert Senni met opgestoken vinger, 'en iedere ochtendbries tot een wervelwind aanwakkeren.'

'We hebben één probleem,' zegt Geddit. 'Nogal onoverkomelijk helaas. Uit voorzorg heb ik al hun harten in zee gemieterd.'

'Niet allemaal.' Senni knoopt haar tas open. 'Ik heb er twee bewaard. Als souvenir.' Ze spreidt haar handen. 'Anders geloofde niemand me toch in Huy Jorsaleem?'

'Een ongehoorzame dochter is de trots van elke vader,' zegt Geddit. 'Ga zo door, Senni.'

'Deze blauwe is het mooiste,' zegt Senni. 'De grootste ook. Ik denk dat het een van de generaals van de emir was. Of misschien zelfs zijn vizier.'

'Als we een vuur heet genoeg stoken, ontbranden de harten vanzelf.' Geddit heeft zijn vinger nog tussen de bladzijden van *Magie voor Dummies*. 'Dat beweren ze hier tenminste. Ik ken niemand die idioot genoeg was om dat te proberen.'

'Voor in het boek staat: elk gebruik van hier vermelde spreuken en bezweringen is geheel voor eigen risico,' zegt Marek, 'en de makers raden stotteraars en lieden met twee rechterhanden aan een veiliger hobby te zoeken.'

'Dat is gewoon, je weet wel, ambtelijk. Om zich in te dekken. Alle grimoires beginnen met die zin. Je moet maar denken, dit is de driehonderdste druk al. Als het niet werkte, zou niemand dit boek toch kopen?'

'Tenzij hij echt een dummy is,' zegt Marek. 'Veel keus hebben we niet. Zodra zijn hart gloeit, leeft hij weer, Geddit?'

'Volgens het boek wel.'

'Wacht, hoe temmen we hem? Later?'

'Senni's waterpistool? Deze keer wel gevuld met zoet water?'

'Hij ligt onder mijn hangmat en het water zit er al in,' zegt Senni. 'Al dagen.'

Herde de scheepssmid sleept zijn loodzware vuurkom het dek op. Net als Cirnja en Geddit is hij een Stra Poulou. Heel het schip wordt door neven en nichten bemand, ooms en tantes, al dan niet aangetrouwd.

Herde legt het grootse juweel in het zorgvuldig gevlochten nest van oliehout en kooltjes.

'Zie je die kooltjes, vrienden? Rond en glanzend als kwarteleieren? Wij smeden noemen zulke kolen excellente Sarndregh, en het is de kaviaar onder de houtkool.' De smid kwijlt bijna. 'Negenvoudig gemalen en vervolgens aangestampt met een drakenvoetbonker en ten slotte zorgvuldig bedruppeld met gesmolten barnsteen en magnesiumpoeder. Wij wapensmeden gebruiken Sarndregh uitsluitend voor het smeden van magische zwaarden en het is zesmaal zijn gewicht in goud waard.'

'Dat wordt dan een dure bries,' zegt Geddit. 'Ga je gang. Een grootkapitein hoort te weten wanneer je niet over een stuiver moet mekkeren.'

Het oliehout ontbrandt met een vurige plof die de wenkbrauwen en snorren van de omstanders verschroeit en hen kuchend achteruit doet stommelen. Citroengele vlammen likken omhoog, een loeiende vuurkolom die tot halverwege het kraaiennest reikt. Tien tellen later zakt het vuur in en nemen de kolen het over. Ze gloeien enthousiast op, rood, geel, dan een gonzend, verzengend blauw waar je niet langer recht in kan kijken.

Heter dan een lasvlam, denkt Marek en hij stapt nog wat verder terug. Groene nabeelden dansen voor zijn ogen. *Het brandt verdorie een gat in je netvlies.* 'Bijna fel genoeg om zijn hart aan te steken,' zegt de smid. 'Ja, daar gaat hij al.' De vlammen buigen terug in hoepels van vuur en het juweel zuigt ze gretig op. Al het andere vuur dooft en van de kolen blijft enkel vlokkige as over. Alleen in het juweel dansen nog vlammen.

'Dat was het?' vraagt Marek. Een beetje een afgang. Het is alsof je na een magnifiek vuurwerk nu naar een waxinelichtje zit te turen.

'Meer is niet nodig,' zegt Cirnja. 'Kijk, de djinn leeft weer. Zijn valse hart klopt.'

En inderdaad, de vlammen zwellen en krimpen ritmisch. Het as in de vuurkom wolkt op, draait zich omhoog tot een wervelwind.

'Toon je!' beveelt Senni. Ze heft haar Supersoaker. 'Neem een menselijke gestalte aan. Anders krijg je zo'n klets puur bronwater dat je hart sissend over het dek stuitert!'

'Dat is een redelijk overtuigend argument.'

Uit de wervelende as stolt een drooglander. Hij is negen meter lang, een gigant. Ogen van zand draaien knarsend in de kassen en kijken op hen neer.

'Mijn naam is Smadhar al-Radmir en ik verheug me op de dag dat ik jullie gevilde lijven op een mierenhoop zal vastbinden. Krijsen zullen jullie. Jammeren zonder tong want die heb ik uitgerukt met roodgloeiende tangen.'

'Dreigen is een kunst,' zegt Senni, 'en die vervloeking is zó afgezaagd! De Negende Quetzal zei precies hetzelfde toen Björn zijn slaapkamer binnensloop en hem met de punt van zijn dolk in zijn keel prikte. Het was trouwens "de hoogste termietenheuvel" en niet zomaar "een mierenhoop".' Ze geeft een ruk met de loop van haar wapen. 'Strek je wervelende arm uit en vul onze zeilen. Als je ook maar een touw laat knappen, of een mast kraakt, krijg je de volle laag.'

'Het oosten,' zegt Geddit. 'Waar de vrije winden waaien. De kortste weg graag.'

'Ik luister en gehoorzaam,' zegt de djinn. Hij strekt zijn armen uit en tikt de zeilen een voor een aan tot elke vlindervleugel met een gierende kolk gevuld is. Het schip draait, verheft zich half uit het water en schiet dan met doorbuigende masten naar het oosten.

Ochtend en de zon hijst zich boven een mistbank uit. Links zijn de eerste wolken al zichtbaar en in de verte rimpelt het water: venijnige golfjes met hier en daar al een schuimkop. Nog hoogstens een dag en dan kunnen ze zonder de hulp van de djinn zeilen.

Het is Mareks wacht en hij houdt zijn vinger op de trekker. Het hart klopt in de geblakerde vuurschaal. Daarboven hangt de drooglander zelf, een gestalte van wervelende as die de zeilen met windstoten vult.

'Ik ben een djinn,' zegt Smadhar al-Radmir. 'Jullie kennen ons in de Oudlanden, zo is het toch? Geesten die in flessen opgesloten zitten en wensen vervullen. Aladdin en de wonderlamp. Ik wed dat die mooie verhalen nog steeds op de dorpspleinen verteld worden.' Hij vouwt zijn armen over zijn borst en uit zijn schedel groeit een zwiepende paardenstaart. Nu weet Marek zeker dat het wezen zijn gedachten kan lezen. Hij ziet er precies uit als de djinn in de tekenfilm van Aladdin. 'Ja, ik ben net zo'n geest. Ik vervul wensen.'

'We vertellen in de Oudlanden inderdaad over djinns,' zegt Marek. Gelukkig had zijn tante Mirthe hem uit *Sprookjes van Duizend-en-een-nacht* voorgelezen toen hij bij haar logeerde. 'We weten nog steeds hoe stom het is om een djinn je wens te laten vervullen. Hij geeft er altijd een rottige draai aan.'

Tante Mirthe had hem over de arme lastdrager voorgelezen die een koperen kruik in het zand vond waaruit een stem klonk. Nadat hij de djinn bevrijd had, wenste de lastdrager een berg goudstukken nog hoger dan zijn tulband. De djinn liet de munten uit de hemel regenen tot die berg inderdaad ruim boven de smerige, door motten aangevreten tulband van de lastdrager stak.

Vervolgens vloog de djinn snel als de wind naar de sultan en zei: 'O heerser der gelovigen, weet dat slechts zeven mijl van uw paleis een straatarme lastdrager zijn goudstukken zit te tellen. Zo'n armoedzaaier komt daar vast niet eerlijk aan: ik vermoed dat ze uit uw schatkamer afkomstig zijn.' Wat inderdaad het geval was, want djinns moeten hun goud ook ergens vandaan halen.

'Waar?' brulde de sultan en hij trok zijn kromzwaard. 'Waar vind ik die schurftige hond?'

De djinn wees en de sultan sprong op zijn kameel en galoppeerde met driehonderd soldaten de woestijn in.

'De lastdrager die een berg goud wenste zo hoog als zijn tulband,' zegt Marek.

'Ach, dat rare verzinsel. Daar klopt nu werkelijk niets van.' De djinn krimpt tot hij gehurkt op het dek zit en onderdanig naar Marek kan opkijken.

'Rijkdom hoeft niet om domme goudstukken te gaan. Luxe is belangrijker. Zaken die geen ander sterfelijk mens bezit. De afgelopen nacht lag je in je zwiepende hangmat te woelen en als je drie uur sliep is het veel. Hoe zou je het vinden om comfortabel als een aartsengel te doezelen op een matras van eiderdons? Aan diamanten bokalen te nippen die met koele sorbets gevuld zijn, ja, geperst uit granaatappels en magische mango's?'

'Thuis hadden we matrassen van memory foam, van dat hightech spul waar magie niet aan kan tippen. Mijn matras tilde je op als een liefdevolle vrouwenhand. Ik betwijfel of eentje van eiderdons dat doet. Verder is cola goed genoeg voor mij.'

'Aha. Onthecht dus. Geen koopmanshanden die beginnen te jeuken zodra je de glans van zilver ziet, neh? Hoe denk je dan over vrouwen bevalliger dan gazel-

les, met amandelogen van glanzend git? Eh, tieten als Pamela Anderezoon?'

'Ik heb heus geen djinn nodig om een meisje te versieren.'

'Nee, dat is inderdaad zo. Je bent een mooie jongen en meer dan dat, je hebt je oeluk. Je krijgsvriendin. Je eigen Cirnja met de gouden huid en het zwierende haar. O, ze zou haar leven zonder aarzelen voor je geven. Je dwars door de kokende zwavelmeren van de Hel volgen. Alleen, zou het niet nog mooier zijn als ze op die speciale manier naar je keek? Uit haar ooghoeken en vol verlangen?'

Marek haalt de trekker over en de straal mist het hart op een halve centimeter. Een opspattende druppel raakt het juweel en de djinn kronkelt, sist van ontzetting.

'De volgende keer is het raak,' zegt Marek. 'Als je zo goed in mijn hoofd kunt kijken, zul je zien dat ik het meen. We hebben nog een reservehart en kunnen zo een nieuwe djinn maken. Een zonder slangentong.'

'Ik zwijg al. Geen woord komt er meer over mijn lippen.'

Het spatluik klapt open en de smid hijst zich het dek op.

'Ik neem de wacht van je over, vriend Marek. Mijn beurt.'

Marek reikt Herde het wapen aan.

'Prop klei in je oren. Hij heeft een slangentong en zal alles proberen om je een wens te laten doen.'

'Wees maar niet bang. Mijn oudtante zong de verhalen bij het haardvuur. De lastdrager die door zijn eigen berg goud verpletterd werd. De drie weesmeisjes en de echtgenoten die de djinn voor ze regelde.' Hij zet zijn handen in zijn zij en kijkt op naar de zwevende djinn. 'Probeer maar niks, vriend. We hebben je door.'

Als Marek zo stil mogelijk de cabine in stapt, ligt de rest nog op één oor. Alleen Senni zit rechtop in haar hangmat en tuurt gespannen in een scherf. Ze wenkt hem.

'Ik nam een stukje van de gebroken spiegel mee,' fluistert ze. 'Als ik lang genoeg in de scherf kijk, diep genoeg, kan ik mama zien slapen. Ze droomt over ons, want ze glimlacht.'

Marek ziet alleen het plafond in de scherf weerkaatsen.

'Zie je haar ook? Onze Esle.'

'Ja,' zegt Marek. 'Je hebt gelijk. Ze glimlacht.' Het is een kleine moeite om in Senni's fantasie mee te gaan.

'Ze vindt je vast aardig,' zegt Senni. 'Later, als we haar bevrijd hebben. Dat moet ook wel. Je bent immers Cirnja's oeluk, dat is zo goed als familie. Beter dan familie en bovendien…' Ze mompelt iets onverstaanbaars.

'Wat zei je?'

'Laat maar.' Waarom bloost Senni ineens? 'Het is niks.'

'Iets over Olga.'

'Doet er niet toe, Marek. Alleen dat de prinses haar jongste zus was.'

'O, dat wist ik niet.' Waar gáát dit over?

'Wist je trouwens hoe de emir van de djinns uit de cirkelgracht ontsnapte? Het was de patriarch van Huy Jorsaleem zelf en hij had een spiegel…'

Marek kreunt. 'Senni, alsjeblieft. Geen verhaal nu. Ik ben veel te moe.'

'Ja, je moet slapen. Straks beginnen de meeuwen te krijsen en komt er niks meer van.'

'Precies en probeer het zelf ook. Je hebt straks nog zo veel te doen. Je waakvissen voeren en zo.'

'Ja. Trusten, Marek.'

7

Marek is inderdaad hondsmoe, met suizende oren en brandende oogleden. De slaap rolt aan in een zwarte golf zodra hij zijn ogen sluit.

Marek droomt dat hij door zijn oude dorp rent. Daar is de C1000, de garage van Hubert, de brink met de verveloze harmoniekapel. Hij moet de boerderij terugvinden, de boerderij en Cirnja. Bij elke stap verschuiven de huizen en wordt de Hoofdstraat langer. Het stomme is dat de ochtendzon voortdurend recht in zijn gezicht kaatst. Ieder raam wordt een verblindende rechthoek.

Hij knippert tegen dat hoogst irritante licht, schermt zijn ogen af. Verdorie, daar is de garage weer. Onmogelijk, ik sprintte er net langs.

Marek blijft hijgend staan en kijkt om. Over het asfalt rukt de vloed op. Helder water waaronder hij de witte middenstreep nog kan zien schemeren. De weilanden verderop zijn al onder de golven verdwenen en zelfs de silo's steken er niet langer bovenuit.

Dit gaat helemaal verkeerd. De zee hoort hier niet te klotsen. Al dat water.

De zon schijnt opnieuw recht in zijn gezicht en in die schittering hoort hij stemmen. Het zonlicht draagt ze aan, begrijpt hij.

'Water in wijn?' zegt een stem als de wind in dorre bladeren, als het sissen van voortgeblazen zand. 'Al jullie water in wijn, vriend Herde?'

'Ja,' hoort Marek de smid zeggen. 'Onze wijn is al vier dagen op en wat begint een eerlijke zeebonk zonder drank? En dan heb ik het nog niet eens over Glenfiddich of robijnrode port.'

'Het zij zo, sterveling. Ik heb je wens vervuld.'

Het zonlicht drukt tegen Mareks oogleden en kleurt de hele wereld bloedrood. Hij schiet overeind.

Een zonnestraal valt door de patrijspoort op Senni's kussen en de spiegelscherf heeft het licht naar Mareks gezicht gekaatst.

'Geddit!' schreeuwt Marek. 'Ik droomde. De smid.'

Hanzeleden slapen licht, even alert als hazen en misschien ook met één oog open, want de zee is altijd verraderlijk, hongerig. Ze rollen hun hangmat uit en

zijn al klaarwakker voor hun voeten de vloer raken.

'Wat is er met de smid?' zegt Geddit.

'Ik droomde dat hij een wens deed.'

Geddit stelt geen domme vragen. Ze varen diep in de Gran Terre waar dromen zelden enkel dromen zijn en vaak heel wat betrouwbaarder dan de kranten in Mareks wereld.

'Wat wenste hij?'

'Water. Water in wijn.'

'Dat klinkt nog niet bijster gevaarlijk. Al heb ik liever geen schip vol stomdronken matrozen.' Hij rukt een ebbenhouten staf met een gebeeldhouwde kikker op de knop uit de muurklemmen.

'Ik heb Vidrals net,' zegt Cirnja. Het net van sterlicht en zeemist zweeft over haar schouder en kringelt door de cabine, ijl als rook.

Senni heeft een tuinschaar opgediept waarvan de scharen een halve meter lang zijn. Geel koper waartegen de magie van een djinn afketst.

Een team, denkt Marek, iedereen weet wat er van hem of haar verwacht wordt, en een fractie van zijn paniek verdwijnt. *Ze hebben de zaak onder controle.*

'Laten we dit even regelen,' zegt Geddit en hij smijt de deur open.

De smid is niet langer alleen. Zeker een dozijn uitgelaten matrozen drommen om de vuurkom. Yulduz, de kokkin, heeft de stop van een waterkruik getrokken en giet hun opgehouden kroezen vol.

'Wat moet dat?' brult Geddit. 'Galopperen er waterpaarden door jullie stupide knarren?'

Yulduz de kokkin heft haar kruik op.

'Kom op, kapitein. Drink een oorlam mee. Onze Herde deed net de mooiste wens die je kunt verzinnen. Water in wijn en onze tamme djinn gehoorzaamde hem.'

'Djinns zijn nooit tam, stelletje dwangse zeemossels!'

'Water in wijn, ja,' lacht de djinn. 'Al jullie water.'

'Mijn Supersoaker!' Senni rent naar de vuurkom en grist het wapen van het dek. Ze richt de loop omlaag en een bloedrode vloeistof spat tegen de planken. 'Port! Mijn Supersoaker zit vol wijn!'

'Waar wij djinns niet bijzonder allergisch voor zijn,' zegt Smadhar al-Radmir van de top van de hoogste mast. Marek kan zijn pulserende hart als een ster in de hemel zien hangen. 'Wijn geeft hoogstens vlekken op onze staatsiegewaden. Bovendien drinken we liever mensenbloed.'

'Te ver voor het net,' zegt Cirnja. 'Dit is irritant.'

'Echt kwalitatief uitermate teleurstellend,' knikt Senni.

'Smadhar al-Radmir is mijn naam,' bralt de djinn, 'en alle winden gehoorza-

men mij!' Hij heft zijn slierende as-armen en de hemel kleurt prompt inktzwart. Wolken zwiepen achter de horizon vandaan en trekken een kielzog van rommelende donder achter zich aan. Weerlicht flitst, elke bliksem dichterbij tot een muur van dodelijk elektrisch vuur het schip insluit.

Smadhar al-Radmir staat met gespreide benen in de oceaan en zijn kruin raakt de top van de wereld. Hij haalt zijn rechterarm naar achteren, de arm die een loeiende wervelwind geworden is, en zwiept zijn hand over het dek.

De masten knappen en tuimelen de hemel in als reusachtige vliegers. Marek ziet ze in de kolkende wolken verdwijnen.

'En nu jullie roer. Stuurloos in de storm. Klinkt dat niet romantisch?' De enorme vingers reiken wentelend omlaag. 'Echt het soort situatie waar oeluks zo vaak in terechtkomen.' De donder is zijn lach. 'Ja, ik ben heel benieuwd hoe jullie dat oplossen.'

'Eerst ik, Senni,' zegt Cirnja, 'en dan jij pas. Oké?'

'Ik ben niet stom, hoor.'

Een geklauwde wijsvinger veegt over het dek en Cirnja werpt haar net. De vinger knakt gierend om en kronkelt in het eindeloos ijle net van maanlicht en zeemist. Zelfs een magisch net kan een djinn niet veel langer dan een hartenklop vasthouden. Het is genoeg. Senni's tuinschaar klapt dicht en de vinger valt stuiptrekkend op het dek. Cirnja trekt haar net aan en los van de djinn neemt de wervelwind af tot een briesje vol dwarrelende as.

'Ayreh,' jammert de djinn en hij deinst achteruit terwijl hij zijn gewonde hand omklemt.

'Een net en een schaar,' zegt Cirnja. 'Soms gaat het ook prima zonder bloedzwaard en strijdbijl.'

'Het had zo'n mooi verhaal kunnen worden,' zegt de djinn. Zijn duim is opnieuw aangegroeid, hoewel hij beslist korter is dan eerst, en de klauw ontbreekt. 'Zo'n opwindende vertelling. Hoe de oeluks en prinses Zilverster de vizier van de djinns versloegen met hun valse schaar en hun geniepige net. Helaas lopen niet alle verhalen zo bevredigend af. Ik commandeer de winden nog steeds, de vloedgolven.' Hij knipt met zijn vingers en de wind zwelt aan tot een orkaan. 'Ik zal rustig op een wolk achteroverleunen en toekijken hoe jullie vergaan.'

De eerste omslaande golf beukt de romp en laat de Gouden Amarant overhellen. De tweede golf is minstens een meter hoger: het ijskoude water schuimt tot aan hun knieën over het dek.

'Olie!' beveelt Geddit. 'Giet olie op de golven!'

'Maar onze enige olie werd uit dromende olijven van het Westereiland geperst!' protesteert de laadmeester. 'Excelsior gaat voor een heel zilverstuk per vingerdopje!'

'Verdronken kooplieden maken helemaal geen winst meer. Doe het.'

'O emir,' roept de djinn, 'de roggen zullen in hun baarden nestelen! Boormossels Uw machtige naam in hun botten knagen! Zo wreek ik U, geliefde meester.'

De stoppers van de kruiken zijn met steenharde zegellak dichtgeplakt. Geddit sjort ze tot over de reling en de smid slaat de halzen met een slag van zijn mokerhamer af.

Een gouden vloeistof gutst omlaag, vol darrende glimmers en twinkelingen en een goddelijke geur vult Mareks neusgaten. Het is alle zomerdagen in één, lome hommels, het verre tinkelen van een koeienbel en de blonde haren van je geliefde kriebelend tegen je kin. Het is als de herinnering aan een dag die er misschien nooit geweest is maar toch door ieder mens herkend wordt.

Een zilverstuk per vingerhoedje is spotgoedkoop, gaat het door Marek heen en dan ziet hij de nieuwe golf aanrollen.

Dit is de laatste golf, begrijpt hij, de genadeslag. Twintig meter hoog, een gretige massa inktzwart water. Deze golf kan de Gouden Amarant doen omrollen en vermorzelen als de moker van de smid kan bij een vermolmde kokosnoot.

De golf stormt naar voren, opent zich als een hongerige muil. De magie van de olijfolie waaiert om het schip uit en de zee wordt spiegelglad in een steeds wijdere kring. Olie op de golven: Marek begrijpt nu dat het geen rare uitdrukking is maar de zuivere waarheid. Olie dempt alle golven, strijkt ze glad. Als de vloedgolf hen raakt, is hij niet hoger dan een meter of vijf en de Gouden Amarant wiebelt hoogstens een beetje.

Marek staart over de zee uit. Het is een wonderbaarlijk gezicht: hun schip drijft in een cirkel van rimpelloos water terwijl daarbuiten de golven opspatten en brullend botsen. Een groter contrast is amper denkbaar.

Die grens tussen wilde waterkolken en zo'n doodstille…

Grens.

'Geddit!' Marek gebaart naar de schuimende kring. 'Het is een vouw! Golven en stil water.'

'Maar alle vouwen gaan naar… Doet er niet toe.' Geddit draait zich naar zijn bemanning. 'Trek de vouw open. Gebruik al jullie talent, jullie laatste amulet.'

Hij heft zijn linkerhand en Marek ziet dat de anderen hetzelfde gebaar maken. Alle Stra Poulous kunnen de horizon openvouwen, al is het maar op een minuscule kier. Geen Hanzekapitein zou een matroos op zijn dek dulden die blind voor vouwen is.

Vurige mieren rennen over Mareks vingerkootjes en hij joelt van uitgelatenheid, van het pure plezier om je talent te mogen gebruiken en te doen waarvoor je geboren bent. Het is zo heerlijk eenvoudig om je duim in de vouw te haken, hem open te trekken.

De storm valt weg, de verscheurde wolken verdwijnen. De Gouden Amarant ligt tussen twee veel langere schepen ingeklemd: monsterschepen van een halve kilometer lang met een dozijn masten. Tussen de tuigage stralen sterren en het Masker staat recht boven hun hoofd.

8

'Veneto Secundo,' zegt Geddit. 'We hebben geluk dat we pal naar het westen doorvouwden: het is hier nog nacht.'

'Hoeveel tijd hebben we?' vraagt Cirnja.

'Tien minuten hoogstens. Voor iemand ons opmerkt en de Nocchio's van de doge over onze reling springen. We zijn de grootste concurrent van Veneto en zij kunnen niet vouwen: twee bijzonder goede redenen om ons te haten.' Hij kijkt om zich heen. 'Geen masten meer dus ze kunnen ons niet aan de vlinderzeilen herkennen.' Hij gebaart naar de smid. 'Herde, mik de drakenlantaarns in zee. Ieder Venetiaans kind zou ze als Hanze herkennen.' Hij strijkt over zijn kin. 'Maskers. Moshezijdank draagt iedereen hier een masker. De doge zelf zou niet van je kunnen eisen je masker af te zetten.'

'Niemand van ons spreekt Venetiaans,' zegt de laadmeester.

'Dat valt eenvoudig te regelen. Onderste la van de lessenaar, Cirnja. Genoeg oortjes voor iedereen. Marek?'

'Wat moet ik met mijn oude amulet doen?'

'Mik je oude oortje in zee. Als ze één woord Hanzn sprach horen, kunnen we het wel schudden. Dan helpt zelfs de beste vermomming niet meer.'

'Ik snap het.' Mareks vertaalamulet zeilt over de reling.

'Dan de gespen. Is ieders schoengesp goed opgeladen?'

Marek blikt omlaag naar zijn eigen schoenen, de matrozenmuilen die hij van Cirnja gekregen heeft. Er zit inderdaad een zilveren gesp op. 'Sorry, hoe werkt het met die gespen?'

'De Hanze heeft vluchthuizen en geheime handelsposten in elke stad. Zelfs in Veneto. De gesp geeft rukjes aan je voet, stuurt kriebels je tenen in als je de verkeerde kant uitloopt. Hij voert je zo regelrecht naar het dichtstbijzijnde vluchthuis.'

Een schorre kreet klinkt hoog uit de hemel en kaatst tussen de scheepswanden. Een drietal aalscholvers strijkt neer op de voorplecht. Hun koppen draaien en er is iets mis met die koppen. Te bol, denkt Marek. Bijna topzwaar, alsof ze meer hersens hebben dan normale vogels.

'Ik heb hier een kruisboog,' fluistert de smid.

'Nee,' zegt Geddit. 'Alle drie lukt je nooit. Misschien is dit een routine-inspectie en zijn ze nog niet werkelijk achterdochtig.'

De vogels zetten af en duiken het water in.

'Wel dus. Die tien minuten was duidelijk te optimistisch.' Geddit zucht. 'Dat waren getrainde speurvogels. De Nocchio's van de doge gebruiken ze om smokkelaars op te sporen.'

Cirnja trekt aan Mareks arm. 'Kom mee naar de hut. Het is te kort dag om echte maskers te naaien. Ik plak een illusievlies over je gezicht, akkoord? Dan ziet iedereen het masker dat ze verwachten.'

Het vlies is bijna onzichtbaar, dunner dan cellofaan en het zinkt meteen in Mareks huid weg. Als hij over zijn gezicht veegt, voelt hij tenminste niets meer.

'Hoe lang blijft dat werken?'

'Een dag als je geluk hebt,' zegt Cirnja, 'en niemand je al te aandachtig bekijkt. Anders hoogstens een uur of drie. Wacht, ik prop een paar reservevliezen in je achterzak.'

Geddit en Senni stappen achter hen de cabine uit. Geddits masker toont een ijzeren octopus met geklauwde tentakels. De randen zijn afgezet met haaientanden. Senni's masker oogt eindeloos veel ingewikkelder, een protserig geval met smaragden en parels en kleurige veertjes die bij elke draai van haar hoofd van tint veranderen.

'Ik ken de meeste verhalen,' betoogt Senni. 'Ik ken er wel tien keer zo veel als jij en ik kan het beste liegen. Bovendien, wat weet jij van Keltische prinsessen?'

'Wat denk jij ervan, Cirnja?' vraagt Geddit.

'Senni zou best de eigenaresse van het schip kunnen zijn. Een Keltische prinses en zo doen ze dat inderdaad in Tuatha de Brendaan. Alle handelsschepen zijn het eigendom van de Conan en op elke reis sturen ze een maagdelijke koningsdochter mee. De kapitein is voor hen niet meer dan een ingehuurde kracht. Geen familiehoofd zoals bij ons.'

'Het zou inderdaad kunnen werken. Zeker een kwart van hun handel is met Brendaan. Een prinses zullen ze met fluwelen handschoenen aanpakken. Vooral als ze een beetje stennis schopt.'

'Daar ben ik best wel goed in,' zegt Senni. 'Juf Annetje zei: als ik mijn klep hou dan lijkt de klas ineens zo stil als een kerk.' Ze kijkt op. 'Daar heb je ze al.'

Twintig meter boven hen rolt een touwladder uit langs de zwarte romp. Snel als boomratten roetsjen zes Nocchio's omlaag. Letterlijk als boomratten, want ze klimmen met hun hoofd naar beneden. Drie meter van het dek maken ze een salto en ze landen zo soepel op de planken dat Marek niet meer dan een gedempte roffel hoort.

'Moge de doge voor duizend jaar leven,' zegt de voorste, 'en dat er enkel goud glanst in de schatkisten van zijn onderdanen.'

'Eh, ja, van hetzelfde,' antwoordt Geddit die echt zijn best doet om er als een norse Kelt uit te zien. 'Kijk…'

'Het is gebruikelijk dat u met "Moge al uw dochters bevallig en uw zonen geslepen zijn!"' De hese fluisterstem van de Nocchio komt amper boven het geklots van het water tegen de romp uit. 'Wij hadden verwacht dat jullie je eerder gemeld hadden. Bij de hoge torens die de havens aan alle zijden bewaken. Bewaken ja, met gretige katapult en dorstig scheurhek.'

'Dat zit zo…'

'Het is ongebruikelijk dat schepen uit het niets opdoemen, zo diep in het havengebied.'

'Dat kan ik natuurlijk verklaren.'

'Vooral tussen de dodelijk streng bewaakte oorlogsschepen van de doge?'

Het is Marek onmogelijk uit te maken wie van de zes aan het woord is. Dat lispelende gefluister is zo goed als richtingloos en bovendien wisselen ze voortdurend van plaats, even nerveus als hermelijnen. De Nocchio's dragen maskers van wit ivoor, glad en zonder enige versiering. Dat en de grijze uniformen maakt ze zo griezelig uitwisselbaar. Het gaat zelfs nog verder realiseert Marek zich. Elke Nocchio lijkt exact even lang en hij heeft het onrustbarende vermoeden dat het tot op de centimeter geldt.

Ze zijn gemaakt, geen mensen. Misschien zit er niet eens vlees en bloed onder die uniformen?

'Hoe arriveerden jullie hier?' Marek weet nu zeker dat ze synchroon spreken en dat hun lippen niet bewegen. De stem klinkt van ergens halverwege hun borst. 'Waar zijn de masten, de zeilen, de lange, lange roeiriemen?'

Senni stapt langs Geddit. 'Het is onbetamelijk om tegen een ondergeschikte te spreken en de eigenaresse van het schip te negeren.'

De Nocchio's buigen, maar het blijft bij een beleefd hoofdknikje. 'Vergeef ons, edele vrouwe.'

'Masten mekkerden jullie? Wat moeten wij met masten? Een prinses van Brendaan heeft geen zeilen nodig. Wij vlogen hoog boven de zee, opgetild door tienduizend zwanen. Aan kabels van onbreekbaar spinrag. Ik heb alfenbloed in al mijn aderen, weet je. Mijn overgrootmoeder droeg de trotse naam Alsei-Marinda Cygnus, van de clan der weerzwanen. Ik neem aan dat jullie van haar gehoord hebben?'

'Uiteraard, vrouwe.' Alle Nocchio's draaien zich naar elkaar toe en gefluister zwelt aan als het gezoem van aasvliegen die van een kadaver opvliegen. 'Zulke magie zou inderdaad verklaren waarom niemand hen heeft zien aanzeilen. Dat alfenbloed: de koningen van Brendaan huwen bij voorkeur met vrouwen van het hoge volk.'

'Dat komt doordat wij zo veel mooier zijn dan mensenvrouwen,' verklaart Senni. 'Slimmer ook, trouwens.'

'Dat hebben wij inderdaad horen verluiden. U heeft er geen bezwaar tegen dat wij uw lading inspecteren, edele vrouwe?'

'Natuurlijk niet. Voor jullie mijn spullen kopen, moeten jullie ze toch eerst bekeken hebben?' Ze lacht. 'Zo veel weet zelfs een edelvrouwe van handel!'

Het waren er toch maar zes? Marek telt nu minstens een dozijn Nocchio's in de schaduwen tussen de reddingsboten en de stompen van de afgebroken masten. Honden hurken aan hun voeten, mager als hazewinden, en hun vacht is vaal als maanlicht.

Wat een zeldzaam lelijke mormels, denkt Marek. Moet je die opgezwollen neuzen zien.

Elk neusgat wordt omgeven door wriemelende tentakeltjes en uit hun voorhoofden ontspringen wuivende voelsprieten. De neusgaten zwellen en krimpen terwijl ze iedere geur opsnuiven en analyseren.

Dat soort gedrochten krijg je als je een speurhond duizenden jaren doorkweekt, denkt Marek. De ultieme rashonden met een neus zo gevoelig dat ze een gemorste druppel wijn drie wijken verder ruiken.

Een steelse beweging boven in zijn ooghoek en hij kijkt op. Touwladders en kabels rollen over de hele scheepswand uit en een compleet leger Nocchio's roetsjt omlaag. Het meest verontrustende is nog dat hij geen enkel wapen ziet, niet één zwaard, geen hellebaard of kruisboog. Wij zijn gevaarlijk genoeg van onszelf, lijken ze uit te stralen. Een zwarte panter hoeft ook geen vlindermes open te klappen om indruk te maken.

De hele scène wordt surrealistisch helder, gedetailleerder dan de mooiste game en Marek kan alleen maar machteloos toekijken: al zijn emoties zijn opgebruikt. En bovendien is hij incompetent, een Oudlander, een domme kleihapper: alleen de Hanzelieden kunnen zichzelf hieruit kletsen.

Een van de honden komt overeind en stoot een ratelende grom uit. Dankzij zijn nieuwe amulet pikt Marek de Italiaanse woorden in de grauw op. 'Dromende kaas. Zeventig wielen.'

Een tweede grom. 'Verborgen in het ruim achter watervaten vol wijn.'

'Ach, prinses,' mompelt een Nocchio. 'Wist u niet dat het importeren van drugs en drank uitsluitend aan handelaren van de dogefamilie is voorbehouden? Vooral van zulke dodelijk potente drugs uit de Oudlanden?'

'Zeventien gouddukaten per ons,' mompelt een ander.

'Dat is onzin!' roept Senni. 'Willen jullie beweren dat we Old Amsterdam...'

'Niemand sprak de naam van die speciale verfoeilijke drug uit.' Zijn linkerarm schiet naar voren en hij grijpt Senni's pols vast. 'Je handpalm, prinses.' Senni probeert zich los te rukken maar zijn greep is onwrikbaar. 'Toon me de kleur van je huid.'

'Laat me los! Laat me los, jij, jij laaggeboren búrger!'

Zelfs nu blijft Senni nog in haar rol, ziet Marek met een zekere bewondering. Alleen een prinses zou 'burger' als scheldwoord gebruiken.

'Blijf met je klamme klauwen van onze Senni af!' De smid graait naar zijn riem en klapt zijn kruisboog open. 'Jij…'

'Bemoei je niet met de zaken van de doge.' De Nocchio geeft een ruk aan Senni's arm en ze stommelt over het dek naar hem toe. 'Open die hand!'

Een venijnige tik klinkt over het dek en het hoofd van de Nocchio slaat naar achteren. Uit zijn oogkas steekt een koperen kruisboogpijl.

'Blijkbaar weten jullie bedroevend weinig over ons Nocchio's.' Hij grijpt zijn hoofd met beide handen vast en buigt het ratelend in zijn oude positie terug. Een achteloze ruk en de verbogen pijl klettert op het dek. 'Het is overbodig en verspillend te doden wat nooit geleefd heeft.'

De Nocchio wrikt Senni's vuist open en toont haar handpalm aan de anderen.

'Wat wij reeds vermoedden is nu evident. Dit meisje is geen Brendaanse en hoogstwaarschijnlijk ook geen prinses. Over haar huid ligt de goudglans van de Hanzelieden.' Hij draait zich naar de anderen. 'Arresteer al deze spionnen, deze dwaze smokkelaars.' Voor het eerst komt er iets van emotie in zijn stem. 'Ja, alle goudhuiden die onze winden stalen. Dansen en springen zullen ze in het haaienweb. Om onze heren en dames te vermaken.'

De Nocchio's stappen als één man naar voren, elke voetstap een synchrone bons. 'Bindt de goudhuiden,' rolt hun mompelkoor over het dek. 'Laat ze dansen in het haaienweb.'

Ze strekken hun armen uit en als zij hun handen openen, verlengen hun vingers zich tot klauwende spinnenpoten. Marek ziet stalen kabels glanzen, gewrichten van ijzerhouten scharnieren.

Nocchio's, denkt Marek, Pinocchio! Daar komt die naam vandaan. Het zijn levende marionetten. Natuurlijk deed de kruisboogpijl ze niets: hout kan niet bloeden.

De schepelingen deinzen terug tot de kring van honden en Nocchio's hen insluit en ze met de ruggen tegen elkaar staan.

'Verzet je niet,' waarschuwt Geddit. 'Een Nocchio kan een ijsbeer met één hand optillen en wurgen.'

'Dat is juist,' zoemen de stemmen. 'Of hem de kop van het spartelende lijf plukken, *vero*, als een kok de hoed van een champignon.'

Een Nocchio stapt zo rakelings langs Marek dat hun schouders elkaar schampen. Het wezen strekt een spinnenhand en grijpt Geddit bij de arm.

Een paar seconden later staat Marek alleen buiten de kring.

Ze negeren me. Ze zien me letterlijk niet omdat ik geen gouden huid heb. Omdat ik buiten hun opdracht val.

Ineens is hij terug, niet langer een toeschouwer, maar absoluut, ontegenzeggelijk hier. Zijn blik flitst over het dek. Van de romp van het linkeroorlogsschip bungelen nog steeds tientallen kabels en touwladders. Marek zet een stap achteruit, dan nog een. Als de Nocchio's hem blijven negeren, sprint hij weg en grijpt een touwladder vast. Omhoog. Weg van hier. Voor ze zich bedenken.

9

Twintig meter hoger hijst Marek zich buiten adem over de reling van het slagschip en kijkt naar de Gouden Amarant omlaag. De Nocchio's hebben de sloepen bij de voorplecht neergelaten en roeien hun gevangenen nu naar de kade. Tussen de twee oorlogsschepen zijn de massieve schuifdeuren van een loods zichtbaar, met daarachter een hoge wachttoren.

'Wat die jij hier?' Marek verstijft, deze Nocchio stond zo stil langs de reling dat hij straal over hem heen heeft gekeken. 'Geef een verklaring.'

'Ik ben de scheepsjongen. Het is… het is mijn taak het dek te zwabberen. Voor de matrozen en soldaten ontwaken. Ik mag ze niet voor de voeten lopen, begrijpt u?'

Gelogen als een ware oeluk. Björn Bloedzwaard zou het mij niet verbeteren.

'Dan is het goed. Iedere onderdaan heeft zijn taak.' De Nocchio steekt zijn gebalde vuist de lucht in. 'Moge de doge voor duizend jaar leven en er enkel goud glanzen in de schatkisten van zijn onderdanen.'

Hoe moest je volgens de eerste Nocchio ook al weer reageren? Aarzelen is fataal en zou hem meteen als vreemdeling ontmaskeren, iemand die absoluut niet thuishoort op een oorlogsschip van de doge. 'Moge al uw dochters prachtig mooi zijn en uw zonen sluw!'

Marek weet vrijwel zeker dat de tekst anders luidde. Blijkbaar is dit goed genoeg, want de Nocchio laat zich krakend en knersend op een houten kistje zakken. 'Ga je gang, knaap. Zwabber. Het is aangenaam anderen aan hun rechtmatige arbeid te zien.'

'Mijn eh, zwabber en emmer, signore. Ik ben nieuw hier.'

'Vooraan bij de derde mast. Stuurboord. Daar staan de schoonmaakspullen. Hoe zei je ook weer dat je naam was?'

Veneto is Italiaans. Marek graait wanhopig in zijn hoofd rond op zoek naar een naam. Het oortje heeft hem wel de Italiaanse taal, maar niet één naam geleerd. Hoe heette die irritante filmster uit de *Titanic* ook weer? Waar Rita zo dol op was? Het klonk in ieder geval Italiaans.

'Leonardo,' zegt hij, 'Leonardo DiCaprio.'

'Zo'n befaamde familie. Ik vraag me af wat je misdaan hebt om nu het dek te zwabberen.'

'Er was een meisje,' mompelt Marek. 'Van een nog befaamdere familie.'

De Nocchio lijkt tot een standbeeld te verstillen. Een half uur verstrijkt en Marek voelt de onmenselijke ogen in zijn nek branden.

Hij houdt me in de gaten. Hij vertrouwt me niet. Ellendig gedrocht, even geduldig en wrokkig als een vermolmde wilg.

Marek heeft geen schijn van kans van het schip weg te glippen en de handelspost te waarschuwen. Cirnja en Senni moeten intussen mijlen verder zijn, ergens in de doolhof van een stad waarvan hij niet meer dan een pakhuis en een wachttoren gezien heeft.

Matrozen klimmen geeuwend uit het ruim. Ze spuwen in de afwateringsgoten, schrapen scheermessen over hun stoppelige kaken. De Nocchio komt overeind met los zwaaiende armen en klikkende polsen, alsof een onzichtbare poppenspeler aan zijn touwtjes rukt, en marcheert naar de boeg.

Eindelijk. Marek smijt zijn zwabber op het dek, zet zijn emmer neer.

'Heho, waar gaat dat naartoe?' Een voorman met de vooruitgestoken onderkaak van een chronische ruziezoeker verspert hem de weg. 'Is dat dek blinkend schoon? Ik dacht het niet.'

'Sorry, meneer.'

De man kijkt hem niet-begrijpend aan.

'Scusi, signore.'

'Ik blijf je in de gaten houden. Jij gaat pas van boord als de dochters van de doge van de planken kunnen dineren.'

De matrozen takelen watervaten omlaag onder het galmen van operettesongs, verslepen hun plunjezakken. Marek hoort roeiriemen plonzen.

Iedereen gaat van boord en ik sta tot mijn enkels in het zeepsop. Als een of andere belachelijke Assepoester.

De opzichter vertrekt met de derde sloep en zodra zijn kop uit zicht verdwijnt, sluit Marek zich bij de wachtende rij aan.

'Bent u edele een admiraal of zo?' vraagt de achterste matroos. 'Ik zie anders nergens strepen en ik hoor ook geen medailles rinkelen.'

'Ik wil verdorie alleen van het schip af!' schreeuwt Marek getergd. Hij ziet nu pas dat al deze mannen wapens dragen, sabels, bandeliers met werpmessen en uniformen, ook al zijn die uniformen zo smerig dat ze geen herkenbare kleur meer hebben.

'Deze sloep is voor dapper krijgersvolk bedoeld, niet voor garnalen. En de volgende drie sloepen ook trouwens.' De soldaat barst in een balkende hoonlach uit die door de hele rij wordt overgenomen. Marek moet achteruit dansen om een gemene trap tegen zijn knieschijf te ontwijken.

Hij stampt ziedend terug naar zijn emmer waarbij intussen al een nieuwe bemoeial staat.

'Zou je niet eens nieuw water tappen? Zo maak je het dek hoogstens smeriger.'

'Ik ga al, signore,' zucht Marek.

De avond valt en de rijen voor het overzetten lijken nog steeds even lang. Marek durft niet langer op zijn horloge te kijken. Hij voelt zich half misselijk van ongerustheid en frustratie. Op deze manier komt hij nooit het schip af.

Een matroos spreekt hem aan.

'Zo ijverig nog aan het poetsen? Heb je de trompet van de voorman niet gehoord? De nachtploeg neemt het over.' Hij spreidt zijn armen. 'We zijn vrij, man! Twee hele weken voor ze de zeilen weer hijsen.'

'De sloepen leken me nog een beetje vol.'

'Wil je soms wachten tot de meisjes beurse lippen hebben en je vertellen dat ze moe gekust zijn? Kom op! Bij Marcantonio vloeit de amaretto uit de fonteinen en draaien de kwartels aan het spit. Laat Matteo je de weg wijzen.' Hij legt zijn hand op zijn borst. 'Matteo, dat ben ik.'

Marek laat zich gewillig meevoeren door zijn nieuwe vriend Matteo: hij kan zich geen betere dekmantel wensen dan een ratelende kletskous.

'Aan je masker zie ik dat je ook een Veroccio moet zijn,' zegt zijn nieuwe vriend als ze in de schommelende boot zitten. 'Net als ik. Is het niet prachtig als neven elkaar ontmoeten? Vooral als de nacht nog zo jong is dat hij niet eens begonnen is?' Hij kijkt Marek aandachtiger aan. 'Uit welke toren kom je? Ik meende dat ik al onze familieleden kende?'

Godzijdank heeft Marek in de *Lonely Planet-gids* uitgebreid over Veneto Secundo gelezen. 'De schaapherders van Noord-Calabria zijn een trots en zwijgzaam volk,' floept in zijn hoofd omhoog en hij kan de neuzelstem van de schrijver bijna horen. 'Als een herder zes woorden per dag spreekt, is het veel en drie daarvan zijn waarschijnlijk verwensingen.'

'Wij hoorden tot een verarmde tak van de familie.' Marek wappert naar waar hij vermoedt dat het noorden ligt. 'Diep in het noorden. Gras en schapen. Ik was twaalf voor ik mijn eerste zeil zag.'

'Vero, een herdersman! Geen wonder dat je geen boe of bah zei en het dek bleef schrobben. Te trots natuurlijk om een plaats op de sloep te vragen. Je voorvader, verbannen zeker?'

De eerste keer werkte het ook, denkt Marek. 'Er was een meisje en zij was van een nog befaamdere familie dan hij. Dan Romeo, zo heette mijn voorvader.'

'*Perfetto!* Een verhaal. Zij was natuurlijk beeldschoon? Sprong ze in wanhoop van haar toren af toen zij, eh?' Met beide handen geeft Matteo een hoogzwangere buik aan. 'En ze hem niet mocht huwen?'

'Nou, nee, dan had ik hier niet gezeten. Romeo's neef was getrouwd met een Brendaanse prinses, een alfling. Zij was van de clan van de weerzwanen. Zij leende hem haar karos die door honderd zwanen door de lucht werd getrokken.'

'Ah ah,' zegt Matteo. 'En zij stond hem op het balkon op te wachten en jullie Romeo nam haar in zijn armen en vloog met haar weg, ver van alle rare families en bloedvetes. Naar het hoge Noorden waar de mensen eerlijk en vrij zijn.'

'Nou, het liep wel even een beetje anders.' *Ik laat me verdorie mijn verhaal niet afpikken. Ook al heb ik geen flauw benul hoe het verder moet gaan. Nu begrijpt Marek ook waarom Senni zo graag verhalen vertelt. Het is heerlijk om wrede stiefvaders met een in hun broekspijp verborgen vossenstaart en onbetrouwbare peetmoeders te verzinnen. Om de ogen van je toehoorders te zien verwijden als je held in een kloof tuimelt, achtervolgd door een horde hongerige draken.*

Hij trekt zijn schouders naar achteren. 'Als je wilt, mag jij het verhaal wel afmaken?'

'Nee, nee!' roept Matteo. 'Vertel! Ik zal mijn grote kwaak verder houden.'

'Het balkon werkte helaas niet. Zodra hij haar kant op zwierde, wapperde ze met de zijden sjaal die hij haar gegeven had. "Kom niet dichterbij!" waarschuwde zijn geliefde.' Het was tijd dat ze ook een naam kreeg. '"Vader heeft bewakers op het dak gezet," zei de beeldschone (Waarom ook niet? Ik heb al een Romeo.) Julia. "Met geladen kruisbogen, om hun pijlen dwars door je hart te jagen en onze rozen met je bloed te besprenkelen."' Nou, dat klonk al aardig als een Björnen-Olgaverhaal. Op een beetje ouderwetse, plechtige manier vreselijke dingen zeggen.

'Vaders,' kreunt Matteo. 'Hij was natuurlijk haar echte vader niet, maar haar oom. Haar echte vader was…'

'Je begrijpt het helemaal. En achter de kantelen van het dak van de toren hurkten niet alleen bewakers, op hun schouders zaten getrainde adelaars. Ja, met snavels van geel koper en gif aan hun klauwen.'

'Ai…'

Als de boeg tegen de kade schuurt, merkt Marek dat het op de sloep doodstil geworden is. Alle andere matrozen luisteren naar hem, gretig als kinderen die voor een knappend haardvuur naar hun favoriete oom luisteren. Niemand maakt aanstalten om uit te stappen. Een kerel met één oor en drie getatoeëerde dolken op zijn wang pinkt zelfs een traan weg. 'Ze zouden die stiefvader aan de trekhonden moeten voeren,' gromt hij. 'En de heks, was dat ook familie van hem?'

'Natuurlijk. En geen Veroccibloed, absoluut niet. Het was zijn zus. Van de stiefvader dan. Haar ouders hadden haar als baby al in de beerput geprobeerd te verdrinken, maar ze kwam elke keer weer bovendrijven. Zelfs toen ze een molensteen aan haar enkels bonden.'

'Ze was een baby!' protesteert een soldaat die geen jaar ouder dan Marek zelf lijkt. 'Welke ontaarde moeder doet nu zoiets? Alle baby's zijn toch lief en onschuldig?'

'Nou, deze niet. Ze beet zo hard in de tepels van haar arme moeder dat ze vaker bloed dan melk dronk. Ze spuwde in het oog van de kat die zich op haar voeteneind genesteld had en zijn oog werd prompt blind. Blind en wit, ja, als het oog van een gekookte gluurvis.'

'Duivelsbloed dus. Ik snap het. Ik wed dat ze ook blauwe ogen had. Dat soort vrouwen valt niet te vertrouwen.' De man spreekt als uit treurige ervaring. 'Ga door.'

'"Ik zal je helpen je geliefde te bevrijden," zei de heks.

"Ik betaal je alles wat je wilt," bezwoer Romeo. "De schoenen aan mijn voeten, mijn linkerpink."

"Zo ver wil ik niet gaan," zei de heks Befana. "Het enige dat ik wens is een lok van je eerstgeboren dochter."'

'Dat moet hij nooit doen!' roept de soldaat. 'Weet hij niet wat een heks al met een enkel neushaartje kan uithalen?'

'O, natuurlijk snapte Romeo dat. Alleen…'

In de herberg van Marcantonio stroomt inderdaad zoete amaretto uit de stenen mond van een fonteinnimf en de matrozen kussen haar maar wat graag op de lippen. Elke keer dat Marek bij het vertellen naar adem hapt, vindt hij een nieuw glas port in zijn hand, die hij dus maar gauw leegdrinkt want hij heeft allebei zijn handen nodig om te gebaren.

Romeo en zijn geliefde Julia trekken intussen een ingesneeuwde pas over, achtervolgd door wintertrollen met kromme ijspegels als slagtanden. Bij het feest van de dankbare dorpelingen daarna heft Matteo zijn hand op: 'Wacht! Bij elke held en heldin hoort een lied. Iets dat de dorpelingen kunnen zingen die in een kring om de verteller staan terwijl hij op zijn tapijt neerhurkt en een slok wijn neemt om zijn keel te smeren.' Hij pakt zijn fluit en blaast een riedeltje dat zich meteen in Mareks hoofd lijkt vast te klauwen. Matteo spreidt zijn armen en zingt: 'Ciao, bella, ciao!'

'Hallo, mooie meid, hallo,' vertaalt Mareks oortje de zin automatisch.

'En hoe verder?' vraagt Matteo.

'Iets van: Schone Julia met de zilveren kammen in je haar? Ja, Julia met de bloedkoralen maskers, kijk naar mij?'

'Perfetto!'

Zes, zeven minuten later zingt de hele herberg onder Matteo's snerpende gefluit de herkenningstune. Het is een van die liedjes die al vanaf de eerste noot prachtig loopt. Alsof het liedje er altijd al was en enkel op een mensenmond heeft zitten wachten om het te zingen.

Het is laat, verdraaid laat, en intussen hoort Marek Julia's lied zelfs al over de straat schallen. Elke beschonken zeeman neemt het lied bij zijn vertrek mee naar buiten en het moet intussen door de hele wijk klinken.

'Het huis stond op de hoogste rotspiek en op de schoorsteen nestelden witte condors,' vertelt Marek. Hij kijkt op, reikt automatisch naar een nieuw glas. De plafondbalken van de herberg tollen als molenwieken en op iedere schouder lijken twee luisterende hoofden te staan.

'Leo… nardo,' mompelt Matteo. 'Je gezicht. Het is bloot. Nakend.' Zijn stem krijgt een hysterische ondertoon. 'Geen masker!'

Shit! Mijn vlies is uitgewerkt, opgebrand onder al die aandachtige blikken. Iedereen kan mijn ware gezicht zien.

'Het is de wijn,' zegt Marek terwijl hij naar zijn achterzak graait. 'Knijp je ogen stijf dicht en tel tot zeven. Oude herderstruc. Je zult zien dat alles dan weer normaal is.'

Matteo gehoorzaamt en Marek wrijft het nieuwe vlies over zijn gezicht uit, voelt hoe het tintelend in zijn huid wegzakt.

'Kijk maar.'

'Je bent mijn vriend weer.' Matteo slaakt een zucht van verlichting. 'Mijn bloedeigen neef.'

De jeuk onder Mareks voeten die hij al een half uur voelt, gaat ineens over in een reeks urgente steken, alsof er naalden in zijn vel worden gedreven. Hij kijkt omlaag naar zijn matrozenmuilen en de gespen glitteren verwijtend in het kaarslicht. Een nieuwe pijnscheut door zijn wreef volgt en Marek hapt sissend naar adem. *Ik ben ze straal vergeten. Al mijn vrienden. Ik had de handelspost moeten waarschuwen.*

Marek drukt zich op en het is alsof zijn hoofd los op zijn schouders wiebelt of hoogstens op een iel knaknekje.

'Matteo, ik moet weg. Ik herinner me opeens…' Hij hoeft zijn zin niet af te maken.

'Een meisje uit een nog befaamdere familie, eh?' Matteo knijpt hem in de schouder. 'Jammer. Portia daar, dat dienstertje met de krullen, ze vroeg me net hoe mijn knappe neef heette.'

'Knappe neef?'

'Jij. Al denk ik dat je verhalen nog meer indruk maken. Een begaafde verteller is in elk vrouwenbed welkom. Zelfs als hij tachtig is en hij hem zelden meer omhoog krijgt.'

De avondwind strijkt over Mareks gezicht en draagt een duizendtal uitheemse geuren aan, gistende rozenblaadjes, gemalen alruin uit het verre Brendaan, geperde stokvis wellend in drakentranen.

'Ik weet dat je geen Veroccio bent,' zegt Matteo in de deuropening. 'Ondanks het familiewapen op je masker.'

Marek verstijft.

'Och, iemand die zulke mooie verhalen vertelt, kan eenvoudig niet slecht zijn. Waarom zou ik de Nocchio's waarschuwen? Ze zouden je tenen vastspijkeren en duizendpoten in je neusgaten duwen. Pure verspilling. Bovendien is het een hele eer dat je een Veroccio als held koos.' Hij steekt zijn hand op, mompelt *'Arrivederci, mi amico,* en spioneer ze.' Dan valt hij, plechtstatig als een gevelde woudreus, voorover in de drinktrog van de ezels.

10

Een kriebel links, twintig stappen verder een ruk naar rechts. Marek snelt door nauwe steegjes, onder fakkels die in de oogkassen van gietijzeren schedels geschroefd zijn. Hij steekt een dozijn glazen bruggen over waar goudvissen door de leuningen zwemmen, beent over een plein vol hossende mensen. De feestvierders dragen vogelmaskers met kromme ibissnavels. Een drietal jodelende vrouwen hebben slangen om hun nek gedrapeerd en laten hun pythons hoog opgeworpen ratten uit de lucht happen. De jongste vrouw slaat haar armen om Mareks nek. 'Dans met mij en mijn slang!' ademt ze in zijn oor. 'Herpia Serpens zal je belonen!'

'Het spijt me. Er wacht al iemand op me.'

'Oy, ga dan maar snel. Want er is geen giftiger adder dan een vrouw die je een blauwtje laat lopen.' Ze geeft hem een pets op zijn billen. 'En vertel haar dat ze boft met een vent die zo trouw is dat hij de kus van een slangenpriesteres weigerde.'

De andere vrouwen lachen, een vreemde, hinnikende sis die hem de rillingen over zijn rug doet lopen.

Ondanks al die wijn wordt zijn hoofd snel helder: de paniek brandt alle alcohol weg.

Al die verknoeide uren. Misschien dansen ze al in de haaienvijver en het is mijn schuld.

In de schaduw van een portiek staat een bewegingloze Nocchio. Even hoopt Marek dat het niet meer dan een beeld is, maar de kop draait in zijn richting. Houten oogleden schuiven open. Marek dwingt zich in het hetzelfde tempo door te lopen en het wezen te negeren.

Ik ben Leonardo de scheepsjongen, op weg naar het buurmeisje dat bezworen heeft op de terugkeer van mijn schip te zullen wachten. Maak dat buurmeisje scherper: een rol moet je met overgave spelen. Nee wacht, ik gebruik Julia.

Onder het vertellen is Romeo's geliefde kristalhelder geworden, bijna even

echt als Rita of Cirnja. Julia Veroccio, die zo betoverend mooi is dat een man zelfs een kus van een slangenpriesteres durft te weigeren. Iets waarvan Marek nu vermoedt dat het krankzinnig riskant was, net zoiets als op de drakenleren laarspunten van een Dark Lord spuwen. Julia dus, met golvend zwart haar tot op haar billen. Fonkelende ogen. Een beetje een feeks soms maar dat is wel nodig voor zo'n wilde vlucht naar het noorden. Geen flauwvallend porseleinen poppetje. Houd haar beeld vast. De zilveren kammen in Julia's haar. Het snoer met bloedkoralen maskertjes om haar nek. Nog drie stappen, nog twee stappen, en ik ben voorbij de Nocchio. Nog een.

'Jongen.' Naast de Nocchio is een tweede marionet opgedoken. 'Ik hoor je hart bonzen. Zij rammelt aan je ribben als een angstig aapje aan de spijlen van zijn kooi.'

'Vrees je ons, jongen?' vraagt de ander belangstellend. 'Je kijkt zo fanatiek langs ons heen?'

Vluchten heeft geen zin. Ze zijn veel sneller dan een mens. Bluf je eruit: mijn vlies is nog vers en ik weet dat het ook op Nocchio's werkt. Ze zullen elk masker zien dat zij verwachten. Als ik dat een beetje kan sturen...

Marek heft zijn hoofd op en kijkt de Nocchio recht aan. Van zo dichtbij lijken de ogen gekraste knikkers, met een zwarte ster als pupil.

'Jullie vergissen je,' en wonder boven wonder trilt zijn stem niet eens. Het is alsof iemand de juiste woorden in zijn oor fluistert en hij ze enkel hoeft te herhalen. 'Trek de lijnen van mijn masker na,' zegt Marek. 'De diepe lijnen, de verborgen lijnen. Ja, lees de geheime decoraties. Bedenk hoe onverstandig het is een boodschapper van de doge op te houden met loos geklets.'

'Zijn masker is onleesbaar,' zegt de ander. 'Geen seconde hetzelfde. Hij moet een van de Negen zijn!'

Ze stappen haastig terug in de schaduwen en Marek loopt door. Hij kijkt niet om. Een boodschapper van de doge is daar vast te arrogant voor.

Een ruk aan zijn gespen die Marek bijna omsmijt en tegen de muur laat vallen.

'Deze deur is het?' vraagt Marek aan zijn matrozenmuilen. 'De geheime handelspost?'

Een zachter rukje en als hij terugstapt, volgt een bevestigende steek.

'Hier dus.'

Hij reikt naar de koperen klopper en de deur zwaait zo abrupt open dat hij naar voren tuimelt en op de ruige deurmat belandt. De deur smakt achter hem dicht.

'*Centrai itta hunde, Ungar!*'

Hanzn sprach en hij heeft zijn amulet op Geddits aanraden over de reling gemikt. Zonder oortje is Hanzn sprach even onverstaanbaar als Chinees. Hoewel

een geladen kruisboog die op je hart gericht is, weinig te raden over laat. En 'Centrai itta hunde, Ungar' betekent vast iets als: 'Hou die hond onder schot, Ungar.'

'*Adra!*' zegt de man met de kruisboog en hij geeft een ruk omhoog met zijn duim. Adra: overeind?

Voor de zekerheid steekt Marek zijn handen ook in de lucht als hij opkrabbelt.

'Ik hoor bij jullie,' zegt Marek in het Italiaans. 'Vero! Echt waar. Ik ben van de Hanze.'

'Gettai Veneto sprach,' zegt de ander. Ungar knikt en vist een blauw ooramulet uit zijn broekzak.

'Ik ben van de Hanze,' herhaalt Marek.

'Curieus dat je de handelstaal dan niet spreekt,' zegt Ungar. Hij moet op Italiaans over zijn gegaan want nu kan Marek hem moeiteloos verstaan.

'Ik kom uit de Oudlanden. Ik voer op Geddits schip mee. Met zijn dochters. Geddit stra Poulou. Je moet hem kennen! Hij is grootkapitein.'

Ungar snuift. 'De enige Geddit stra Poulou die ik ken, is een kleuter. Hij reed vorig jaar nog paardje op mijn knie en het zou me verbazen als hij dochters heeft.'

'Wat is de naam van het schip?' vraagt de ander die nu ook een oortje omgehangen heeft.

'De Gouden Amarant.'

'Jammer, jongen. Je weet aardig wat over ons maar dat is verkeerd gegokt. De Stra Poulous gebruiken een vast systeem voor hun scheepsnamen. Steeds kostbaarder metalen. Hun meest recente schip zou de Zilveren Amarant gaan heten. Het lag nog in het dok toen ik uit Huy Jorsaleem wegzeilde, niet meer dan een cederhouten kiel.' Hij steekt zijn hand op en een vleermuis strijkt neer op zijn knokkels. 'Twee Nocchio's bespioneren ons al maanden. Reden om ze op onze beurt te bespioneren. Onze vleermuis hoorde je met hen praten en gaf elk woord door. Je beweerde dat je een boodschapper van de doge was.'

'Dat was een leugen!'

'Ze lieten je gaan. Een zei zelfs dat je een van de Negen was. Van de Geheime Raad.'

'Dat kwam door mijn illusievlies, stelletje idioten! Ze zagen precies het masker wat ze verwachtten.' Marek wrijft over zijn gezicht, pelt het vlies los.

'Dat bewijst het,' zegt Ungar. 'Hij is zo bleek als een vuursteen. Geen gouden glans en zijn ogen zijn trouwens barbaars rond.'

'Ik vertelde toch al dat ik niet van jullie volk ben!'

'We sturen een fles naar de ambassade of Brendaan,' besluit Ungar. 'We kunnen de Mercant om instructies vragen.'

'Een fles? Hoe lang duurt dat?'

'Een week hoogstens. Een week heen en dan een week terug.'

'Dat is veel te laat. De Nocchio's hadden het over dansen op het haaienweb.'

En dan maakt Marek een gedachtesprong: de beide Hanzeleden zijn vet, uitgezakt en die blik in hun ogen, zo ongeïnteresseerd als een herkauwende os. *Ze snappen domweg niet wat er hier aan de hand is. Het gaat hun pet te boven.*

Wat voor lui zet je trouwens op een plaats waar misschien eens in de tien jaar een koopman langskomt? Op een eiland waar de Hanze niet eens handel mee drijft?

Dit moeten de neven zijn die nergens voor deugden. De figuren met hersens als een klomp zwetende kaas en twee linkerhanden. De familie moest ze ergens dumpen en hier kunnen ze de minste schade aanrichten. Zelfs als de doge ze arresteert en de duimschroeven aanzet, zal hij niets nuttigs van hen opsteken. Omdat ze niets weten, de eenvoudigste zaken niet begrijpen.

Marek doet een laatste poging.

'Wacht! Ik kan uitleggen waarom jullie nog nooit van de Gouden Amarant gehoord hebben. Waarom jullie dachten dat Geddit een kleuter is. Veneto ligt vlak bij de evenaar, in het noorden gaat de tijd…'

Hij stopt. Ungar en de ander kijken hem wezenloos aan. Ze hebben hun amuletten afgelegd en al Mareks woorden zijn niet meer dan het gekwetter van een orgelaapje.

'*Sperai sem,*' zegt Ulgar ferm en ze grijpen hem bij de polsen en sleuren hem een lange gang door. Als de celdeur dichtvalt en de sleutel wordt omgedraaid, is Marek weer een paar woorden Hanzn sprach wijzer. 'Sperai sem' betekent: 'Sluit hem op'.

Het enige raampje van Mareks cel kijkt uit op een blinde muur en de handelspost is doodstil. Nergens voetstappen, verschuivende stoelpoten. Het licht van een straatfakkel tekent een zwiepende rechthoek op de vloer. Marek houdt zijn horloge in het spaarzame licht en constateert dat alle tech nu definitief verdampt is. De secondewijzer beweegt niet langer en het plastic van de horlogekast is tot gelakt hardhout gemuteerd. Als hij zijn horloge dicht bij zijn oog brengt, ziet hij dat de wijzers niet langer uitsteken: ze zijn op de wijzerplaat geschilderd en uit de kast steekt een knopje dat er eerder beslist nog niet was.

Hij drukt en de horlogekast springt open. Geen radertjes, geen spoor van binnenwerk meer. In het horloge ligt een ovaal portretje. Een minuscuul en perfect olieverfschilderijtje dat aanzienlijk kleuriger is dan je in dit grauwe licht zou verwachten. Net als een beeldschermpje lijkt het zelf licht uit te stralen.

Twee, drie seconden zegt het portret hem niets. Het is Cirnja niet, Rita niet en geen van zijn vroegere vriendinnen. Toch komt het hem ongelooflijk bekend voor.

Die felle, gepassioneerde ogen, zo veel plezier en levenslust. Een hanger met drie bloedrode maskertjes om haar nek. Het eerste maskertje staat voor de liefde en vriendschap, weet Marek ineens, want hij heeft daar niet eerder bij stilgestaan. Het tweede voor onschuldige bloeddorst en gruwelijke wraak op ieder die je geliefden durft te bedreigen, het derde masker voor het zinken van de zon boven oeroude ruïnes en de melodie van een eenzame herdersfluit.

Julia. Het is Julia Veroccio's portret.

Die nacht droomt Marek over haar. Niet zoals een man over een mooie vrouw of minnares droomt. Marek is in deze droom een verteller en hij heeft zijn kleed op het stoffige dorpsplein uitgerold. De dorpelingen omringen hem: oude mannen met kleurige wollen draden in hun grijze baarden, moeders met aandachtige kleuters op hun schoot, giechelmeisjes van elf en hun broers die even nors als de vaders proberen te kijken. Iedereen luistert.

'"En na deze pas zal er wel weer een pas komen, Romeo," zei Julia,' vertelt Marek. '"Een pas waar de sneeuw niet tot onze enkels komt maar tot ons middel. En wat wacht ons daar deze keer? IJsdraken met vlammen zo koud dat het bloed in je aderen bevriest en je hart als een bevroren appel tussen je ribben hangt?"'

'Ay,' mompelen de oude mannen. 'Ay, vrouwen. Altijd mopperen en klagen.'

'"Ik kan je niks beloven, mijn allerliefste liefje, cara mia," zei Romeo hulpeloos. "Dit is een onbekend land, een zonder kaarten."

Julia viel hem echter giechelend om de hals en bedekte zijn mond met hete kussen. "Ik zat je alleen maar wat te stangen." Ze wreef in haar handen. "Kom maar op met je ijsdraken! Ik lust ze rauw."'

De dorpelingen grinniken. 'Vero, wat een vrouw! Een uit duizenden!'

Heel de nacht hurkt Marek op het dorpsplein en met elk woord worden Romeo en Julia scherper, de beelden van hun tocht kleuriger. Marek kan de sneeuwvlokken op zijn tong voelen smelten, proeft de hete mierikswijn die de kluizenaar schonk.

Als Marek ontwaakt, staat er een kruik wijn naast zijn matras, een plank met drie plakken kruidkoek.

Wijn in plaats van water, denkt hij. Geen broodkorst maar cake. Ze hebben dus blijkbaar toch hun twijfels. Als ze nu verdorie maar met me wilden praten.

Hij loopt naar de deur, schopt tegen het hout. Wat is 'luister naar me' in Hanzn sprach? Ik heb het wekenlang vloeiend gesproken. Er is toch wel iets blijven hangen? Hanzn sprach is een mengeling van een half dozijn talen en alle werkwoorden eindigen op 'ai'.

'Audai con mi,' dat riep Senni altijd als ze dwars door een grotemensengesprek dramde. 'Luister naar me.'

Hij trapt opnieuw tegen de deur.

'Audai con mi! Nocchiochio habai Hanzemenscher!' Niemand reageert.

Marek eet de kruidkoek tot de laatste korrel op, drinkt de wijn. Later op de dag plast hij in de houten emmer.

Hij hoort karren langs ratelen, het gekraai van een dozijn hanen. Dat is alles.

Die nacht hurkt Marek weer op het dorpsplein. De vrouwen hebben hun mooiste jurken aangetrokken, de mannen hebben hun baarden gevlochten. Een meisje brengt hem een blauwe gentiaan: 'Voor Julia,' fluistert ze en dan duikt ze weg achter de veilige rug van haar vader.

Julia raakt Romeo kwijt in een sneeuwstorm en in de ochtend vindt ze alleen zijn dolk terug. Aan het lemmet zit bloed dat tot ijsbloemen gestold is. Is het Romeo's eigen bloed? Dat van het monster waarvan ze de voetsporen zagen? De pootafdrukken die elk zo breed als een wagenwiel waren?

De dorpelingen mompelen ontzet. Grootmoeders kruisen hun vingers om het boze lot af te weren. Julia volgt een spoor van bevroren bloeddruppels die als rode parels in de sneeuw liggen.

Een haan kraait, dan nog drie hanen meer die door zo'n akelige kefhond bijgevallen worden.

Marek opent zijn ogen. Naast zijn matras staan de waterkruik, de plank met verse kruidkoek.

In de hoek van de kamer vindt hij een verdroogde bloem. Of het een gentiaan is kan hij niet meer zien: de bloem zit onder het stof en heeft zijn kleur verloren.

Deze nacht is de menigte groter dan ooit. Niet langer tientallen, maar honderden, duizenden dorpelingen. Het plein is uitgedijd tot een voetbalveld en zijn dat nog meer toehoorders, daar op de heuvels voorbij het dorp?

Marek pakt het verhaal op.

'"Onze dochter bracht me naar je," zei Julia. "Onze ongeboren dochter. Ze schopte net zo lang in mijn zij tot ik het eindelijk begreep en rechts afsloeg. Later waarschuwde ze me voor de valkuil van de menseneters."

Romeo omhelsde haar en wreef toen liefdevol over haar buik.

"Hoi, kleintje," fluisterde hij. "Dat gaat nog wat worden met jou."'

De heuvels hebben zich rondom Marek omhooggebogen tot een reusachtig stadion. Hoeveel mensen luisteren nu naar zijn verhaal? Tienduizend? Hij voelt een steek van pure paniek, van plankenvrees en de volgende zin komt er stotterend uit.

Razendsnel corrigeerde hij zich met: 'De kobold was zo opgewonden dat hij stotterde. "Jaja, da-daar-a-achter, edele heer. Daar heeft de vuurvogel ha-haar eieren verstopt. In een nest van puh-pegels."'

Het knarsen van het slot moet hem gewekt hebben, want Ungar staat met zijn kruisboog naast zijn matras.

'Je bent wakker. Goed. We hebben een uur geleden de fles in zee geworpen. Het koste enige tijd om een geladen berichtenfles te vinden. De meeste waren over datum.'

'Nu pas?' zegt Marek ongelovig. 'Jullie hebben hem nu pas verzonden? Ik zei…'

De deur valt achter Ungars rug in het slot.

Marek timmert met zijn schoenen op de deur. 'Audai con mi! Idioten! Audai con mi!'

'Hij is absoluut niet van plan naar je te luisteren.' Een vrouw stapt uit de muur en slaat het stof van haar zijden mouwen. 'Ungar is intussen trouwens al buiten gehoorsbereik.'

Natuurlijk herkent Marek haar meteen. Julia's gezicht is hem intussen vertrouwder dan zijn eigen.

'Je bestaat helemaal niet!' Hij flapt het eruit voor hij er erg in heeft. 'Ik heb je verzonnen.'

Ze lacht. 'Hoe kan ik niet bestaan? Zeelieden zingen over mij in meer kroegen dan een rekenmeester kan tellen. Zelfs gerenommeerde vertellers verzinnen koortsachtig nieuwe Julia-en-Romeoverhalen en laten hun eigen helden links liggen. Hun toehoorders willen sinds kort naar niets anders luisteren en bij elk woord wordt mijn schaduw dieper en echoot mijn voetstap verder door.' Ze schudt haar hoofd. 'Welke lieden dacht je dat er elke nacht naar je luisterden? Wist je niet dat vertellers hun mooiste verhalen in dromen vinden? En het meisje dat mij een gentiaan gaf: ze heeft acht broertjes en zusjes en ze luisteren elke ochtend naar haar dromen. En vertellen die door.'

Marek kan haar parfum nu ruiken, of misschien is het gewoon haar natuurlijke geur: de tintelend zuivere wind die van een gletsjer waait, alpenbloemen en zonlicht. 'Hoe kan ik verzonnen zijn als de Veroccio's gisteren onze namen officieel in hun familieboek bijgeschreven hebben? Romeo en Julia Veroccio? De beroemdste tak intussen van de hele familie?' Ze legt haar hand op zijn schouder en de druk van haar vingers heeft niets spookachtigs, niets verzonnens. 'Dit is het lied dat de matrozen zingen.'

Haar stem vult zijn cel, maakt een perfecte klankkast van de grauwe muren. Mareks amulet vertaalt haar woorden moeiteloos en het komt hem even natuurlijk voor als de ondertiteling op een scherm.

'Ciao, bella, ciao!
Hallo, mooie meid, hallo!
Schone Julia
met de zilveren kammen in je haar.
Julia met de bloedkoralen maskers
Kijk mijn kant uit,
geef me je glimlach,
maar helaas,
jij hebt alleen maar oog
voor je knappe Romeo.'

'Jij verzon mij,' zegt Julia, 'en nu ben ik de wereld ingestapt. Even levend als Olga en Björn, als prinses Zilverster. Als Cirnja en jij, als Senni. Vertelde geen enkele wijze grootmoeder je hoe goden en godinnen geboren worden? Een mens hoeft enkel in ons te geloven en we bestaan. En weet je? Wij bewaren altijd een warm plekje in ons hart voor onze scheppers.' Ze pakt zijn hand. 'Kom, open je deur. Je

hebt nog meer te doen vandaag. De Nocchio's hebben de webben al gespannen. Het zeewater loopt gorgelend de arena in. De haaien cirkelen in hun vijvers, rusteloos en uitgehongerd.'

'De celdeur,' zegt Marek hulpeloos. 'Jij bent magisch en kunt dwars door een stenen muur stappen. Zulke dingen leren we bij ons niet op school.'

'Zo'n probleem is dat niet. Voor jou is die deur drievoudig vergrendeld en van solide ijzerhout. Alleen, ík hoef niet in die deur te geloven en jij bent bij mij.'

De deur wordt doorzichtig, verdwijnt.

'Snel! Het is vrij inspannend om niet in iets te geloven dat er zo overduidelijk wél is.'

Marek verwacht ieder moment met zijn neus tegen een onzichtbare balk te knallen, maar hij stapt veilig de drempel over en dan sprinten ze door de gang. Hij kan haar voetstappen vlak achter zich horen. Hoewel, is dat wel zo? Verbeeldt hij het zich niet?

De voetstappen worden muizengetrippel, stoppen.

Geloof in haar, geloof in Julia.

Haar naaldhakken klikken weer op de stenen.

Dat zijn vast de gevoerde laarzen niet die ze droeg toen ze door de ingesneeuwde pas trokken, gaat het door hem heen, en het klikken wordt een gebons.

'Van de buitendeur moet je de grendels zelf openschuiven,' zegt Julia. 'Mijn ongeloof is wel een beetje op. Ik zou het overigens op prijs stellen als je aan wat eleganter schoeisel dacht.'

'Scusi, Julia.'

De grendels glijden soepel terug en de deur zwaait open.

De straat achter het vluchthuis is gevuld met heet zonlicht, de hemel een strook van het diepste, heerlijkste blauw tussen de overhangende daken.

'Julia?' zegt hij en hij draait zich om. De deuropening is leeg. Natuurlijk is hij leeg.

'Bedankt,' zegt hij. 'Bedankt, Julia Veroccio.'

Hij hurkt en tikt zijn gespen aan. Magie is geloof, begrijpt hij van Julia. Geloof en wilskracht. Hopelijk kan hij de gespen zo herprogrammeren.

'Breng me naar Geddit en de anderen!' beveelt hij. 'Naar de Stra Poulous, de échte Hanzelieden. Niet de prutsers die me opsloten.'

Vier stappen verder voelt hij het eerste rukje al en slaat hij naar een steile, stenen trap af.

Vanachter een tuinmuur klinken de tonen van een luit.

'Ciao, bella, ciao,' raspt een rauwe mannenstem, of nee, geen mannenstem want hij slaat over in een benauwde piep. Veertien jaar hoogstens. En omdat Marek net in het gezelschap van een godin heeft verkeerd, kan hij de hunkering ho-

ren, de melancholieke herinnering aan de enige ware liefde die de jongen eergisteren door zijn vingers heeft laten glippen. De beelden glippen ongevraagd zijn geest binnen: de Julia van de jongen is de mooie Irina van twee huizen verder, Irina met de drie dansende vlechten die met Aurelio naar het oogstfeest ging toen hij niet kwam opdagen. Hij weet heel zeker dat zij hem nooit zal vergeven, omdat vrouwen laveloos onder een plataan liggen niet als geldig excuus beschouwen voor een gemist afspraakje.

'Schone Julia,' zingt de jongen hees, 'met de zilveren kammen in je haar.'

Marek voelt Julia's aanwezigheid aanzwellen tot ze schouder aan schouder lopen.

'Kijk, zo eenvoudig werkt het nu,' zegt Julia. 'Een paar woorden, een herinnering.'

Ze bestijgen de lange trap in kameraadschappelijke stilte en Marek weet dat ze bij hem zal blijven zolang het lied klinkt.

12

Ergens halverwege de trap raakt hij haar weer kwijt. Het doet er niet toe. Half Veneto moet intussen Julia's lied zingen.

De gespen trekken Marek omlaag door een wijk waarvan alle taveernedeuren nog vergrendeld zijn, door een park vol marmeren beelden van helden met betoverde zwaarden en mooie, maar beslist flink uit de kluiten gewassen vrouwen.

Marek fronst zijn wenkbrauwen. Dat druipende zwaard van de man en de blonde vlecht van zijn begeleidster: een Björn-en-Olgapretpark? Of waarschijnlijk is 'tempeltuin' een betere beschrijving. Voor elk beeld staat een altaar met een bronzen schaal, waarop schriftrollen liggen. Boven de schaal is een krokodillenleren parapluutje uitgeklapt om het papier tegen regen te beschermen.

Een meisje mikt net haar eigen rol in de schaal. Het is met een lint van blauw satijn dichtgebonden.

Als ze opkijkt, herkent Marek haar: het meisje met de gentiaan, uit zijn tweede droom.

'Hallo,' zegt hij, 'waar dient dit allemaal toe?'

'Ik dacht dat vertellers alles wisten?' zegt het meisje. 'In je droom gisteren… Ah, dit is natuurlijk voor mensen bedoeld die nog nooit in onze stad geweest zijn. Goede truc. Zal ik onthouden.' Ze maakt het brede gebaar van een toneelspeelster. 'Dit hier is de Tuin van de Verhalen, verteller Marek. Hier laat je alle verhalen achter die je te vaak gebruikt hebt. Als ze naar stof smaken en luisteraars je de zinnen kunnen voorzeggen. Voor andere vertellers zijn ze nog nieuw. Al vertellen ze jouw verhaal natuurlijk net even anders: de trol is eigenlijk een betoverde prins en de prinses wordt zo oud en bitter dat ze nu zelf de heks is en haar beeldschone kleindochter haat.'

'Ik snap het.'

Het meisje wuift. 'Als ik groot ben, zal ík op het kleed met de duizend tongen hurken.' Ze rent weg met een rood hoofd.

'Dan kom ik zeker naar je luisteren!' roept Marek haar na.

masker
Julia Veroccio

masker
DOGE

Drie werklieden takelen een marmeren beeld op zijn sokkel. De man draagt het versierde masker van een Venetiaan en hij heeft zijn arm om de schouders van zijn hoogzwangere vrouw geslagen.

Dat is vlot werk, denkt Marek. Ze nemen hun verhalen serieus hier.

Marek heeft de heuvels met hun villa's en olijfbomen achter zich gelaten en kijkt uit over het havengebied. Een woud van ebbenhouten masten, wapperende banieren en kleurige zeilen, van droogdokken en kranen. In de verte trekt het Canal Grande een zilveren streep.

Marek kan goed begrijpen dat Veneto Secundo de machtigste concurrent van de Hanze is. De grootste handelsschepen liggen buitengaats afgemeerd, in het Canal Grande. Ze zijn vaak nog langer dan de olietankers uit de Oudlanden en passen in geen enkele binnenhaven.

'De afstanden zijn hier ongelooflijk veel groter dan in de Oudlanden,' had Geddit hem verteld. 'Tien-, twintigduizend mijlen tussen de continenten. Een oversteek kost rustig veertig jaar. De vader vertrekt en zijn kleinzoon keert terug met grijs in zijn baard.'

Op een hoofdweg die met platen groen dooraderd marmer belegd is, houdt Marek een koets aan.

'Je weet wie ik ben,' zegt hij tegen de koetsier.

De man verbleekt. 'Ja, Uwe Excellentie.'

Het vlies werkt nog steeds, denkt Marek, al moeten dit de laatste, nasputterende restjes magie zijn. Zolang ik de juiste toon gebruik, arrogant genoeg spreek, ziet de koetsier zijn meerdere.

'Laat de andere passagiers uitstappen,' beveelt Marek. Hoe zei je dat ook weer deftig? 'Ik vorder dit voertuig.'

'Dit is de staatsiekoets van markiezin van Corella!'

'Is de markiezin hoger in rang dan ik?'

'Nee, nee. Natuurlijk niet.'

De koetsier opent de overdadig versierde deur, mompelt enkele woorden.

'Hoe opwindend!' kirt de markiezin. Ze is een dame van middelbare leeftijd, met een baljurk wijd genoeg om als parachute te dienen en haar onwaarschijnlijk rode haar deint in een fontein van krullen. 'Het is mij een genoegen en een eer om mijn koets aan u beschikbaar te stellen, Uwe Excellentie. Gewichtige staatszaken gaan uiteraard voor frivool vermaak.'

Uwe Excellentie: ik ben benieuwd wat de koetsier in haar oor heeft gefluisterd. Wie ze nu voor zich denkt te zien.

'Ik stel dit bijzonder op prijs, markiezin.' Hij ziet haar verstrakken. Oeps, 'markiezin' is misschien niet de juiste aanspreektitel?

'Waarheen, Uwe Excellentie?' vraagt de koetsier zodra Marek zich in de kussens heeft laten zakken.

Marek wappert met een slap handje, het gebaar van een terminaal verveelde aristocraat. 'Het feest natuurlijk. Waar ze voor de haaien dansen. En laat dat Uwe Excellentie maar. Heer is genoeg.'

'Het zeepaleis dus, Uwe heer. Ik zal de kortste weg nemen, want het gala begint al over een half uur.'

'Ja, neem vooral de kortste weg.' Een half uur. Wat kan ik in vredesnaam in een half uur klaarspelen?

'Al vindt u het misschien niet onoverkomelijk om de toespraak van ondersecretaris Givoletto te missen. Het dansen begint een uur later.'

Marek ontspant zich een fractie. Anderhalf uur blijft nog steeds afschuwelijk krap maar is niet langer onmogelijk.

'Ciao, bella, ciao,' fluit Marek toonloos voor zich uit, diep in gedachten.

'Je bent daar niet alleen,' komt Julia's stem, zo dichtbij dat hij haar adem tegen zijn oor kan voelen. 'Op het schip sluipen al andere Hanzeleden rond. Vrije.' De plaats naast Marek blijft leeg, al ziet hij Julia's gezicht in het raam van de koets reflecteren. Ze kijkt strak voor zich uit en Marek begrijpt dat hun blikken elkaar niet mogen kruisen. Deze magie is fragiel.

'Hoe vind ik ze?' fluistert hij terug. 'Als ze illusievliezen dragen, zijn ze onherkenbaar. Voor mij net zo goed.'

'Jij bent de sluwe oeluk. Marek de verteller. Zie je eigen leven als een verhaal. Het is onlogisch en respectloos ten opzichte van je luisteraars om je hoofdpersonen door haaien op te laten vreten omdat je geen fatsoenlijk einde weet te verzinnen.'

Haar gezicht lost op in het silhouet van een plataan en Marek begrijpt dat je een godin nooit mag overvragen, zelfs niet als je haar persoonlijk geschapen hebt. Dit soort wezen tikt een mensenleven hoogstens lichtjes aan.

Hou het eenvoudig, denkt hij, en begin met hun vermomming. Wie naar een vlies kijkt, ziet precies wat hij verwacht. De oplossing ligt op het puntje van zijn tong. Wat je verwacht... Als ik nu eens Hanzeleden verwacht te zien? Van alle andere feestgangers zullen de maskers Italiaans blijven, onveranderd. Geen masker, ik moet naar mensen zónder masker speuren. Omdat ik het verwacht, zullen de vliezen hun naakte gezichten tonen, hun ware gezichten.

'Koetsier! Stop hier.'

'Zo u wenst, heer.'

Marek heeft zich niet vergist. Tussen de rompen van twee oorlogsschepen is de Gouden Amarant net zichtbaar. De doge heeft nieuwe masten laten oprichten en er hangen zelfs zeilen in, al werden ze uit ordinaire zijde genaaid. Vlindervleu-

gels was ook te veel verwacht. Van de hoogste mast wappert het banier van de doge, het Vogelmasker.

Klaar om uit te zeilen. Dat is handig om te weten.

Marek klapt in zijn handen. 'Rij maar door, beste man.'

Bruggen krommen zich over ongelooflijk helder water waarop pelotons albatrossen deinen. De zwerm sterns wordt hoe langer hoe dichter tot de toppen van de honderden meters lange masten in een nevel van zwierende vogels verdwijnen.

'Het zeepaleis van de doge,' wijst de koetsier met zijn zweep. Over zijn gezicht trekt een waas van verwarring. 'Maar dat weet u natuurlijk zelf ook, heer.'

Een gondel duikt uit de vogelmist op: een gondel zo zwart als de nacht, mijlenlang en met een opkrullende boeg en achtersteven waarin honderden balkons, wenteltrappen en luchtbruggen uitgesneden zijn.

'Wordt het haaienweb nog steeds op de gebruikelijke plaats gespannen?' vraagt Marek. Hij is behoorlijk tevreden met die vraag. Zo'n sluwe oelukvraag, waaruit niemand kan opmaken dat je eigenlijk geen flauw benul van de juiste locatie hebt.

'Ja, Ser Gilliams Vijver. Waarvan de vloer ingelegd is met de tanden en kiezen van verraders en spionnen. Het zou toch zonde zijn om zo'n mooie traditie te veranderen?'

'Dat is zo.'

Lastig. Nu is hij nog niets wijzer. Hoewel, hij heeft nu een naam. Ser Gilliams Vijver.

De koets ratelt over een opvallend nauwe brug met hekken van geel koperen braamtakken en uitvergrote haaientanden. Het is het soort brug waar een aanstormende vijand zichzelf aan flarden rijt.

Ze stoppen op een platform en de koets wordt prompt omgeven door een kring schutters met kruisbogen en gepantserde buldogs. Hier arriveren zonder de juiste uitnodiging is duidelijk niet verstandig.

Een lakei opent het portier. 'En u, meneer?'

Marek tikt zijn masker aan. 'Meneer? Meneer? Weet je niet wie ik ben? En het lijkt me dat ik toch meer dan een miezerige begeleider verdien om mij naar Ser Gilliams Vijver voor te gaan.'

De man schokt alsof een stroomstoot door al zijn ledematen siddert en Marek ziet zijn adamsappel hopsen.

Wie geloven ze toch dat ik ben? Die kerel doet het zowat in zijn broek.

'Vergeef mij!' De lakei gebaart heftig. 'Heraut! Blaas op de zilveren trompetten. Kondig hem aan!'

'Nee, laat maar,' zegt Marek. 'Dat houdt de zaak alleen maar op en ik ben al

verlaat. Ik wil de toespraak van de ondersecretaris niet missen.' Opvallen is wel het laatste wat ik wil. Ik moet iets minder overdrijven. Ik ben een belangrijk persoon, prima, maar liever niet zo gewichtig dat iedereen meteen in de houding springt.

'Ik begrijp het volkomen, Uwe Excellentie. We zullen een discretere route nemen.' De lakei snelt naar de scheepswand en trekt aan de tong van een vergulde leeuw. Een paneel schuift open.

De geheime lift draait als een reusachtige, mechanisch knarsende en gierende kurkentrekker omhoog door de scheepsromp. Als Marek boven half misselijk uitstapt, gaat hij prompt onderuit en zoeft in een reeks glimmend gewreven glijbanen door de rest van het schip. Ten slotte belandt hij in een kluwen lakeien en bewakers op een dikke matras.

Het mag een bizar systeem zijn, eerder iets voor het spookhuis van een pretpark: vlot is het beslist.

'Prima,' zegt Marek. 'Ga voor.'

Met parelmoer ingelegde deuren zwaaien open naar een balzaal vol schitterend uitgedoste gasten. Nee, geen balzaal, een balkon. Achter de reling ontdekt Marek een wijde vijver waarover een spinnenweb van strakke koorden gespannen is.

'Keer terug naar jullie post,' zegt Marek tegen de lakei. 'Ik vind het verder zelf wel.'

Hij zoekt de menigte af. Eén man steekt boven de rest uit. Twee, drie seconden lijkt hij het masker van een zeeleeuw te dragen en dan lost het op. Herde. Herde de smid. Zijn platgeslagen neus met in elke neusvleugel een ring is onmiskenbaar.

Marek gaat naast hem staan. 'Herde?'

'*War?*' gromt de smid.

'Geen Hanzn sprach. Spreek Italiaans.'

De smid staart naar Mareks masker. Hij verwacht een Italiaan en dat is dan ook het enige dat het vlies hem toont.

'Ik ben het, Marek. Hoe ontsnapte je? Zijn er nog meer matrozen hier?'

Herdes nekspieren ontspannen zich. 'Drie. De Nocchio's namen niet eens de moeite om ons te fouilleren en ik had mijn moker onder mijn hemd verstopt. Zodra we in de sloep zaten, sloeg ik een gat in de bodem.' Hij schudt zijn hoofd. 'Die Nocchio's, ze zijn van ijzerhout. Ze zonken als stenen beelden.' Hij legt zijn hand op Mareks schouder, knijpt. 'Ik ben zo opgelucht dat je hier bent! We hebben een oeluk nodig. Zijn sluwe plannen, zijn moed.' Hij zwaait en twee andere matrozen voegen zich bij hen.

'Dat is alles?' vraagt Marek. 'Jullie drie?'

'Meer…'

'Ah, mijn vriend Leonardo.' Matteo snelt op Marek af, spreidt zijn armen en omhelst hem. Zijn greep is onverwacht krachtig en bijna pijnlijk. 'Dit is Leonardo DiCaprio,' zegt Matteo tegen een van zijn begeleiders. 'De befaamde verteller.'

De mond van de man valt open. 'Dé Leonardo? Half Veneto droomt van hem en zijn Julia. Ik zag hem in een eigen droom, al was het maar voor een paar minuten en ik stond helemaal achteraan.'

'Het is treurig. De beste verteller sinds eeuwen en hij blijkt een verderfelijke oeluk te zijn, een Hanzespion.' Matteo geeft een ruk met zijn hoofd. 'Arresteer hem, commandant.'

'Maar… Zeker, Uwe Excellentie.'

Matteo stapt terug. Hij grijpt zijn oorlellen vast en geeft een krachtige ruk. Zijn hele gezicht komt los, een levend masker van lillend vlees. Matteo's ware gezicht is een gruwel: een onmenselijk masker van vergeeld kraakbeen dat direct uit zijn huid groeit. Twee bogen haaientanden vormen zijn wenkbrauwen.

De doge! denkt Marek, de man die het eeuwige leven van de haaiengod kocht. Matteo was al die tijd de doge.

'Ik heb zo veel wonderbaarlijke verhalen over oeluks gehoord,' zegt de doge. 'Vreemde en eerlijk gezegd, vrij ongeloofwaardige verhalen. Zou het werkelijk waar zijn dat er wezens op aarde bestonden die even sluw en genadeloos waren als ikzelf? Ik was dan ook opgetogen toen ik hoorde dat er een oeluk aan boord was. Eindelijk een tegenstander die niet meteen jammerend op zijn knieën viel.'

'Je noemde me Leonardo DiCaprio. Matteo wist niet…' Marek knikt. 'Je liet me ontsnappen. Ik was geen seconde werkelijk vrij.'

'Ja, ik was de Nocchio ook, net als de voorman. De soldaat die je uit de rij schopte.' De doge zucht. 'Het viel me tegen dat jij je zo makkelijk liet opsluiten. Door je eigen mensen nog wel. Hoewel het natuurlijk knap is dat je het helemaal tot hier geschopt hebt. Geen plaats op Veneto is beter beveiligd.' Hij geeft een ruk met zijn duim. 'Breng ze naar de andere gevangenen. Vandaag leren we hoe een oeluk danst.'

<h1 style="text-align:center">13</h1>

De anderen staan aan de rand van de poel: Geddit en de meisjes, de kokkin en de matrozen. Marek voelt een steek van vreugde dat ze er allemaal zijn, dat iedereen het overleefd heeft. Pal daarop beseft hij hoe onzinnig die opluchting is. Rugvinnen snijden door het water en de bewakers mikken gevilde salamanders en hazen in het schuim. Bloed maakt haaien dol, weet Marek. Ze bijten in alles dat beweegt, en deze haaien zwemmen bijna in puur bloed.

Het web is een halve meter boven het water gespannen. Je moet een allemachtig goede koorddanser zijn om verder dan een paar meter over zo'n zwiepend koord te lopen. Bovendien zakt het web bij elke stap onder je gewicht omlaag en kom je ruim binnen het bereik van de haaienmuilen.

'Jammer,' zegt Cirnja en ze pakt zijn hand vast, knijpt bemoedigend. 'Nu ja, oeluks worden zelden oud. Lang en gelukkig leven is voor watjes.'

Senni grijpt zijn andere hand en hij voelt haar nagels in zijn handpalm boren. 'Ik vind het…' Ze haalt diep adem. 'Ik vind het toch kwalitatief uitermate teleurstellend dat prinses Zilverster er straks amper in voorkomt. Als ze het volgende Björn-en-Olgaverhaal vertellen.'

'Daar vergis je je in,' zegt Marek. 'Wie riep de vloedgolf, wie bracht een wapen mee waar je zelfs djinns mee kon verslaan?'

'Het had langer moeten duren. In de andere verhalen is prinses Zilverster oud genoeg om te kussen.'

De doge kijkt van het balkon op hen neer, in een kring van raadsheren en hofdames. Geen van zijn eigen mensen durft zijn kant uit te kijken: hij heeft geen nieuw masker opgezet en dit is misschien wel de eerste keer dat ze zijn ware haaiengezicht zien. Marek begrijpt de reden: de doge is nog steeds in een soort wedstrijd met zijn oeluk gewikkeld. Het is hij en Marek en alleen zonder masker is hij helemaal zijn gruwelijke en angstaanjagende zelf.

Aan de andere zijde van de vijver is een gigantische tribune opgericht: daar zitten de lagere edelen, de kooplieden, een bonte verzameling trouwe onderdanen.

De doge heft een roemer met gele wijn. 'En wie zet de eerste stap? U, dappere grootkapitein? Of de oeluk over wie we zo veel opwindends hoorden?'

'Het is een schande, pure verspilling.' De heldere vrouwenstem schalt over de vijver. 'Veneto heeft dozijnen doges gehad, ja toch? Nooit eerder een verteller als Leonardo.'

'Ze willen Romeo en Julia vermoorden!' krijst een tweede vrouw en de stemming slaat meteen om. Uit de tribune stijgt een dof gerommel op, een zucht van ontzetting, het schuifelen van honderden voeten.

Ze beseften niet over wie de doge het had, gaat het door Marek heen. Al die luisteraars in mijn dromen. Ze willen de rest van Julia's verhaal horen. Ik ben hun favoriete soap, hun *Gooische Vrouwen* en *CSI*. Een buldog zou nog eerder zijn gloednieuwe bot afstaan.

'Arresteer haar!' brult de doge. 'Zij mag samen met de anderen dansen.'

'Wie, Uwe Excellentie?' zegt de commandant. 'Arresteer wie?'

'Die vrouw met de fluit daar. Ze staat midden in het web en steekt haar middelvinger op.' Hij graait naar zijn riem. 'Hoe komt ze aan mijn zilveren fluit?'

Nu ziet Marek haar ook en hij is niet de enige, absoluut niet de enige.

'Julia, Julia,' ademt de menigte en het is een kreun van ontzag en bewondering. Julia steekt haar fluit op, houdt haar hoofd vragend scheef, en Marek begrijpt wat zijn taak is. Hij is de enige die hun levens kan redden.

Hij recht zijn rug en zijn stem draagt over het water, bereikt, net als in zijn dromen, elk oor dat naar hem wil luisteren.

'"Dit is de fluit van Hameln," zei de kluizenaar tegen Julia. "Wie haar tonen hoort, moet de fluitspeler volgen. Altijd en overal. Door zuigend drijfzand en bergkloven in die zich dreunend achter hem sluiten."

"Ook over een web van verende kabels, goede kluizenaar?" vroeg Julia. "Dat, ik noem maar een willekeurig voorbeeld, over een poel vol hongerige haaien gespannen is?"

"Ook over een poel vol hongerige haaien. En de fluit kan op ieder oor afgestemd worden en alle anderen doof laten. Op een harig rattenoor. Op de oren van een Hamelns kind die roze als een tere zeeschelp zijn."

"Of de met tanden begroeide oren van de doge?" vroeg Julia. "En allen die het haaienbloed door de aderen vloeit?"'

'Steek hem neer!' schreeuwt de doge. 'Hak zijn tong af!'

De magie van het verhaal is te sterk. Halverwege de greep van zijn werpmes verstarren de vingers van de doge. Niemand kan zich bewegen tot Marek uitverteld is. Mareks tong is gevuld met vurige mieren, hij ís magie.

' "Zeker, Julia," zei de kluizenaar. "Ook zulke oren."'

In het centrum van het web brengt Julia de fluit aan haar lippen en de menigte begint de melodie spontaan mee te klappen. 'Ciao, bella, ciao. Schone Julia

met de zilveren kammen in je haar. Julia met de bloedkoralen maskers.'

De doge komt overeind en met hem niet meer dan een half dozijn anderen. Slechts weinigen bezitten haaienbloed dat puur genoeg is voor de fluit. Ze wandelen de poel in, balancerend op de verende kabels.

De doge komt het verst, wel drie cirkels van het web, voor hij abrupt onder water wordt getrokken.

14

'Misschien,' zegt Herde, 'misschien is het beter dat we vertrekken? Nu zijn lijf-wachten nog met openhangende mond naar het bloederige water staren?'

'Ik weet een geheime weg,' zegt Marek. 'Overal waar een gouden leeuw zijn tong uitsteekt, ligt een geheime doorgang.'

Ze sprinten de zaal door en Marek durft pas op de vergulde drempel om te kij-ken. Het balkon is leeg, totaal verlaten. Aan de rand van de vijver ligt een afgebe-ten arm op de geglazuurde tegels. De vingers omklemmen een diamanten roe-mer en nagels zijn groen gelakt. De markiezin heeft het feest toch nog gehaald.

'Ze zei, Julia zei alleen de mensen met haaienbloed…'

Aan de andere zijde komen de toeschouwers een voor een overeind en lopen als slaapwandelaars langs de tribunetrappen omlaag.

Julia staat nog steeds in het midden van het web en de tonen van haar fluit zijn wilder geworden, zo fel dat iedere noot over Mareks wang lijkt te krassen. Ze is negen meter hoog en Julia's nachtzwarte haren kronkelen als tentakels. Uit haar vingers zijn klauwen gegroeid. Klauwen met weerhaken.

Cirnja rukt aan Mareks arm, slaat dan een hand voor zijn ogen. 'Godinnen zijn niet aardig. Nooit.'

'Ze is mijn Julia! Ik droomde haar.'

'Ze heeft bloed geproefd,' zegt Senni. 'Arme Julia. Nu kan ze niet meer los-laten. Net als een moeraal of een buldogvis. Hoe graag ze ook zou willen.'

Tranen leggen een waas voor zijn ogen als Marek de kurkentrekkerlift binnen-stommelt.

De straten en bruggen van Veneto Secundo zijn met een rumoerige, lachende menigte gevuld. Zo snel hun voeten of koetswielen hen kunnen dragen, haasten ze zich naar het gondelpaleis van de doge.

'Het is niet gevaarlijk meer,' zegt Cirnja. 'De haaien moeten barstensvol zitten. Ze kunnen onmogelijk een hele stad verslinden.' Aan de toon van haar stem weet Marek dat ze hem sust, dat ze liegt. Godinnen hebben geen haaien nodig om hun aanbidders te verslinden.

'Het is mijn schuld,' mompelt hij. 'Ik verzon haar.'

De Gouden Amarant draait het Canal Grande op dat twee keer zo breed is als de hele Middellandse Zee. In de stuurhut opent Geddit zijn atlas en laat zijn vingers over de vouwen glijden die alleen voor hem zichtbaar zijn.

'Twee maanden,' zegt hij ten slotte. 'Over twee maanden zijn we thuis. In Huy Jorsaleem.'

'Thuis,' herhaalt Marek toonloos. Ja, dat zal zijn thuis moeten worden. In de Oudlanden is geen plaats voor vertellers of oeluks. Als hij daar vertelt waarom hij een monster is, zullen ze hem vol onbegrip aanstaren en dat is onverdraaglijk.

Boek 4

Ultima Thule waar Alta Utar door de hemel schrijdt op stelten van bliksemvuur

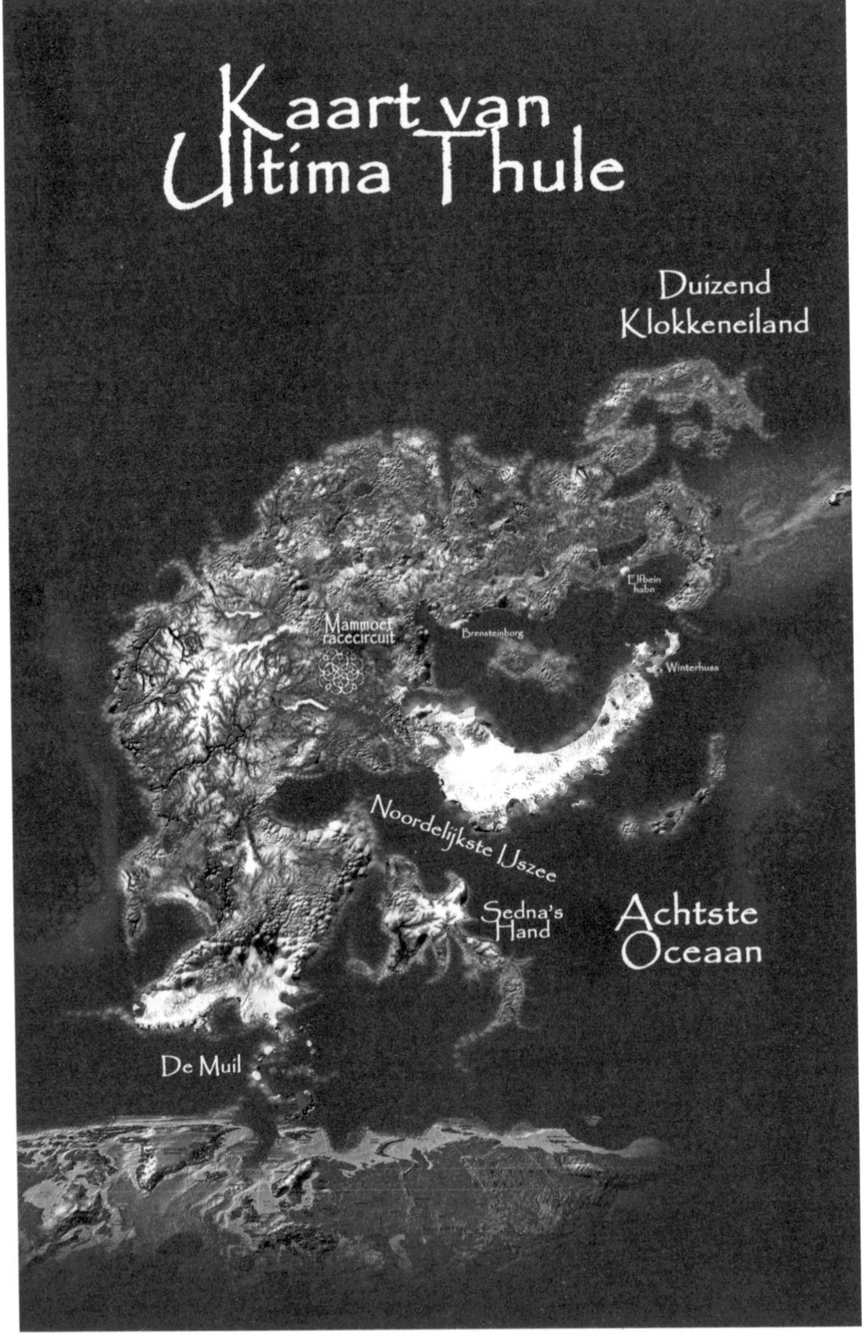

Kaart van Ultima Thule

Duizend
Klokkeneiland

Elfbein
habn

Mammoet
racecircuit

Brensteinborg

Winterhuus

Noordelijkste IJszee

Sedna's
Hand

Achtste
Oceaan

De Muil

1

De reis van de Gouden Amarant verloopt als het lanceren van een plastic model-vliegtuigje. Een razendsnelle duik door een vouw die duizenden kilometers ver-slindt en dan twee, drie weken stug doorzeilen naar de volgende vouw. Links lig-gen de besneeuwde kusten van Ultima Thule. 's Nachts hangt het sterrenbeeld van Sedna's Hand als een ijzige kroonluchter boven hen.

Grijze toendra gaat over in zwarte rotspieken en elke ochtend rolt de mist over de zee aan.

'We blijven een flink eind uit de kust,' zegt Geddit. 'Als je de kariboes kunt tel-len, speel je met je leven.'

'Hoezo?'

'In heel Ultima Thule heeft de Hanze maar drie havens waar we veilig handel kunnen drijven en die liggen niet aan deze kust.'

'Bloeddorstige stammen?'

'Ja, ze jagen op narwals, robben en walvissen. Voor de meeste stammen is een Hanzeschip niet meer dan een vette walvis. Rechtmatige prooi.'

'Dit is de derde kuip,' zegt Senni als ze de waakvissen overgiet. 'De laatste. Vol-gende week laat ik ze los.'

'Geen dag te vroeg,' knikt Marek. 'Die vliegende vissen worden knap hinder-lijk.'

Elke avond komen ze uit de richting van de ondergaande zon aanscheren, met een opengesperde bek vol naaldtanden. Ze bijten zich overal in vast: je pols, de tuigage, de masten, en het beroerdste is nog dat de meeste zo klein zijn. Niet veel groter dan horzels. Zelfs met een dikke leren jas aan weten ze zich nog door de knoopsgaten naar binnen te wriggelen.

'Hebben ze al een naam?' vraagt Cirnja. De waakvissen hebben intussen het formaat van koikarpers en de eerste weerhaken beginnen aan hun stekels uit te botten.

'Marek verzon een paar mooie: Zeewolf, Grommende Pitbull. De andere twee

noem ik Sardnill, naar de schim van Björns dode jachthond die zo goed op geesten kon jagen, en Helle-Hecate.'

'De godin van de onderwereld,' knikt Cirnja. 'Waar iedereen na de beet van een waakvis belandt. Goede keus.'

Als de zon ondergaat, zitten Marek en Cirnja op de uiterste punt van de boeg, met hun laarzen hoog boven het water.

'Het is niet verboden,' zegt Cirnja. Ze slaat een arm om zijn middel en legt haar hoofd op zijn schouder.

'Wat bedoel je?' Mareks spieren verstarren tot hij stijf als een Nocchio naast haar zit. Ze knijpt in zijn nek. 'Zoenen. Wat jullie zoenen noemen. Dacht je dat Björn en Olga...'

'Oeluks. We zijn oeluks.'

'Gewoon voor de gein. Ik wist niet dat Nederlanders zo moeilijk over minnekozen deden. Het betekent toch niks? Bij een tocht, bij een verhaalreis, gelden andere regels. Dit is ons schip hier, geen balkon met honderd loerende oudtantes.'

Een soepele zwaai van haar been en opeens zit ze op zijn schoot, met opgeheven gezicht en getuite lippen.

Cirnja's kus smaakt naar kaneel, naar exotische specerijeilanden achter de horizon en de enige reden dat je daarheen wilt zeilen is dat Cirnja daar op je wacht.

Haar huid is ongelooflijk glad, alsof ze werkelijk uit warm goud gegoten is. Ze knoopt haar hesje open en haar borsten zijn vol en stevig en hun gewicht voelt heerlijk in zijn handen. Om haar tepels ligt een ring van parelmoeren schubben en dat maakt haar alleen maar exotischer en begeerlijker.

'Er zit alfenbloed in onze familie,' verklaart Cirnja als hij opgetogen en verwonderd over die levende sieraden strijkt. 'Van het zeevolk. Ja, blijf me daar kroelen. Dat is heerlijk.'

'En hier?' vraagt Marek.

'Ook goed.'

'Senni had gelijk,' zegt Marek.

'O? Waarmee?'

'Wat ze de eerste dag riep. Dat ik kissie kus met je wilde doen. Dolgraag.'

'Waarom heb je het dan niet eerder gevraagd? Daar hoef je toch niet moeilijk over te doen? Elke reis is droomtijd. Niemand rekent je op je dromen af.'

'Die eerste nacht, weet je nog?' zegt Marek en nu lijkt het hem bijna grappig, zo'n absurd misverstand. 'Ik lag op je te wachten. Mijn oren, als ze punten hadden gehad dan stonden ze trillend overeind. Ik hoorde elk piepje, elk kraakje van de treden. Keer op keer dacht ik dat ik de deur hoorde opengaan. Je voetstappen over het kleed.'

'Kleihappers zijn rare snuiters. Zeg, doen ze het in Utrecht met hun broek aan?'

'Nee, natuurlijk niet. Sorry.'

'Dat was heerlijk,' zucht Cirnja. 'Kwalitatief beslist niet teleurstellend. Laten we dit vaker doen, ja? Het is nog weken naar Huy Jorsaleem.'

'Niks op tegen.' Hij kust haar en deze keer is het alleen maar uiterst comfortabel, haar warme gewicht tegen zijn schouder.

'Je bent mijn godin,' mompelt Marek en het is verdorie nog waar ook. Hij zou een tempel voor haar kunnen bouwen, met zijn blote, bloedende handen en daar elke dag voor haar altaar kunnen knielen, tevreden met een enkel woord, een vluchtige glimlach. 'Mijn godin.'

'Ik ben je oeluk,' zegt Cirnja, 'en een oeluk is heel wat hoger in rang dan een godin. Een godin heeft enkel haar heilige boek met sagen en vermaningen, een oeluk leeft elke dag een nieuw verhaal.'

De rest van de namiddag blijft Marek zich intens van zijn oeluk bewust. De manier waarop het zonlicht langs een natte kuit valt, zodat elke druppel een parel wordt. Een windvlaag die een lok optilt en loom laat terugvallen. Cirnja's lach en de echo die van het voordek terugkaatst: wild en vrij.

Cirnja ligt als een glans over de hele wereld. Ieder detail herinnert aan haar: het omslaan van de golven wordt het sensueel uitstrekken van een eindeloos vrouwenbeen.

Dit is beter dan verliefdheid, denkt Marek. Zo zeker, zo absoluut juist.

'Je kijkt raar,' zegt Senni. 'Als een kat die in een leeggegeten vismand doezelt.'

'Is dat zo?'

Ze zet haar handen in haar zij. 'Je wilt wat vragen.'

'Eigenlijk wel,' geeft Marek toe. 'Oeluks, trouwen die ook wel eens? De Olga van de verhalen, heeft zij eigenlijk een vriend, een echtgenoot? Ik bedoel, Björn keert na elk avontuur terug naar zijn prinses.'

'Darwen, hij houdt van Olga. Hij aanbidt haar. Giet haar voetafdrukken in marmer en hangt ze om zijn hals, zoals ze op de Mindarii-eilanden zeggen. Voor hem bestaat er geen mooiere of slimmere vrouw dan Olga.'

'Waarom gaat er dan geen enkel verhaal over hem?'

'Hij is geen held. Darwen is alleen maar erg aardig.'

'En dat is genoeg voor een oeluk?'

'Vraag het aan Cirnja.'

Het is avond voor hij er met Cirnja over durft te beginnen. Het klinkt zo als gezeur. Zoiets als 'Hou je echt wel van me?' vragen als een meisje je kust. Ritapraat.

'Er zijn toch een paar dingen niet ik niet helemaal snap over oeluks. De man van Olga…'

'Samred, ja.'

'Senni had het over een Darwen.'

'Die stomme meid. Dat is nu echt weer Senni! Ze had nog zo beloofd…'

'Is er iets mis?' vraagt Marek.

'Laat maar. Kun je dit touw even zekeren? Ik probeer de fuik… Hij moet naar binnen. Zo bomvol alen dat hij bijna barst.'

Marek helpt de fuik over de reling te sjorren. Cirnja heeft zo duidelijk geen zin om erover te spreken dat ze hem waarschijnlijk een dreun geeft als hij aandringt. *Ze is geen Nederlands meisje en we varen hier over de Achtste Oceaan waar de kwallen zingen. Heb ik alle signalen verkeerd begrepen?*

'Marek?' Cirnja staat naast zijn hangmat en streelt haar vingertoppen over zijn wang.

'Ja?'

'Schuif eens op.'

'Hier in de kajuit? Iedereen…'

'Ik vind het prima,' bromt Geddits zware stem uit het duister. 'Een grootkapitein heeft niets tegen wat jong geluk.'

'Let maar niet op mij,' zegt Senni. 'Ik zal heel stil zijn en geen grappige opmerkingen maken.' Ze giechelt.

'Eh, Cirnja?'

'Privacy wordt zwaar overschat in de Oudlanden. Het is toch veel leuker als een rij matrozen ons handenklappend aanmoedigt?'

Marek slikt. 'Matrozen? Een rij?'

'Geintje.' Ze pakt zijn hand en geeft een ruk die hem op de vloer doet tuimelen. 'We gaan gewoon weer naar de boegspriet.'

'Hoor je de kwallen fluiten?' fluistert Marek naderhand. 'Ze zingen ons in slaap.'

Cirnja grinnikt. 'Die krengen? Straks beweer je nog dat een nachtegaal mooi zingt. Deze lui zijn geen tentakel beter. Donder op, zingen ze. Deze zee is van mij. Of: kom toch dichterbij, liefje, dan kan ik je verschroeien in mijn tentakels.' Ze kust hem vol op de mond. 'Rare druif.'

Het kruis van Huy Jorsaleem trekt een vurige baan over het donkere water, een klotsende loper die helemaal naar Mareks nieuwe thuis voert.

2

Huy Jorsaleem, Prester Johnsland

Meer mijlen dan de snelste albatros zelfs in een dozijn levens kan vliegen, bijna aan de andere zijde van de Gran Terre, bewondert Darwen het portret van zijn geliefde. 'Ze is zo mooi geworden,' zegt hij tegen zijn vader. Hij heeft het portret aan het voeteneind van zijn bed gezet, zodat de glimlachende jonge vrouw het eerste is dat hij elke ochtend ziet. Het portret is geladen met magie, vol kleur en diepte en zo levensecht dat het bijna een raam had kunnen zijn.

In de loop van de jaren heeft Darwen het portret zien veranderen, soms razendsnel, als zijn toekomstige vrouw verder het noorden inzeilde. Andere keren bleef het maandenlang volkomen onveranderd.

Zijn vader lacht. 'Beeldschoon is mooi meegenomen als het om je vrouw gaat. Cirnja is een Stra Poulou. Dat is het belangrijkste.'

'Natuurlijk.' Het huwelijk zal de twee machtigste handelshuizen van Huy Jorsaleem met elkaar verbinden, krachtiger en definitiever dan welk verdrag ook. *Onze kinderen zullen zich tir Metzengerstein stra Poulou noemen en net iets beter dan wij de werelden kunnen openvouwen.*

Darwen is een handelsprins, een Hanzekind, en hij weet dat familie voor alles gaat. Bloedbanden en winst, dat maakt een familie onsterfelijk.

'Ze schijnt trouwens haar oeluk gevonden te hebben.' Zijn vader rolt een onzichtbaar goudstuk tussen duim en wijsvinger, het gebaar voor het hoogste respect. 'Ze vochten tegen de emir van de drooglanders zelf en bevrijdden kapitein Geddit.'

'Net als Björn en Olga. Wat heerlijk voor haar!' Hoogstens een op de duizend mensen vindt een oeluk, weet Darwen. Samen zijn ze eindeloos veel meer dan gewone mensen, mythisch. Helden en heldinnen zijn altijd dun gezaaid geweest.

'Hoe heet hij trouwens?'

'Marek,' zegt zijn vader. 'Marek van Dessen.'

'Heer Marek,' zegt Darwen en het is alsof hij klanken proeft. 'Zo'n mooie uitheemse naam. Krachtig en geheimzinnig tegelijk. Ik zou hem dolgraag ontmoeten.'

'Kijk eens beter naar de schilderijlijst,' zegt zijn vader. 'Tel de kauri's.'

'Het zijn er nog maar drie! Cirnja stra Poulou moet vlakbij zijn!'

'Over een paar weken zeilt ze de haven binnen. Drie, vier hoogstens. Op de Gouden Amarant.' Darwens vader strijkt over zijn snor die met bijenwas gesteven en opgedraaid is. 'Wat denk je van over... ja, drie maanden? We moeten de uitnodigingen nog rondsturen en sommige leden van de families zullen in de verste uithoeken van de Gran Terre of zelfs de Oudlanden rondzeilen. Cirnja en Geddit moeten het uiteraard ook nog goedkeuren. Niet dat ik problemen verwacht. Hij heeft je persoonlijk uitgekozen.'

'Drie maanden zou fantastisch zijn.'

Cirnja een oeluk! Gelukkig is de man die zo'n wonderlijk wezen mag huwen...

'Misschien vraag je je af hoe ik dat allemaal weet. Gisteren spoelde een fles aan. Ze stonden op het punt de Muil open te vouwen.' Hij reikt in zijn mantel. 'Dit is voor jou. Een brief.'

Hij herkent haar handschrift meteen, die schuine 'o' en de weerhaak aan de 'r'. 'Allerliefste,' begint Cirnja's brief. 'Ik tel de dagen...'

3

Twee dagen eerder

'De Muil!' Geddit strekt zijn vingers, draait zijn linkerduim om hem los te maken. 'Dagen eerder dan ik verwachtte. Boffen wij even.'

Langs de horizon marcheert een witte lijn en de telescoop onthult kolkend schuim waaruit kromme rotspieken oprijzen. Zwermen meeuwen cirkelen verwachtingsvol en Marek ontdekt zelfs een dozijn vale zeegieren. Het zijn notoir luie vogels die nooit voor minder dan een gestrande potvis aan komen wieken.

'De zeestroom voert ons regelrecht naar de riffen,' vervolgt Geddit verlekkerd, 'en hij is te krachtig om tegenin te roeien. We zijn zo goed als dood. Ik weet niet of het waar is dat de Muil de fossiele onderkaak van een behemot is. Hij heeft in ieder geval al menige Venetiaanse handelsvloot verslonden en zelfs geen houtsplinters of rottende linkervoeten aan het land teruggegeven.'

'Dat is een reden tot vreugde?' vraagt Marek. Björn Bloedzwaard zou nu vragend een wenkbrauw optrekken. Helaas, Marek heeft die kunst nooit onder de knie gekregen.

'Ja, denk na. We hebben de wind achter en de stroom mee. De ideale zee voor een zeiler. En daar voor ons wacht een getande, hongerige dood. Is er een groter contrast denkbaar?'

'Wacht,' zegt Marek. 'De Muil is een vouw?'

'De grootste. Hij slingert ons in één keer over Ultima Thule, pardoes de Achtste Oceaan in. Dan is het nog maar een paar weken zeilen naar Prester Johnsland.'

'En het is een scherpe vouw?' Het bevalt Marek steeds minder. 'Heb je hier al eerder gezeild? Door de Muil?'

'Nou nee, dat is juist het mooiste. Ik heb er alleen over gehoord. Het is de ultieme test voor een kapitein, begrijp je? We hebben misschien vier seconden om hem open te rukken voor we op de rotsen zitten. Als je het haalt, hoef je de rest van je leven nooit meer een kroes bier te betalen. Iedere herbergier zal je stuivers

weigeren. Dat je je in zijn herberg bezuipt, is al eer genoeg en ze zullen zelfs een ondergekotst deurmatje in hun etalage ophangen.'

'Een beetje gevaarlijk is het dus wel?'

'Geen enkele oeluk is ooit eerder door de Muil gegaan,' zegt Cirnja. 'We boffen.'

'Ja, zo kun je het natuurlijk ook zien.' Als hij haar hand pakt, raspt het eelt op haar handpalm over zijn vel en stuurt een huivering van genot over zijn ruggengraat. Het is eerlijk verdiend eelt, weet Marek, met het binnenhalen van fuiken, het openwrikken van oesters, en hij zou haar niet anders willen hebben. Mijn oeluk, denkt hij, mijn vriendin. Hij kent intussen het verhaal achter elk haardun litteken op haar armen, bij die cirkel van tandafdrukken in haar linkerdij. De wereld kerft de daden van de oeluks recht in hun vel waar iedereen de littekens kan lezen en bewonderen.

'Heb je de fles?' vraagt Geddit.

'Gaat-ie!' roept de smid en een fles van dik groen glas zeilt over de reling.

'Dat was ons logboek,' legt Geddit uit. 'Zelfs als we het niet halen dan hebben onze Stra Poulouneven toch iets om over op te scheppen in de wijntuinen.'

'Heb je?' vraagt Cirnja. 'Je weet wel?'

'Ja meid, jouw brief ook.'

Het schip schiet vooruit en een paar tellen later zakken de vlinderzeilen slap omlaag. De zeestroom beweegt zich nu even snel als de wind en Marek krijgt de impressie van een peilloze vaart, alsof de zee een horizontale waterval geworden is met de Muil op de bodem.

Senni pakt zijn andere hand vast en kijkt naar hem op. 'Weet je wie ik ben? Weet je wie ik werkelijk ben, oeluk Marek?'

Op de een of andere manier is het een bloedserieuze vraag. Voor Senni de belangrijkste vraag die ze ooit kan stellen.

En omdat de dood zo vreselijk dichtbij is, een bulderende muil, vindt Marek het juiste antwoord.

'Jij bent onze prinses. Prinses Zilverster.'

'Goed,' zegt Senni, 'zolang je het maar weet.' Ze laat zijn hand los en heft haar eigen arm. De witte lijn is een muur geworden, een palissade van grijze haaientanden.

'Wat verslond een behemot in vredesnaam?' zegt Marek. 'Als dit zijn onderkaak is?'

'Alles,' zegt Cirnja, 'alles van walvis tot strandvlo. Waar een behemot zwom, bleef de zee zo steriel achter als een pot gekookt water. Niets leefde er meer. Concentreer je nu.'

De vouw is dun als de kras van een naald, de exacte grens tussen de glasachtig

glad voortrazende zee en het opspattende schuim.

Deze keer is Marek een lid van de bemanning. Samen vouwen ze de wereld open, haken een vurige duim die al hun duimen tegelijk is in de vouw. Het is zo heerlijk om het samen te doen, beter dan een spreekkoor, beter dan marcheren met een onverslaanbaar leger. Dit is juist, dit is waarvoor Marek geboren is.

De wereld klapt open, veegt de haaientandrotsen, de beukende golven achteloos opzij.

Geddit steekt zijn vuist in de lucht. 'We haalden het! We…'

'We zijn dus niet de eersten,' zegt Cirnja. 'Ze wachten op ons. Om de restjes uit de zee te vissen en het vlees van onze botten te knagen.'

De oceaan is grijs, vol ijsschotsen. Minstens zestig kajaks van walrusleer sluiten de Gouden Amarant in en iedere roeier heeft een kruisboog geheven van kariboehoorn. De holle pijlpunten branden met gele vlammen. Marek ziet druppels in de zee ploffen en de olie blijft gewoon doorbranden.

4

'Onze zeilen zijn helaas van Venetiaanse zijde,' zegt Herde. 'Ik kan mij weinig materialen bedenken die enthousiaster fikken na een dozijn vlammende pijlen.' De smid klakt met zijn tong. 'Iemand van ons moet de favoriete kat van een god geschopt hebben.'

Doe niet zo godvergeten kalm. Marek zou zijn ogen het liefst stijf dichtknijpen en met afgezakte schouders tegen de mast zakken. Te veel achter elkaar. Het is niet eerlijk.

'Piraten,' zegt Senni. 'Ik weet precies wat we nodig hebben.' Ze rukt de deur van de kajuit open en komt met de diamanten kuip naar buiten wankelen. Bij elke stap klotst het water over haar laarspunten. 'Pardoes de zee in en…'

Een pijl knalt tussen haar voeten het dek in.

'Niet dus,' zucht ze. 'Ze weten wat waakvissen zijn.'

'Zet de kuip neer,' beveelt Geddit. 'De volgende pijl gaat door je nek.'

'Balen.'

'Ik denk niet dat wij hun eerste schip zijn.' Geddit slentert naar de voorplecht, blikt omlaag naar de grootste kajak waarin een sjamaan achter zijn trommel hurkt. 'Wat willen jullie?' Hij had naar de prijs voor het openen van een ophaalbrug kunnen informeren.

'Jullie,' zegt de man in Hanzn sprach en zijn handen slaan een honende roffel na elke zin. 'Jullie zelf en al jullie bezittingen. De kiel van jullie schip alleen al is genoeg om onze wintervuren vijf jaar te laten smeulen.'

'We zijn van de Hanze, zoals je al begreep. Vraag een losprijs voor ons en het schip en je kunt je wintervuren de rest van je leven laten vlammen als brandstapels. Zo veel stokvis dat je er een muur om je dorp van kan bouwen.'

'Daar valt over te praten. Niet met mij. Met Oegodai Atar, de Heer van de toendra's die op zijn bliksemstelten door de hemel schrijdt.'

'Prima,' zegt Geddit, 'dan leggen we het hem toch voor?'

De sjamaan gebaart met zijn kruisboog. 'Stuur je schip de baai in. Daar, tussen de torens.'

'Gaaf,' zegt Senni even later. 'Moet je zien, Marek.' Ze wijst.

'Wat, wat? Wat zien?' Niet stotteren, verdorie. Geen gezenuwpees.

'Die torens bij de haven. Ze zijn van beenderen en schedels gebouwd.'

Zo'n tien minuten hoopt Marek op zeehondenschedels, de ribben van walrussen. Van een afstandje kan een zeehondenskelet toch best menselijk lijken? Mensen en zeehonden zijn allebei zoogdieren.

Het schip passeert de linkertoren op een meter of twaalf en Marek kan zichzelf niet langer voor de gek houden. Aan sommige schedels wapperen slierten haar. Een stern heeft een nest gebouwd in een schedel waarvan de bovenkant afgeslagen is als de dop van een gekookt ei.

'Ik heb zulke graftorens eerder gezien,' zegt Geddit. 'Ze stapelen hun doden op en laten ze schoonpikken door de zeemeeuwen. Het lijkt een onsmakelijke gewoonte, maar er zit wel iets in. Eerst at jij de meeuwen en de vissen, en nu eten ze jou.'

Geddit kletst maar wat. Probeert ons moed in te praten. Minstens de helft van het haar is blond of bruin en het krult. Alle kapers hebben steil, zwart haar.

Het dorp begint direct achter het strand. Bolle leren tenten die glimmen van het vet. Gekromde mammoettanden dienen als stokken en de dorpsstraat is met visschubben geplaveid, die elk langer dan een mens zijn. Alles puur natuur en daar ruikt het ook naar. Marek kokhalst en ademt verder door zijn mond.

'Interessant.' Geddit stampt op een schub en het galmt alsof hij tegen een zinken emmer schopt. 'Aangespoelde behemotschubben. Oudlandse mortiergranaten zouden er zo op afketsen.'

'Zeshonderd thalers per schub,' zegt Hughart de laadmeester. 'En als je zo'n onkwetsbaar schild aan een Brendaanse koning weet te slijten, rustig vierduizend. Waarschijnlijk krijg je de hand van een prinses er ook nog bij.'

Iedereen heeft zijn eigen manier om met zijn angst om te gaan, denkt Marek. Overal een prijskaartje op plakken helpt vast. 'Wat zijn dit voor mensen, Geddit? Eskimo's? Die kajaks…'

'Nee, ze zijn veel ouder dan Eskimo's,' zegt Geddit. 'Het hadden de voorouders van de indianen kunnen worden, behalve dat ze Amerika nooit bereikten. Vijftienduizend jaar geleden staken ze de Beringbrug over naar Alaska. Azië en Amerika zaten toen nog aan elkaar vast. Een van hun sjamanen vond halverwege een betere afslag, een vouw naar de Wijdere Wereld. Ultima Thule is groter dan heel Noord- en Zuid-Amerika bij elkaar en niemand heeft hier de walvissen uitgeroeid.'

'Verder naar het noorden rijden ze op mammoets,' zegt Cirnja. 'Wedrennen. Honderden mammoets tegelijk, en de grond beeft onder hun galop. Ik zou best…' Ze kijkt Geddit aan. 'Weinig kans op, eh? Wat de sjamaan zei, dat was een zoethoudertje. Ze geven niets om losgeld.'

'Natuurvolkeren kijken zelden verder dan het volgende seizoen,' zegt Geddit. 'De Gouden Amarant hebben ze nu, hout in het handje, eh? Ons ook en goden zijn hongerig.'

'Kom op!' zegt Cirnja. 'De meeuwen pikken onze ogen nog niet uit.' Ze zwiept haar zwarte haar naar achteren. 'Wat voor zadel wil jij op je mammoet, Senni?'

'Een met rood leer en bellen. En een… een narwalhoorn om de andere rijders uit het zadel te stoten!'

'Zo mag ik het horen!' lacht Geddit.

Ze wandelen nu tussen een haag van nieuwsgierige vrouwen en kinderen. Een meisje smijt een vissenkop naar de smid en duikt giechelend terug in haar hut. Het is als een afgesproken sein en meteen regent het graspollen en klompen aarde, potscherven, rendierkeutels. Honden komen blaffend aanrennen en ontbloten hun tanden.

De sjamaan rent brullend naar voren, tilt zijn trommel op en geeft een woedende roffel. De kinderen deinzen terug met hun handen over hun oren.

'Oegodai Atar stapt uit de hemel en wat ziet hij?' tiert de sjamaan. 'Al zijn toegewijden onder de bloederige krassen en schrammen, met stront in hun haar. Denk je dat hij tevreden is? Dat hij de zalmen en forellen volgend jaar onze rivieren in stuurt?'

De dorpsstraat is als bij toverslag leeg en zelfs de honden vallen stil en schuifelen met hun staart tussen de poten weg. Uit de tenten klinkt een onderdrukt gejammer en gesnik.

'Ja,' zegt Geddit, 'je moet wel een beetje zuinig op je mensenoffers zijn.'

'Niemand had het over mensenoffers,' zegt de sjamaan. Hij trekt een flap open. 'Dit is jullie tent. Mijn dochters zullen jullie straks een maaltijd brengen. Merriemelk en gedroogde vis. Probeer niet te ontsnappen. Buiten het dorp patrouilleren tamme veelvraten. Ze kennen onze geur en alles wat anders ruikt, is ontbijt.'

De sjamaan knoopt de tentflap dicht en de veters lichten glimwormgroen op in de schemer. Een bezwering. Waarschijnlijk krijst de veter bij de eerste aanraking of verandert hij in een giftige zeeslang.

'Wat zijn veelvraten, Cirnja?' vraagt Marek. 'Het klinkt een beetje lui en vadsig. Niet meteen gevaarlijk.'

'Nogal rottige beesten. Stel je wezels voor zo groot als een bergleeuw. Erger dan een hondsdolle wolf. Ze vallen zonder aarzelen een bruine beer aan.'

'Of een neushoorn,' zegt Senni, 'en het is nog erger als ze dood zijn. Toen Olga het Ei van de Noordenwind moest stelen, stuurde de grijsaard-die-giechelt zes dode veelvraten achter haar aan.'

'Hoe liep het af?'

'Niet,' verklaart Senni. 'Dat was een van de verhalen waarin Olga verloor. Ze beten haar hartstikke dood en kraakten haar schedel.'

'Dood?' Marek knikt. 'Ik snap het. Dat soort verhalen hebben ze bij ons ook. Toen moest Björn natuurlijk naar het dodenrijk afdalen om haar ziel terug te halen. Zodat zijn oeluk weer levend werd.'

'Welnee!' Senni klinkt beledigd. 'Olga is een mens, een oeluk, niet zo'n stomme godin. Dood is dood en dat blijf je ook. Die veelvraten, ze leefden niet echt. De oude man had er gewoon boze geesten ingestopt om ze te laten bewegen.'

'Wij mensen kregen de beste deal,' zegt Cirnja. 'Wat heb je aan een wedstrijd die je eindeloos over mag doen? Daar is toch niks spannends meer aan?'

Met dertig man in een tent opeengepakt zitten, is niet bijster comfortabel, vooral niet met walmende levertraanlampjes en een vloer van met urine gelooide rendierhuiden. Al snel hapt Marek naar adem. Het zweet loopt hem over de rug. De gedroogde makreel smaakt naar bittere schoenzool en is minstens even taai. Hij denkt niet dat hij ooit dorstig genoeg zal worden om een tweede slok van de merriemelk te nemen.

'Hoe pakken we het nu verder aan?' vraagt de laadmeester. Hughart is een lange man met een fiere windroos op zijn voorhoofd getatoeëerd en een barnstenen vishaak in elk oorlel. 'Bidden we? Of we kunnen een lijst maken van onze heldhaftigste daden en rottigste streken? Als Armir de Weger straks... Ik bedoel, dat bespaart hem toch een hoop werk?'

'We zijn nog niet dood, Hughart,' zegt Geddit.

'Lijsten zijn voor krentenwegers,' knikt Herde de smid. 'Het gaat om fatsoenlijk sterven. Met in elke hand een gewurgde vijand.'

5

Marek moet geslapen hebben omdat een smak ijskoud ochtendlicht hem wekt. Als hij kreunend overeind komt, hoort hij zijn nekwervels knakken.

'Ik heb op gele paddenstoelen gekauwd en de ingewanden van een sneeuwvos gelezen,' zegt de sjamaan uit de tentopening. 'De god wil jullie inderdaad spreken. Jullie allemaal.'

'Is dat niet een beetje verspillend?' zegt Geddit. 'Dertig man in één keer?' Hij komt overeind. 'Hoe heet je eigenlijk?'

'Denk je dat ik simpel ben? Dat ik jullie krijsende geesten zo in mijn bed laat kruipen?' Hij snuift. 'Mijn naam, hah.'

'Wij hebben ook goden!' roept de kokkin. 'Onze eigen en ze zullen gruwelijk wraak nemen. Saffraan met de bodemloze kookpot en...'

'Dat is Oegodai Atars zaak. Ik dien hem slechts.'

Wij hebben ook goden. Het was pure bluf van de kokkin natuurlijk, denkt Marek, maar voor mij geldt het wel degelijk. Als ik haar roep, als ik Julia roep, zal ze dan komen? Dit is zo afgrijselijk ver van Veneto Secundo, een halve wereld, en op heel dit continent zal niemand haar lied zingen. Hoewel, we zijn hier met dertig man en ik heb ze vaak genoeg horen zingen. Van die heerlijk rollende bassen. Het Urker mannenkoor zou groen van jaloezie worden.

'Toen bij de doge?' zegt Marek als ze door de dorpsstraat lopen. 'Kennen jullie Julia's lied nog?'

'Een matroos hoeft een drinklied maar één keer te horen,' verklaart de smid. 'Vooral als het over zo'n bijzondere dame gaat.' De rest mompelt instemmend.

'Vrij riskant,' zegt de laadmeester. 'Die Julia. Ze was een...'

'Een monster, ja,' zegt Geddit. 'Een furie met brandende ogen en zilveren klauwen. Met minder maken we geen schijn van kans.'

De sjamaan hurkt tussen de kromme slagtanden van een mammoetschedel en wrikt drie trommels met hun bodem in de half bevroren modder. De kleinste

trommel is niet groter dan een theekopje en de grootste komt tot zijn kin. Drie leerlingen voegen zich bij hem en brengen fluiten van walrusivoor aan hun lippen. Het resultaat is afgrijselijk en als een jammerend vrouwenkoor invalt, wordt een nieuw dieptepunt bereikt.

Marek houdt het meest van heavy metal en de betere Gothicbands. Wereldmuziek is voor alto's. *Stel je voor dat dit het laatste is dat ik hoor.*

De trommel stopt abrupt en het vrouwenkoor zakt af tot een irritant gezoem.

'De god heeft ons gehoord.'

Achter de horizon rommelt de donder als een verlate echo van de drums. Marek koestert geen enkele hoop dat het toeval is. Oegodai Atar, de Heer van de toendra's schrijdt nu op zijn bliksemstelten door de hemel.

'Sjamaan zonder naam,' zegt Marek. 'Bij ons volk is het de gewoonte dat wij een doodslied zingen voor het sterven.'

'Een heilige traditie?' zegt de sjamaan verheugd. 'Er is niks mis met tradities.' Hij wrijft nog net niet in zijn handen.

'Het is jouw lied,' zegt Geddit. 'Jij begint, Marek.'

'Ciao, bella, ciao.' De eerste regel trilt nog maar dan vallen de anderen in en de woorden rollen over de vlakte, galmen over de zee.

'Schone Julia
met de zilveren kammen in je haar.
Julia met de bloedkoralen maskers
Kijk mijn kant uit,
geef me je glimlach,
maar helaas,
jij hebt alleen maar oog
voor je knappe Romeo.'

Niets. Geen enkele reactie. Het gerommel zwelt aan. Er zitten nog maar drie tellen tussen de flits en de donderslag.

'Nog een keer,' zegt Marek. 'Ciao, bella, ciao! Schone Julia…'

'Met de zilveren kammen in je haar,' valt de sjamaan in en zijn basstem klimt omhoog en wordt onwaarschijnlijk melodieus, een getrainde alt. Hij heft zijn handen en in zijn ogen is ontzetting te lezen, een gruwelijk begrip.

'Geef me je glimlach.'

De huid pelt weg van zijn vingers en twee slanke vrouwenhanden worden zichtbaar, met zilveren nagels.

'Maar helaas…'

De nagels krassen over het gezicht, scherp als scheermessen, en splijten de huid, rukken hele lappen vel weg. Julia stapt uit het verkruimelende lichaam zo-

als een slang zijn oude huid afstroopt. Ze schudt haar wilde lokken los en kijkt Marek aan. 'Mijn verteller,' kirt ze.

In Mareks hoofd beginnen alle alarmbellen te rinkelen. Hij heeft die speciale blik eerder in de ogen van vriendinnen gezien. Het is bezitterigheid, instant jaloezie jegens elke andere vrouw die ook maar in Mareks buurt komt. Het was voor hem altijd een signaal geweest om acuut te stoppen, de relatie af te breken. Alleen is Julia geen vriendin, geen hysterische trut die hoogstens je iPod door de kamer slingert. Dit is een godin en ze is knettergek. *O heilige goden, ze kijkt naar Cirnja.*

'Dus dit is je vriendin. Mooi meisje.'

'Cirnja is zijn vriendin niet. Helemaal niet.' Senni staat ineens recht voor de godin. 'Cirnja is alleen zijn oeluk, mevrouw. Oeluks zoenen niet. Nooit. Het is alleen...' Ze wappert met haar handen. 'Alleen...'

'Platonisch,' zegt Geddit vlug. 'Oeluks verslaan trollen, godin, en ze zoeken schatten. Dat soort zaken. Cirnja is Mareks muze.'

'Ah,' zegt Julia, 'de zoete pijn van de chevalier. De hoofse ridder schrijft haar gedichten, bindt haar zijden sjaal aan zijn lans.'

'Ja, dat is het,' zegt Marek. 'Mijn muze.'

'Ik kwam.'

Het is een stem die van horizon tot horizon kaatst. Bijna te laag om te verstaan, een aardbevingsstem, alsof de rotsen en het land zelf spreken.

'Om te nemen wat de trommels mij beloofden.'

Oegodai Atar is een zwaaiende toren van rottende karkassen, met een rendierschedel als kop, scharnierende armen die in zwaarden van ivoor uitlopen. Bij elke beweging stijgt een wolk aasvliegen van zijn rottende vlees op.

Julia vouwt haar armen voor haar borst en ze lijkt zich te verdichten. Ze is zo intens levend, zo absoluut aanwezig dat de mensen bij de toren niet meer dan vale spoken lijken.

'Deze schepelingen zongen mijn lied, Oegodai Atar. Ze behoren mij toe.'

'Ik kwam. Mijn honger is groot.'

Julia wappert met haar hand naar de dorpelingen.

'Neem hen. Ik hoef ze niet. Er klinkt geen lied in hun bloed, enkel het bonzen van met kariboehuid bespannen trommels.'

Niemand gilt, niemand jammert: Oegodai Atar slaat te snel toe. Een spiraal van geluidloos vuur en het weiland om de toren is leeg.

'Zeil naar jullie verre land,' zegt Julia. 'Zing mijn lied in alle havens.' Ze werpt Marek een kushandje toe en stapt weg in de richting waarin mensen alleen hun duimen kunnen draaien.

'Hijs de zeilen!' beveelt Geddit zodra ze op het dek staan. 'Weg uit dit ellendige oord, voor er weer een god komt aansluipen.'

'Papa,' zegt Senni. 'Ik heb overal gekeken. Iedereen geteld. Waar is Herde? Waar is de kokkin? En de twee neven? Waar zijn Drik en Gareth?'

'Goden zijn hongerig.' Hij trekt haar naar zich toe. 'Als je de wolf roept om je tegen de leeuw te beschermen…'

'Ze verslond ze. Ze vrat ze op.' Ze maakt zich los, wrijft nijdig in haar ogen. 'Ik snap het heus wel.'

'Senni…'

'Ik zei toch dat ik het begreep!'

Op de stuurman en de uitkijk na is Marek de laatste op het dek. Sedna's Hand boven Ultima Thule lijkt kleiner maar waarschijnlijk is dat niet meer dan *wishful thinking*. Een beweging in zijn ooghoek en Cirnja staat naast hem.

'Je huilt,' zegt ze.

Marek veegt over zijn wang. Zijn vingers komen nat terug. 'Acht man. Ze nam acht van ons en ik riep haar.'

'Zonder Julia had niemand van ons het overleefd.' Ze trekt aan zijn arm. 'Kom terug naar de kajuit.' Cirnja zucht. 'Deze reis, hij duurt al veel te lang. Ik wou dat ik thuis was. Zo moe.'

'Ik ook.'

'Daar zijn jullie,' zegt Senni als ze de deur van de kajuit voorzichtig openen. 'Nu kan ik slapen.'

6

Als Marek ontwaakt is de kajuit leeg. De bemanning zit in een kring om Senni heen.

'En de sjamaan pakte zijn trommel en gaf er zo'n woeste roffel op dat iedereen zijn vingers in zijn oren duwde en het bloed uit hun neus liep. "Denk maar niet dat je kan ontsnappen. Om het dorp sluipen zesendertig dode veelvraten en bovendien ligt er een moeras met drijfzand tussen het dorp en jullie…"'

Ja, denkt Marek, dat is de juiste manier. De enige manier. Maak er een verhaal van. In een verhaal zijn zelfs de slachtoffers helden en elke keer dat je het vertelt leven ze weer even.

Hij steekt het dek over en gaat in de kring zitten.

7

Huy Jorsaleem, Prester Johnsland

'Ze had hier al lang moeten zijn,' zegt Darwen.

'Heb je de kauri's geteld?' zegt zijn vader.

'Ja, twee intussen. Het worden er niet minder.'

'Ik kan zo een heel stel goede redenen bedenken,' zegt zijn vader. 'Tegenwind of helemaal geen wind. Een gladgestreken vouw. Dat kan gebeuren, weet je, en het kan je maanden extra reistijd kosten.'

'Die fles, vader. In het bericht vertelden ze dat ze door de Muil zouden springen. Niet dat het ze gelukt was.'

Heer Yul schudt zijn hoofd. 'Het is ze gelukt. Sindsdien is er toch een nieuwe kauri verdampt? En haar portret, je zou het beslist weten als ze dood was.' Oude pijn strijkt als een wolkenschaduw over zijn gezicht. 'Toen je moeder stierf, sprongen er barsten in haar minnebeeld. Alle kleur verdween uit haar portret.'

'Ik ben gewoon ongeduldig. Ik weet het.'

'Tja, mannen zijn nu eenmaal niet erg goed in wachten.' Hij knijpt in Darwens schouder. 'Dat zul je toch een beetje moeten leren met een oeluk als echtgenote. Vaak is haar man de laatste die over haar avonturen hoort.'

De Novaya Sont rimpelt in de ochtendbries en overal glanzen vlinderzeilen, wapperen de anker-en-zeesterbanieren van de Hanze. Darwen draait zich om. De kathedraal zwiept de hemel in, langer dan de hoogste bergpieken.

Straks, als Cirnja en ik de bloemblaadjes hebben laten dwarrelen, zal de patriarch ons huwelijk persoonlijk inzegenen. In zijn fantasie staat Darwen al op het Balkon van de Zinkende Zon, tien mijl boven de stad, Cirnja's hand in de zijne.

'Zult u terugkeren in zijn armen?' vraagt de patriarch. 'Hoe ver u ook reist? Hoeveel vreemde lippen u ook kust?'

'Ja,' zegt Cirnja, mijn Cirnja. 'Dat beloof ik.'

'En u, Darwen, zult u…'

'Veeg die vage blik uit je ogen,' onderbreekt heer Yul zijn dagdroom. 'Pak een pen en schrijf haar een brief. Flessen kunnen beide kanten uit dobberen.'

'Staat dat niet stom?'

'Doe het, idioot. Als je voor Armir de Weger staat, tellen ongedane daden zwaarder dan de ergste zonde.'

'Stop, stop! Ik doop mijn pen al in de inkt.'

'Zorg dat het een beetje behoorlijk scandeert. Vrouwen waarderen dat soort zaken.'

8

'Ik heb mijn vissen in het diepe gemikt.' Senni buigt zich over de reling. 'Zie je?'
'Yep,' zegt marek. 'Nergens meer een haaienvin te bekennen.'
'Wel vier bol gevreten waakvissen.' Ze lacht. 'Voor waakvissen is de hele oce-
aan één kom haaienvinnensoep.'
'Het voelt een stuk rustiger zo,' knikt de laadmeester. 'Geen zeemonsters meer
die brutale happen uit ons roer nemen. We hebben nog maar één reserveroer
over en het is van juweelhout. Tachtig thalers per…'
'Ik hoef niet te weten hoe duur,' zegt Senni. 'Ik had nooit meer dan een zes
voor rekenen.' Ze buigt zich naar voren. 'Daar! Zien jullie niks, blinde dodo's?
Een berichtenfles.'
'Ik haal een net.' De laadmeester snelt naar de dichtstbijzijnde voorraadkist.

De fles is van een diep, duur uitziend rood en waarschijnlijk is het uit een robijn
geslepen. Geddit wrijft over de ingekerfde zegels. 'Ons eigen teken en dat van de
Metzengersteins.' Hij wrikt de kurk los met zijn pennenmes en schudt de twee
stijf opgevouwen schriftrollen uit de hals.
'Voor jou, vermoed ik,' zegt hij en hij geeft de dikste schriftrol van Cirnja door.
'Lees voor!' roept Senni. 'Ik wed dat het van hem is.'
'Niet hier. In de hut.' Ze kijkt Marek aan. 'Sorry. Dit zijn vrouwenzaken.'
Senni trekt ongeduldig aan haar hand. 'Zusjeszaken, Marek. Daar horen geen
mannenoren bij. Zoals de wijze vrouw van het doornbos zei toen ze de deur in
Björns gezicht dichtkwakte.'
'Jullie willen samen giechelen? Mij best.'

Een half uur later kijkt Marek steels om zich heen. Hij voelt zich even opvallend
als een rinkelend mobieltje tijdens een kerkdienst. Cirnja zit ijverig op de voorplecht te schrijven. Ze knaagt op het uiteinde van haar pen, verkreukelt vel na
vel. Senni en Geddit zijn de waakvissen aan het trainen en laten hen door hoepels van koperen scheermesdraad springen en ankerkettingen doorbijten. Die
zijn nog wel een tijdje bezig.

Hij glipt de lege cabine in. Aan boord van de Gouden Amarant bestaat geen werkelijke privacy: sloten ontbreken en je persoonlijke eigendommen bewaar je in een fuik aan een plafondhaak.

Cirnja's brief ligt open en bloot op de lessenaar waar Geddit zijn logboeken bijhoudt.

'Cirnja caramia,' begint de brief, 'mi kontai tagtag ti absentai.' Met zijn nieuwe oortje kan Marek de tekst moeiteloos ontcijferen. 'Mijn lieve Cirnja, ik tel de dagen af dat je weg bent.'

'Nikta sin ti gleich milli niktanikta.' Zonder jou lijkt elke nacht duizend nachten te duren.

'Wenne mimi nuptai.' Nuptai is 'trouwen' en dat is de enige betekenis van dat woord. Als we trouwen.

Marek legt de brief neer, rolt hem op. Dit is verkeerd, verkeerd en oliedom om de brieven van je oeluk te lezen. Geniepig ook.

De brief moet van die Darwen zijn. De jongen die verliefd op Cirnja is. Nee, niet verliefd. Maak jezelf niets wijs. De man met wie ze blijkbaar gaat trouwen, dat heeft hij intussen ook wel begrepen. Een gearrangeerd huwelijk om twee machtige handelshuizen te verbinden, en Cirnja vindt dat allemaal prima. Beter dan prima, ze zit hem met rode oren terug te schrijven.

Marek staat met gebalde vuisten in de hut. *En ik dan?* Het onverdraaglijkste is dat Cirnja niet eens zou begrijpen waarover hij het heeft. Ik ben je oeluk toch? zou ze zeggen. Kussen kun je met iedereen. Zelfs met je oeluk, als je die toch bij de hand hebt.

9

Als Marek de volgende ochtend opstaat, zitten Geddit en zijn dochters al over de Atlas gebogen. Hij ligt open op de overzichtskaart van Prester Johnsland. Het valt Marek op hoe veel realistischer de kaart de afgelopen dagen oogt. Bij de nadering van het continent zijn alle kleuren helderder geworden en je ziet nu zelfs wolkenvelden liggen die hun piepkleine schaduwen op het land werpen. Beter dan Google Earth, gaat het door hem heen. Dit is live.

'Nog hoogstens twee weken,' zegt Geddit. 'De patriarch heeft liever niet dat we de haven pardoes binnenspringen door een vouw. Het zou ook een beetje dom zijn. Waarschijnlijk vuurt de havenwacht een dozijn torpedo's op ons af zodra we opduiken.'

'Torpedo's? Ik dacht dat tech…'

'Binnen de stadsmuren werkt magie niet al te best en geïmporteerde tech blijft juist maanden vers. De patriarch schijnt zelf een kernbom of drie te bezitten.'

De provincies van Prester Johnsland zijn Marek intussen bijna even vertrouwd als de kaart van Europa, hoewel hij er nooit een voet aan land heeft gezet. De hoofdstad Huy Jorsaleem ligt in een reusachtige groene vlakte, geflankeerd door bergketens. Ver naar het noorden, voorbij het akkerland en de eindeloze bossen, begint een savanne die geleidelijk in een woestijn overgaat.

'Waar dient dat cirkelkanaal in het noorden eigenlijk voor?' vraagt Marek. 'Het moet langer dan de complete Chinese Muur zijn!'

'Langer beslist,' zegt Geddit, 'zo'n dertig keer, en het kostte ons anderhalve eeuw om het te graven. Kijk, toen onze voorouders voor het eerst aan land gingen, stormden prompt duizend gierende wervelwinden aan. Ze scheurden de zeilen van de masten en smeten onze schepen op de riffen. Slechts één schip overleefde het en zeilde lekkend en waggelend naar Hannover terug.'

'Waren het de djinns? De drooglanders?'

'Krek zo. Heel Prester Johnsland was in het begin van hen. Net als vroeger alle woestijnen van de Oudlanden. Zij hadden magie en wij kruisbogen en zwaar-

den. Verdraaid moeilijk om de wind te laten bloeden. Bovendien lachten ze om de crucifixen van de scheepspriesters en betekende het Onzevader niets voor ze. Dat soort magie heeft een tijd nodig om op te starten.'

Senni steekt haar hand op. 'Mag ik het vertellen?' Ze wacht niet op toestemming en begint met schitterende ogen te vertellen. 'De kapitein van het laatste schip heette Jord Halvorsson en op een dag klopte er een vreemdeling bij hem aan. Hij was bruin als gelakt eikenhout en hij droeg geen fatsoenlijke muts. Hij had alleen een zijden doek om zijn hoofd gebonden die vast was gezet met een smaragden broche. Zijn baard liep in twee punten uit en was groen geverfd.

"Mijn naam is Haroen ben Moshe," zei hij, "en Moshe is de profeet die jullie Mozes noemen. Je ziet dat ik dus van jullie geloof ben hoewel ik van verre kom. Ik werd in de hete landen geboren waar de djinns in alle waterputten hurken en meerijden op de zandstormen. Uit het verre Arabia. Ik hoorde dat jullie problemen met woestijngeesten hadden?"

"Er waren wervelwinden die joelden en giechelden terwijl ze de armen van ons lijf plukten," gaf Jord toe. "Erger dan de Wilde Jacht. Voor hen waren we niet meer dan spinnen en insecten die je de poten uittrekt of onder je hiel plet."

"Djinns," knikte Haroen. "Ik kan je vertellen hoe je ze kunt verslaan. Voor tienduizend thalers, in goud en barnsteen. Geloof me, dat is een spotprijs voor een compleet nieuw land."

Nu was tienduizend thalers het inkomen van een landvorst en het is makkelijker een oog uit te rukken van een koopman dan een enkele stuiver uit zijn dichtgeknoopte buidel te kletsen. Ik kan dat weten.

De Hanze Bond aarzelde lang en ten slotte stemden ze met de prijs in. Halvorssons schepelingen hadden de kusten van Prester Johnsland gezien, met duizendjarige ceders die nooit de beet van een bijl gekend hadden. Langs de vloedlijn glom barnsteen. En het was niet bij kijken gebleven: zij hadden ruimen volgeladen met stammen en tonnen vol barnsteen en geurige amber. Voor zulke zaken was geen prijs te hoog.

Haroen liet hen maliënkolders van geel koper smeden. De kruisbogen van de Hanze kregen nu holle koperen pijlen die ze met het puurste bronwater vulden.

De volgende veldslag verliep wel even anders. Elk schot liet een djinn uit de hemel tuimelen. Onder Haroen ben Moshes leiding verzamelden we de hartstenen en sloegen ze in gruzelementen op koperen aambeelden. De djinns vluchtten en in de volgende eeuwen dreven we hen steeds verder het noorden in. Ten slotte groef de patriarch een kanaal om hun hele hartland en leidde rivieren om zodat het kanaal nooit meer droog kon vallen. Zelfs in de droogste zomers blijft de Stromendblauwe Cirkel intact. Huy Jorsaleem…' Senni kijkt even omhoog en knijpt in haar neus tot ze zich de juiste woorden herinnert. 'Huy Jorsaleem liet de patriarch in zijn wijsheid beschermen door een muur van geel koper, een muur

van een volle zeemijl hoog. Elke vervloeking van de djinns dooft tegen die muren en binnen de stad is magie onmogelijk. Zelfs de beste spreuk verschrompelt tot loze rijmwoorden.' Ze knikt. 'Dat was het.'

'Behalve voor ons,' zegt Cirnja. 'Voor ons werkt magie wel. De rijkste kooplieden en aristocraten bouwen hun villa's op de top van torens die ver boven de muren uitsteken. En dan is er nog de Halvorssonkathedraal waar de engelen op de torenspitsen dansen en de priesters met God praten.'

Die nacht tuurt Marek naar de nachthemel en probeert de duisterwoorden tussen de stralende sterren te ontcijferen. Duizenden boodschappen schetsen zich in het zwart en verdwijnen als hij met zijn ogen knippert. Flarden Frans en Engels doemen op, woorden in talen die zelfs priesters en geleerden vergeten zijn. 'Go to dieser Randmer. Sahilib ardem.'

Zo veel antwoorden en ik weet de vraag niet eens. Hij spert zijn ogen zo wijd mogelijk open om elk slingertje duisternis op te vangen en fluistert: 'Hoe moet ik het verder aanpakken met Cirnja? Ik ben zo jaloers dat ik haar bijna haat.'

De duisternis kronkelt, stolt halverwege de Schorpioen tot een zin. 'Vraag het de wolk die ons volgt.' Lager gaat de zin door met dezelfde slingerende letters die vagelijk Arabisch aandoen. 'Als je haar passie zoekt.' Die laatste woorden zijn een stuk minder leesbaar, even verwrongen als de codes die je op een computer moet natypen om te bewijzen dat je geen webbot bent. 'Vraag het de wolk die ons volgt als je haar passie zoekt?'

'Lees jij die waarschuwing ook?' De laadmeester is naast hem komen staan en Marek was zo geconcentreerd dat hij zijn voetstappen niet eens gehoord heeft. 'Over de wolk die ons volgt?' Hughart wappert naar hetzelfde stuk hemel en Marek ziet dat de boodschap veranderd is. Of misschien heeft hij hem vanaf het begin af aan al verkeerd gelezen.

Deze letters zijn heel wat duidelijker, urgenter. In een tekst zouden ze vet gedrukt zijn en onderstreept. De zin begint met 'vrees' en niet met 'vraag'. 'Vrees de wolk die ons volgt want zijn giften zijn als een boeket van ijzeren doorns.'

'Ik zie het ook,' zegt Marek. 'IJzeren doorns? Enig idee waar dat op slaat?'

'Olga's stiefmoeder stuurde haar een bruidsboeket met schitterende rozen,' legt Hughart uit. 'Alleen hadden ze ijzeren doorns en elke doorn was met spinnengif bestreken.'

'Ah, zo'n soort geschenk. In de Oudlanden doen stiefmoeders het met zilveren haarkammen en appels.'

'Wolk, wolk.' De laadmeester krabt door zijn baard. 'De hemel was de laatste dagen strakblauw. Geen wolkje te bekennen.'

'Moeten we de kapitein niet waarschuwen?' vraagt Marek.

Hughart schudt zijn hoofd. 'Nee, zo werkt het niet. Zo werkt het nooit. Als de

waarschuwing voor hem bedoeld was, had Geddit dit zelf gelezen. Bovendien, de hemel staat vol onbegrijpelijke waarschuwingen en goedbedoelde raad. We moeten het zelf uitvinden. Zodra we weten waar we het over hebben, tja, dan pas kunnen we Geddit aanspreken.'

In de cabine brandt nog licht. Cirnja kijkt van de lessenaar op als hij binnen-komt. Ze heeft een aangepunte feniksveer in haar hand.

'Ik heb mijn nieuwe brief aan Darwen af. Kun jij hem misschien ook even doorlezen? Ik bedoel, jij bent ook een man en misschien schrijf ik stomme din-gen. Van dat gedoe waar een jongen bij in slaap valt.'

Een berenklem lijkt over Mareks ingewanden dicht te klappen. Je vriendin die je vraagt haar liefdesbrieven aan een ander door te lezen. Omdat ze je helemaal vertrouwt en je commentaar op prijs stelt. Marek zou nog liever door een meer van gesmolten lood waden.

'Nee, dat moet je niet doen. Mannen zijn raar in dat opzicht, Cirnja. Ze heb-ben liever niet dat een andere man zulke brieven leest.'

'Ik heb hem anders wel aan Senni laten lezen. Ze kokhalsde, dus ik weet dat het in ieder geval een redelijk goede liefdesbrief is.'

'Ga maar op Senni af. Je brief is vast prima.'

'Goed.' Ze rolt de brief op en schuift hem in een nieuwe berichtenfles, ramt een kurk in de hals. 'Kom je mee? Ik mik hem meteen over de achterplecht.' Ze haakt haar arm in de zijne en trekt hem het dek op.

De fles tolt drie keer om zijn as en schiet dan naar het oosten in een schuimend kielzog.

'Lees jij de duisterwoorden wel eens?' vraagt Marek. Hij heeft meteen spijt van zijn opmerking. Stel je door dat Cirnja de eerste boodschap leest? 'Mwah, duis-terwoorden zijn alleen handig als je problemen hebt.' Ze slaat haar arm om zijn middel en legt haar hoofd tegen zijn schouder. 'Waarom zou ik de hemel om raad vragen? Ik heb geen enkel probleem. Ik zou hier niets aan willen verande-ren. Jij en de nacht. Mijn fles die pijlsnel naar Darwen drijft.'

Als ze maar gelukkig is, denkt Marek, maar hij weet dat het onzin is, zo'n lijpe Delfts blauwe tegeltjeswijsheid. Het is juist onverdraaglijk dat Cirnja te gelukkig is om duisterwoorden te willen lezen.

Halverwege de ochtend, als Marek zijn hangmat op de voorplecht uitrolt, spreekt de laadmeester hem weer aan.

'Over dat bericht gisteren? Ik lag de halve nacht wakker en ik snap het nog steeds niet, Marek. Moet je de hemel zien: blauw, blauw en nergens een wolk die ons achtervolgt.'

'Achtervolgen, Hughart,' zegt Marek. 'Je staat met je kijker op de voorplecht. Achtervolgers zwemmen niet voor je uit.'

'Er klikken steurgarnalen in mijn hoofd! Je hebt groot gelijk.'

Achter het schip drijft een wolkje. Het is zo ver en klein dat je het pas bij een vergroting van dertig keer ziet. Bovendien staat het laag aan de horizon: de golven onttrekken het bij elke deining aan het zicht. Het had een albatros kunnen zijn. Alleen blijven meeuwen nooit zo onbeweeglijk in de lucht hangen.

'Het kan natuurlijk toeval wezen,' zegt de laadmeester. 'Ik bedoel, misschien is het gewoon een wolkje en het is zo klein. Je kunt het niet eens met je blote oog zien.'

'Dat geloof je zelf niet,' zegt Marek.

'Nee. Het is te toevallig voor toeval. We gaan naar de kapitein.'

Geddit laat zijn telescoop zakken. 'Een wolkje. Ik kan er verder ook niks van maken.' Hij bladert in *Magie voor Dummies*. 'Wervelwinden en bezielde poolorkanen. De tentakels van de mistgod. Niets over een dotje watten dat stug achter je aan blijft zweven.'

'Ik zal de waakvissen waarschuwen,' zegt Senni. 'Ik voer ze gedroogde pepers en moeraalogen.'

'Wind weer koperdraad om de reling,' stelt Cirnja voor. 'Als het iets magisch is kan het onmogelijk aan boord klauteren. Dat hielp de vorige reis ook, toen we zo'n last van de meerlingen hadden.'

'Wolken, snuffelende wolken.' Geddit klakt met zijn tong. 'Ik haal mijn sextant. Demonen herkennen hun eigen soort.'

Het oog van de sextant opent zich. 'Ah. Ah.'

'Wat zie je?'

'Magie, heer grootkapitein. Zulke kwade magie!'

'Verklaar je nader.'

'Och, grootkapitein, ik ben maar een eenvoudig instrument. Ik kan je alles over de sterren en je koers vertellen. Wat weet ik over hoge magie? Over haat hard en schurend als zwart diamantgruis?'

'Je bent echt volkomen nutteloos.'

'Slinger me dan in de golven, grote kapitein. Vertrap me onder je stevige hakken. Hij haat jullie, elke kloppende ader en vingerkootje, en de wolk zal het nooit opgeven.'

Geddit duwt de sextant in de walrusleren hoes terug. 'We weten in ieder geval dat het een vijand is.'

'Ik zou er maar niet op vertrouwen,' zegt Senni. 'Demonen liegen. Dat is hun grootste hobby.'

'Deze keer niet,' zegt Geddit. 'Leedvermaak kun je niet veinzen.'

Laat in de middag zweeft het witte stipje nog steeds achter hen aan, een halve vingernagel boven de horizon.

Zodra het laatste licht achter de horizon zakt, zoeken ze de opgloeiende sterren af. De schemering raakt met steeds meer sterren bespikkeld, tot de letters als zwarte barsten zichtbaar worden.

'Jullie stellen de vragen en ik lees de antwoorden, goed?' zegt Cirnja. 'Ik ben het beste in duisterwoorden.'

'Is het die dondergod van Ultima Thule?' vraagt Senni. 'Hij liep op wervelwinden en was zelf een orkaan.'

Cirnja wijst. 'Daar, in je eigen sterrenbeeld, een hand met de duim omlaag.'

'Niet dus.'

'Julia dan?' vraagt Marek.

'Ik zoek. Nee, ook niet. Een X. Geddit?'

'Wat kunnen we tegen hem doen?' vraagt haar vader aan de hemel. 'Hoe kunnen we ons verdedigen?'

'Drie Cibbolaanse hiëroglyfen in de Vliegende Slang,' zegt Cirnja. 'Oren. Klei. Een neersuizende hamer. Beweging. Stop je oren vol klei? Luister niet naar hem. Luister niet naar de wolk.'

'Wie is hij?' vraagt Marek.

'Nooit meer dan drie vragen stellen,' zegt Cirnja. 'Sorry. De antwoorden verzuren na de derde. Ze brengen enkel ellende en verwarring.'

Woorden kruipen door de hemel en ondanks Cirnja's waarschuwing leest Marek ze. 'De vijand van jouw vijand is je bondgenoot.' Hij weet dat de woorden van dat oude spreekwoord anders luidden. De vijand van mijn vijand is je vriend. Een bondgenoot is iets volkomen anders dan een vriend.

Boek 5

De spiegels van het Kalifaat

Kaart Kalifaat van de Derde Haroen

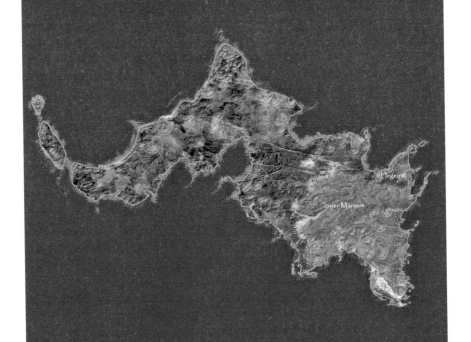

1

Hegeira, het Kalifaat, Gran Terre

Op een plaats zo ver naar het zuiden dat de tijd traag als stroop wegdruipt en de zon in de hemel vastgespijkerd lijkt, leunt de onsterfelijke kalief achterover in de kussens van zijn pauwentroon. Dit is de geheime binnentuin, de *hortus clausus*, waarin de kalief nooit een minister zal toelaten. Zelfs de oppermullah van de Rechtvaardigen, de gevreesde religieuze politie, is nooit over de drempel gestapt. Drie deuren sluiten de zaal hermetisch af. De eerste deur is geslepen uit de hoektand van een leviathan en harder dan diamant. De tweede werd uit geel koper gegoten en geen spooksel of djinn zal hem ooit kunnen passeren. De laatste is een vuistdik laminaat van Oudlands titanium en supergeleidende keramiek: voor het hoogstonwaarschijnlijke geval dat iemand een oorlogslaser naar binnen zou smokkelen.

Spiegels omgeven de troon in een halve cirkel: een dozijn geladen spiegels en dat is eigenlijk nogal vreemd. Reisspiegels komen immers enkel uit Prester Johnsland waar de patriarch van Huy Jorsaleem regeert. De patriarch is de enige die een wilde spiegel kan temmen. De oorlog tussen het Kalifaat en Prester Johnsland is intussen al bijna duizend jaar oud en nog steeds even fanatiek. Het is ondenkbaar dat de patriarch ooit een spiegel aan zijn doodsvijand zou verkopen.

Vooral die ene spiegel niet die nu een andere troon toont. Een troon onder een manshoog, omgekeerd kruis. De zetel van de patriarch is leeg, maar op de achtergrond kun je ministers zien drentelen. Een oberadmiraal struint naar binnen, rolt een landkaart uit op een zilveren tafel. Een zeekardinaal snelt toe, dan een dozijn anderen.

'Een crisis,' mompelt de kalief. '*Problèmes, toujours des problèmes.*' Hij knipt met zijn vingers en de spiegel zoomt gehoorzaam in op de landkaart. Rode stippen geven de positie van de patriarchale vlaggenschepen aan, gele en blauwe slingers de windrichting en zeestromen. Twee van de stippen verdwijnen abrupt en duiken zeshonderd mijl naar het oosten weer op.

Hanzemensen, denkt de kalief. De admiraal moet ze gouden zeilen beloofd

hebben en een meerplaats in de hemelse haven. Gewoonlijk houden vouwers zich ver van de oorlogsvloot. Lastig, verdraaid lastig. Hopelijk wijst de patriarch die admiraal terecht. Geef de Hanze één vinger en ineens mis je niet alleen beide handen maar ook je armen en benen. Hij knikt. *Ik weet eigenlijk wel zeker dat de patriarch daar net zo over denkt.*

Hij staat op, strijkt door de krullen van zijn gevorkte baard en steekt dan naar de grootste spiegel over.

'Kom op,' mompelt hij, maar het beeld blijft hinderlijk vaag, alsof je door niet meer dan een scherf kijkt en de afbeelding over de hele spiegel uitgesmeerd wordt.

De spiegel toont de zee, het dek van een Hanzeschip, bollende vlinderzeilen en dat is verkeerd, gruwelijk verkeerd. De spiegel had de gortdroge duinen van de Loerende Zandbanken moeten tonen, het rijk van zijn belangrijkste bondgenoot.

'Emir,' zegt de kalief. 'Hoe kon je zo stom zijn? Het zijn verdorie kinderen.'

'Geen kinderen,' zegt het afgehakte hoofd op de zwevende schaal. 'Oeluks, Haroen ben Moshe. De incarnaties van Björn Bloedzwaard en Olga Slangensteen. Ze zijn van ons. Onze saga.'

'Dat is vikingpraat. Zelfs in jullie eigen verhalen kunnen ze sterven. Trollen zogen het merg uit hun botten, toch? Dwergenkoningen dronken mede uit hun schedels.'

'Ze komen altijd weer terug,' zegt het afhakte hoofd van mercant Halvorsson. 'Elke generatie maakt haar eigen oeluks.'

Het is een oud twistgesprek, een dat ze al honderden, duizenden malen gevoerd hebben. Het Kalifaat heeft zijn onverschrokken mujahedeen, zijn glimlachende zelfmoordenaars, Prester Johnsland vertrouwt op zijn legendarische oeluks.

'Ik heb gisternacht de hemel gelezen,' vervolgt het hoofd van de man die eens Haroens beste vriend en uiteindelijk zijn rivaal werd. 'De duisterwoorden vertelden over een gebroken spiegel en het leger van de djinns dat tot zand verstoof.' Halvorsson grijnst zijn gebroken tanden bloot. 'Je bent de helft van je magie kwijt, Haroen! Je enige soldaten zijn sterfelijk! Zonder de emir zal geen drooglander je nog gehoorzamen.'

'Geef mij raad,' zegt de kalief en hij weet dat het hoofd geen keuze heeft, dat het de waarheid moet spreken. 'Hoe kan ik de djinns mijn wil opleggen? Hoe kan ik de heilige landen terugwinnen? Ongelovigen kamperen in de oude paleizen van Haroen al-Rashid! De hemel van Mekka is bekrast met straaljagerstrepen!'

'De drooglanders zijn monsters, Haroen, wreed en zonder vrees. Ze zijn ouder dan jij en sluwer.' De ogen rollen in de kassen en ineens zijn ze gevuld met

het blauwe licht van de profetie. Het hoofd is dood en voor de doden zijn toekomst en verleden bijna hetzelfde. 'Vermoord ze, vermoord ze allemaal en je hebt je leger. Zaai ze over alle landen van de ongelovigen uit. Wek ze met vuur.'

Het licht zakt terug in de oogballen, dooft.

'Dood ze en wek ze met vuur,' herhaalt de kalief. 'Djinns kun je niet doden. Niet werkelijk, want elke bries kan ze weer wekken.'

'Hun hart is een edelsteen,' zegt het hoofd. 'Eenvoudig naar de Oudlanden te transporteren. Een compleet leger zou in een bierton passen.'

'Een djinn vermoorden is zo goed als onmogelijk,' werpt de kalief tegen. 'Tienduizend djinns…'

'Je vindt er vast wel iets op.'

'De enige overgebleven djinns zitten opgesloten binnen de Stromendblauwe Cirkel. In de noordelijke woestijnen van Prester Johnsland.'

'Dat is niet meer dan één stap door een spiegel,' zegt het hoofd. 'Trek een djinnproof harnas van geel koper aan. Hang de krachtigste amuletten om je nek.'

'Je klinkt wel erg gretig, vriend.'

'Ik hoop dat je het niet overleeft, Haroen. Dat je deze keer zo'n grote, hebberige hap neemt dat je erin stikt. Zodra jij sterft, hou ik ook op. Dan word ik eindelijk as en gruis.' Het hoofd stoot een sissende kreun uit. 'Ik ben dit valse leven moe, zo godvergeten moe!'

'Tja,' zegt de kalief. 'Je gokte en je verloor. Anders had mijn hoofd nu in die schaal gelegen.'

2

De kalief tilt zijn pantser van de muurhaak. Het materiaal is flinterdun, een filigrein van koperdraad. Wat verder? Amuletten natuurlijk, en koperen werpmessen.

De kalief ontdoet zich van zijn gewaden en wrijft zich in met een zalf waardoor de verpulverde hartstenen van een djinn vermengd werden. Zelfs als het pantser faalt, zullen hun bezweringen nog steeds hopeloos in de war raken. Een doodsspreuk die voor een mens bedoeld is, zal hem door die zalf als djinn zien en uitsputteren.

'Je hebt al je wapens om,' zegt Halvorsson, 'al je eretekenen en amuletten. Even opgedirkt als Inanna toen ze de Hel van haar zuster probeerde te stelen.'

'Ja,' zegt de kalief, 'die oude verhalen blijven altijd boeiend.'

'Hopelijk loopt het even slecht met jou af,' zegt Halvorsson. 'Dat je straks als een vlinder tegen de tempelmuur vastgeprikt zit, met een speer door je hart.'

Een spiegel voor de doorgang naar het land van de djinns stopt de kalief een moment. De lijst van deze spiegel is met zeesterren en zilveren haaien versierd en kijkt vanaf grote hoogte uit over de zee. Kleurige zeilen bedekken de Elfde Oceaan van horizon tot horizon en op elk zeil prijkt het kromzwaard en de morgenster van het Kalifaat. Het volk noemt deze armada de Vloot van de Miljoen Zeilen. Miljoen is misschien overdreven: een paar honderdduizend zeilen zijn het er in ieder geval. De invasievloot vaart al generaties en zal de kusten van Prester Johnsland pas over honderdtwintig Prester Johnsjaren bereiken. De kalief is echter zo goed als onsterfelijk, hier in de trage tijd van het zuiden, en een eeuw is zo verstreken. Haroen ben Moshe had zich na de stichting van het Kalifaat de titel van de Derde Haroen gegeven. De eerste Haroen was natuurlijk de Duizend-en-een-nacht-kalief geweest, de befaamde Haroen al-Rashid. De tweede Haroen werd achter een span wilde muilezels door de straten van Bagdad gesleept tot al zijn botten gebroken waren. De derde Haroen is

duidelijk de succesvolste van de Haroens: heel het Midden-Oosten past makkelijk in de kleinste provincie van het Kalifaat.

'Evenwicht, Halvorsson,' zegt Haroen terwijl hij zijn vloot bewondert. 'Nationale trots en hersenloos patriottisme. Zulke schone zaken! De burgers van Huy Jorsaleem betalen de patriarch zonder morren hun laatste stuiver voor de verdedigingsforten langs de kust. Terwijl hier, ja, zelfs de armste lastdrager steekt zijn koperen muntje vol trots in de vlootdoos voor de moskee!'

'Het is sluw en doortrapt,' zegt Halvorssons hoofd. 'Judas en Loki zouden trots op je zijn.' Uit de mond van een voormalige meesterkoopman met vikingbloed is dat de hoogste lof.

'Ik zie je nog wel.' Haroen tikt de lijst van de grootste spiegel aan, verdraait de linkervleugel van een haakmeeuw. In de spiegel wordt een steenvlakte zichtbaar, onder een hemel vol ijzige sterren.

De kalief haalt diep adem en stapt door de spiegel.

De nachtwind is kil als de kus van een vampierkoningin en Haroen krimpt onwillekeurig ineen. Gruwelijk leeg, deze noordelijke woestijn, doods. Zelfs een cactus of een pol steppengras vindt hier te weinig water om te overleven.

'Hallo?' zegt hij en zijn stem raspt. Hij schraapt zijn keel. 'Toon je! Buig voor je meester!'

Dwaallichtjes flakkeren over de duinen. Ze tillen het zand op en draaien het in grijze wervels rond. Hartstenen ontbranden en dan staan de djinns voor hem. Het zijn er duizenden, slagorde na slagorde, zo ver als het oog reikt en niet één buigt.

Dit zijn de djinns die in Prester Johnsland achterbleven en niet naar de Loerende Zandbanken wisten te ontsnappen.

'Jullie emir is dood,' zegt de kalief, 'net als jullie grootvizier. Ik ben jullie leider nu.'

'Dat valt nog te bezien, mens.' De spreker draagt een mantel van fossiele haaientanden en roggenstekels die bij elke beweging tegen elkaar kletteren. 'Drie maanden vochten wij, de sterksten tegen de sluwsten.' Hij vouwt zijn armen over zijn borst. 'Ik bleef over. Mijn naam is Murad al-Irem. Emir Murad al-Irem.'

Een tweede djinn daalt naast hem neer. 'En ik versloeg allen behalve mijn meester. Ik ben grootvizier Ghûl ibn-Murad.'

Dit verloopt niet helemaal zoals ik gedacht had. Helemaal niet, om precies te zijn. De kalief trekt zijn zwaard. 'Murad, je kunt jezelf geen emir noemen tot je iedereen verslagen hebt.'

'Jij bent een zak van huid, Haroen ben-Moshe, vol druppelbloed en lillend vlees. In feite zou je met de laagste djinns moeten beginnen voor je tegenover

mij kan staan. Ik sta je de gunst toe onder mijn klauwen te mogen sterven.'

'Goed,' zegt de kalief. 'Prima, dan wordt het dus zwaard tegen zwaard, magie tegen magie.'

'Je draagt een harnas van koper zodat geen djinn je kan aanraken,' zegt Murad. 'Alle spreuken zullen in je slimme zalf doven.' De gloednieuwe emir haalt zijn arm naar achteren en een zweep sist door de lucht, wikkelt zich om de pols van de kalief. Een ruk en Haroens hand scheurt van zijn arm, ploft in het zand. De vingers blijven het koperen zwaard in een spastische greep omklemmen. Uit de pols van de kalief gulpt bloed, een afgrijselijke stoot bij elke hartslag.

'Dit is pure tech, mens,' zegt Murad, 'nog geen vonkje magie. Het komt regelrecht uit de Oudlanden, deze zweep van scheermesdraad.' De djinn laat de zweep golven en de minuscule scheermesjes fonkelen in het sterlicht. 'Bij de volgende zweepslag is het je hoofd dat door het zand rolt.'

De kalief duikt onder de zwiepende draad door, maakt een achterwaartse salto en tuimelt zijn spiegel in. De geuren van koriander en smeulend sandelhout vullen zijn neusgaten: hij heeft de troonzaal gehaald, maar is nog allerminst veilig. De spiegel staat nog wijd open en de djinns kunnen hem moeiteloos volgen.

De kalief drukt zijn pijn en paniek weg en kijkt om zich heen. De troonzaal heeft alle kleur verloren en is enkel nog in pulserend zwart en wit. De kalief is eerder gewond geweest en hij herkent de symptomen. *Nog een paar seconden en ik val flauw. Bloedverlies.* Hij wankelt naar de dichtstbijzijnde vuurkom, grijpt hem vast met zijn overgebleven hand en slingert hem naar de spiegel. Een waterval van scherven tuimelt uit het frame.

Veilig, denkt de kalief, *bijna veilig. Ik kan nog steeds doodbloeden. Ik moet de troon halen.* Naast de leuning staat immers een fles met water uit Hildegards heilige bron. Het magische water dat alle wonden kan genezen.

De black-outs volgen elkaar nu steeds sneller op en halverwege de zaal gaat hij door de knieën. Hij kruipt door een ondoordringbare nacht, blind en stervend.

'Een beetje tempo,' lacht zijn oude vijand. 'Weet je wel zeker dat je de goede kant uit kruipt? Dat de troon niet links van je staat?'

'Je liegt,' krast Haroen ben-Moshe. 'Als ik verkeerd kroop, dan zou je hoogstens giechelen.'

'Je kunt geloven wat je wilt.'

De pijn zwelt aan en het is alsof zijn polsstomp in kokend water gedoopt wordt. Zijn voorhoofd bonkt tegen een poot van de troon en hij hijst zich omhoog naar de zitting. Haroen strekt zijn linkerhand uit, spreekt de ware naam van de bron. De fles zeilt door de lucht en smakt tegen zijn handpalm, goddelijk kil en glad glas.

De kalief kraakt een hoektand als hij de stop met zijn kaken loswerkt en dan stroomt het water over zijn gezicht, klotst over zijn bloedende stomp.

Haroen ademt diep uit en laat de helende duisternis aanrollen.

3

'Je leeft dus toch nog,' zegt het hoofd met een zekere teleurstelling. 'In ieder geval heb je een hand minder. Dat is toch mooi meegenomen.'

De kalief hijst zich op de troon, laat zich tegen de rugleuning zakken. Over de stomp van zijn pols is roze vel gekropen, bol littekenweefsel.

'Ik ben eerder ledematen kwijtgeraakt,' zegt hij. 'Elke heelmeester...'

'Nee. Deze wond niet, kalief.'

'Hoezo?'

'Die zweep was tech,' legt Halvorsson uit. 'Pure Oudlandse tech. Magie kan zo'n wond onmogelijk genezen.'

De kalief beseft dat Halvorsson waarschijnlijk gelijk heeft. Zo'n wond zal altijd een echo van de Oudlanden meedragen. Alleen medicijnen uit de Oudlanden kunnen het genezen, en hun medici zijn klungels. Zelfs het aan laten groeien van een vingerkootje lukt ze niet, laat staan een hele hand. Lastig. Niemand volgt een leider met maar één hand, in ieder geval geen oorlogsleider. En wijze, oude mullah spelen is absoluut geen rol die hem ligt.

'Ik vind er wel wat op.' En het uitspreken van die woorden is genoeg. *Natuurlijk los ik dit op. Ik ben de derde Haroen, de generaal die de djinns versloeg en ze verdreef naar de verste woestijnen!*

Hij draait zich naar het hoofd. 'Ik was een dwaas, vriend Halvorsson. Ik had naar je profetie moeten luisteren in plaats van rond te marcheren als een macho aap. Ik hoefde helemaal niemand te verslaan. Hartstenen zei je. Nu, ik weet waar ik hartstenen kan vinden. Een compleet leger van slapende djinns.'

'Aha, en waar als ik vragen mag?'

'Jullie oeluks doodden de emir en met hem zijn hele leger. Al hun hartstenen moeten nog steeds intact zijn, op de bodem van de zee. Duizenden hartstenen die enkel een heet vuur nodig hebben om te ontwaken.'

4

De Loerende Zandbanken, Gran Terre

Een honderdtal vlotten dobbert een week later onder de grijze regenhemel. Ze zijn balk voor balk door een spiegel geduwd en ter plaatse in elkaar getimmerd.

De laatste parelvisser hijst zich op het centrale vlot en wankelt met grauwe lippen naar een schatkist. Drie smaragden rollen uit zijn verstijfde vingers. Zelfs in het halfduister lichten de juwelen helder op, met een wapperende vlam in elk centrum.

'Dit is het wel ongeveer, heer,' zegt de rekenmeester. 'De tamme speuralen lokaliseerden zesduizendnegenhonderdveertig hartstenen op de zeebodem. We missen er hoogstens een stuk of twintig en onze parelduikers verdrinken steeds vaker. Het zijn specialisten en het is zonde van de parelduikers. Als ik zo vrij mag wezen, heer.'

'Je hebt groot gelijk,' zegt de kalief. 'We stoppen ermee.'

Zelfs een kalief moet in winst en verlies denken. Zijn manschappen hadden via een wilde spiegel over moeten steken naar de Loerende Zandbanken omdat het onverstandig was op het dek van het Hanzeschip te verschijnen. Nog afgezien van het probleem dat de doorgang maar een scherf breed was. De spiegelgeesten hadden zo'n zestig parelduikers verscheurd en bij de terugtocht zou hij waarschijnlijk een even groot aantal kwijtraken. Nee, het had geen zin om een hele industrie om zeep te helpen, louter omdat hij geen juweel wilde missen.

Haroen hees zich in zijn harnas van koperen schubben, zette zijn helm op en wenkte zijn lijfwachten. 'We keren terug naar het Kalifaat. Wikkel de kisten in koperdraad en hijs ze de spiegel in.'

Dat waren de djinns, denkt hij, nu mijn hand nog.

5

Utrecht, de Oudlanden

'Dit is meester Haroen, de heiligste man van onze orde.' In Timurs stem klinkt altijd een zekere spot door. Dat heeft Ralph al eerder gemerkt, alsof hij alle andere mensen als niet meer dan grappige aapjes beschouwt. Die spot blijft nu opvallend genoeg achterwege.

Dit is een man die Timur respecteert, gaat het door Ralph heen. Nee, vereert. Het moet wel een allemachtig gevaarlijke figuur zijn, een bin Laden, een Saladin.

'Aangenaam,' zegt Ralph en hij schudt de uitgestoken hand. Haroens gezicht ziet er eigenaardig neutraal uit, zo gladgestreken dat het zelfs te karakterloos is voor een etalagepop. *Hij draagt een illusievlies. Het is niet de bedoeling dat ik hem later ooit herken.*

'De eer is geheel aan mij,' zegt Haroen. 'Mogen uw dadelpalmen naar de hemel reiken en al uw vrouwen zonen baren.' Haroens Engels is zonder enig accent en dat is altijd een veeg teken. Deze Haroen moet ergens in het Westen gestudeerd hebben en dat zijn de ergsten, de intellectuelen met een plan voor de wereld.

'Mijn vriend Haroen hier,' zegt Timur, 'hij verloor zijn rechterhand. Een bermbom in Afghanistan.'

'Ja?'

'Jij bent onze man van de techniek,' vervolgt Timur. 'De expert. Ik heb over kunsthanden gehoord. Mechanische handen die bijna even goed als levende zijn.'

Ralph knikt. 'Twee maanden terug was het een hele hype op internet. De blog van Bruce Sterling geloof ik. Een Duits bedrijf had kunsthanden ontwikkeld die direct op een zenuwsignaal reageerden. Bevestig ze aan een polsstomp en je hebt je hand weer terug. Alles, ook het gevoel in je vingertoppen. Het YouTube-filmpje moet nog bij mijn favorieten staan.'

'Maar?' zegt Haroen.

'Ja, er is altijd een maar. Onbetaalbaar voor elk normaal mens en dat zal de eerste vijf jaar wel zo blijven.'

'Hoe duur is onbetaalbaar?' vraagt Haroen.

'Vijf miljoen euro? Minimaal vijf miljoen, maar ik denk niet dat ze ze willen verkopen. Ze zijn veel te bang dat de concurrentie ze uit elkaar haalt en nabouwt.'

'Tien miljoen? Zou dat genoeg zijn?'

'Ik weet het werkelijk niet,' zegt Ralph. 'Soms zijn zaken eenvoudig niet te koop.'

Meester Haroen schudt zijn hoofd. 'Als de honingkoek niet werkt, kun je altijd de schorpioen nog proberen. Alle mannen hebben familie. Zonen en dochters, geliefde grootouders.'

De stem is peinzend: het is geen pochen, geen loos dreigement. Deze man overweegt enkel de juiste strategie. Als ik Timur niet nodig had, denkt Ralph, als ik zijn vervloekte magie niet nodig had, dan zou ik nu gewoon weg kunnen lopen. Dit is tuig, Timur en zijn heilige man, keiharde moordenaars.

'Ik zal het uitzoeken,' zegt hij.

'Kun je ook een tweede kluis regelen?' vraagt Timur. 'We hebben een nieuwe lading binnengekregen. Juwelen, vier kisten vol.'

'Magische?'

Timur stoot een sputterende giechel uit. 'Ze komen uit de Gran Terre. Natuurlijk zijn ze magisch.'

'Om op die hand terug te komen,' zegt Ralph, 'laat dit aan mij over. Geen geweld, oké? Geweld valt te veel op en heeft de neiging uit de klauwen te lopen. Terwijl omkopen…'

'Ik zal zorgen dat er geen limiet zit aan uw… goudkaart?' zegt meester Haroen. 'Toegang tot de geheimste schatkisten van de sprookjeskalief, ja?'

'Prima, meneer Haroen.'

Het kost Ralph acht dagen en een half miljoen om de juiste man te vinden. Het is uiteraard de directeur niet of zelfs het hoofd van de onderzoeksafdeling. Ze ontmoeten elkaar in een Starbucks waar de man een latte met amandelsiroop bestelt, plus een half dozijn brownies die hij uitgehongerd naar binnen propt.

Ralph wendt zijn blik af. Deze man is een onbehouwen varken en het ergste is nog dat hij met volle mond praat. Bij elk woord sproeien de cakekruimels over het tafeltje.

Uit het raam kan Ralph de domtoren van Keulen zien, een mergelbruine speer vol hoekige weerhaken. Timur heeft hem over de kathedraal van Huy Jorsaleem verteld: deze toren zou daar niet meer dan het optrekje van de tuinman zijn.

Gerald Husse veegt de laatste kruimels van zijn lippen, leunt zo ver achterover dat zijn stoel bijna omkiepert.

'Meneer Harcourt, ik was de man die de draaipunten van de hand ontwierp

en de aansturing. Negen graden van bewegingsvrijheid en vingers zo soepel als... Nou ja, je kunt er desnoods een Zwitsers horloge mee repareren. Vakwerk, al zeg ik het zelf, maar heb je mijn naam ook maar ergens op een forum gezien? Op zelfs maar in de kleine lettertjes van de persberichten?'

'Het is een schande.' Ralph gelooft geen seconde dat Gerald Husse de werkelijke ontwerper is. Dit is een monteur, een arbeider die eerder een soldeerbout hanteert dan formules intypt.

'Nu was er een proefmodel,' zegt Husse. 'Het voldeed niet helemaal, oké.' Hij steekt zijn kin naar voren. 'Met twee, drie dagen sleutelen, kan ik hem upgraden.'

'Een half miljoen,' zegt Ralph.

'Drie.'

Ze worden het ten slotte eens over anderhalf miljoen euro, waarvan honderdduizend als voorschot.

'Donderdag,' zegt Husse. 'Zelfde tijd en zelfde plaats.'

Als Ralph de kluis de volgende dag bezoekt, zijn Timurs kisten met edelstenen verdwenen. Waarschijnlijk doorgesluisd naar het Midden-Oosten, vermoedt Ralph. Daar geloven ze niet langer in dollars of euro's, terwijl juwelen hun waarde nooit verliezen.

6

Drie dagen later schuift Timurs vriend de hoes over zijn beenstomp en wrikt tot de kunsthand het roze vel raakt.

'Wacht een minuut of twee,' zegt Husse. 'Jeukt het? Een tintelend gevoel?'

Haroen knikt. 'Hoort dat?'

'Dat is juist prima. Een goed teken. De hand maakt nu contact met de zenuwuiteinden, vangt hun signalen op.'

Een vinger kromt zich.

'Heilige Maryam!' roept meester Haroen. 'Het werkt!' De hand balt zich tot een vuist, spreidt dan zijn vingers.

'Strijk met je vingertoppen over het tafelblad,' zegt Husse.

'Ik kan elke houtnerf voelen…' Haroens stem is hees van emotie. 'Deze is beter dan mijn oude hand. Veel gevoeliger.'

'Sterker ook.' Husse reikt Haroen een bezem aan. 'Knijp in de steel. Zo hard mogelijk. Er kan niks fout gaan: je nieuwe botten zijn van osmium en je vel van kogelvrij plastic.'

De steel knarst onder Haroens nieuwe vingers, versplintert.

Haroen laat de twee helften op de vloer kletteren.

'Ik ben tevreden.' Hij trekt een folder uit de binnenzak van zijn colbert. 'Uw nieuwe paspoort, meneer Husse. U staat geboekt voor de lijnvlucht naar Bogota en al het geld is op uw rekening gestort. Kom nooit meer in Europa terug.'

'Waarom zou ik?' lacht Husse. 'Ik ben nu schatrijk!'

Zodra de deur achter Husse dichtvalt, draait Haroen zich naar Timur. 'Roep Meyer en Durand terug. We laten hem gewoon gaan.'

'Is dat nu wel verstandig?'

'Vast niet. Alleen, soms hoort een man domweg dankbaar te zijn.'

Hij zet de vingertoppen van zijn gloednieuwe hand aan zijn lippen en geeft een werkelijk oorverdovend fluitsignaal. Zijn glimlach is zo stralend dat hij zelfs dwars door zijn illusievlies zichtbaar wordt.

Boek 6

Achter koperen stadsmuren

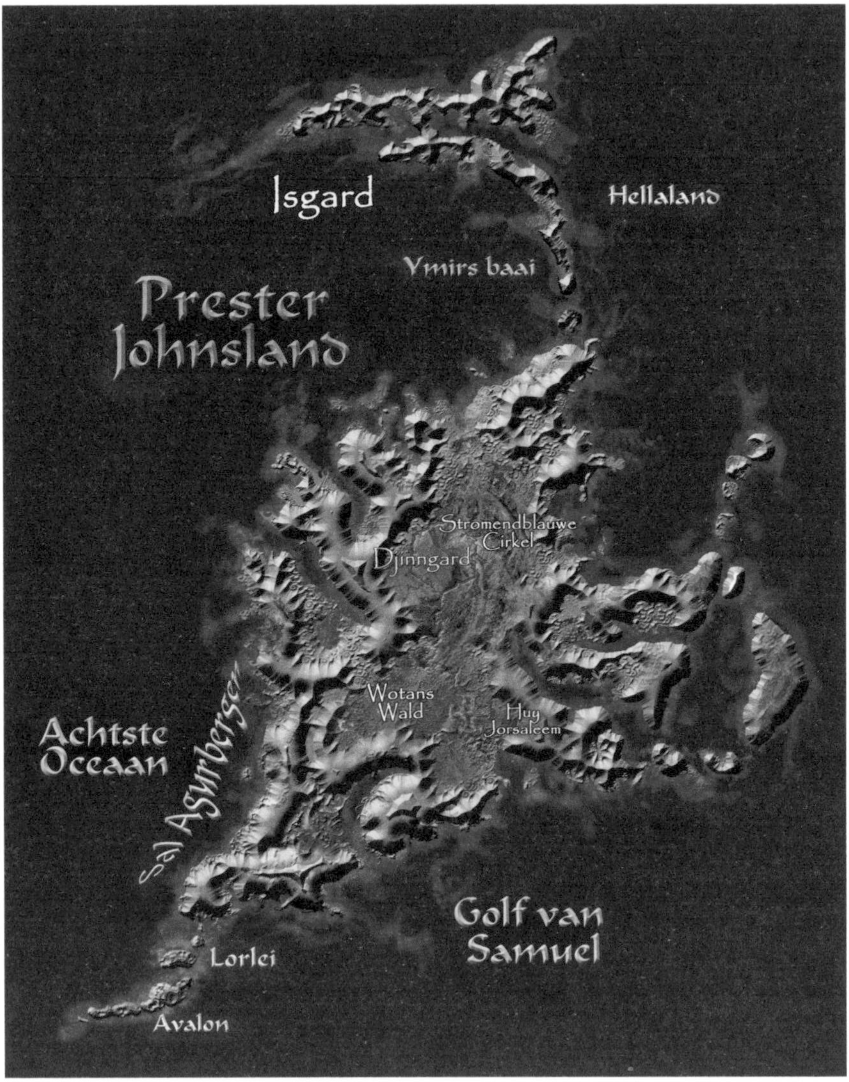

Isgard

Hellaland

Ymirs baai

Prester
Johnsland

Stromendblauwe
Cirkel

Djinngard

Wotans
Wald

Huy
Jorsaleem

Achtste
Oceaan

Sal Asurbergen

Golf van
Samuel

Lorlei

Avalon

1

Cirnja schudt Marek wakker. 'De toren! Ik kan de klokkentoren van de kathedraal zien!'

Een vage mistlijn rijst vanachter de horizon op. Alleen als je er net naast kijkt, kun je het uit het blauw van de hemel oppikken en het is niet veel meer dan een verkleuring, een marginaal dieper blauw.

'De kathedraal? Hoe hoog is dat ding dan wel niet?'

'Nog een stuk hoger dan jullie hoogste berg. Hoger dan jullie beste vliegtuigen kunnen komen.' Ze slaat de reisgids voor de Gran Terre open. 'Hier. De Halvorsson-kathedraal van Huy Jorsaleem. De kathedraal is met zijn zestien kilometer hoge klokkentoren al van de verste eilanden zichtbaar. Op de daken die wijd als provincies zijn, wonen families van leidekkers die de laatste duizend jaar nooit voet aan de grond hebben gezet. Vertel hun dat de wenteltrappen een einde hebben, dat er een begane grond bestaat en ze zullen je in je gezicht uitlachen.' Ze steekt een vinger op. 'Dit is ook handig om te weten. Bij de schrijn van San Bartholomew wordt heerlijke chocolademelk geschonken die met Surinaamse pepers op smaak is gebracht. Een hartverwarmende drank in een oord waar de koolzuur uit de hemel sneeuwt en de afgevroren neuzen onder je laarzen kraken.'

Elke ochtend klimt de toren hoger de hemel in. De derde dag kan Marek met de sterkste vergroting al een wildernis van zijtorens en gebogen steunberen onderscheiden. In de nacht gloeit de toren nog urenlang na terwijl het bloedrode zonlicht traag naar de top schuift.

'Daar zijn de Engelen ook al,' zegt Cirnja de vierde dag innig tevreden. Drie engelen doemen op uit de lage zeemist, wit marmer, en makkelijk tien-, twaalfmaal zo hoog als het schip.

'Dat zijn de Drie Verdedigers,' legt Senni uit. 'God stuurde ze en als iemand ooit zo stom is om Prester Johnsland aan te vallen, dan komen ze tot leven. Hun

marmer verandert in spieren en met hun vurige zwaarden steken ze alles in de fik. Alle schurkenzeilen, alle gespleten baarden en zijden tulbanden. Onze vechtengelen zijn erger dan een bosbrand, dan tienduizend bliksems!'

'Had je bepaalde vijanden in gedachten?' vraagt Marek. 'Je klinkt zo... zo zeker?'

'De vloot van de kalief koerst op ons land aan. Ze hebben wel een miljoen zeilen zeggen ze.' Ze klakt met haar tong. 'Ik hoop dat drie aartsengelen genoeg zijn.'

Ze varen de buitenhaven van Huy Jorsaleem binnen in de vroege ochtend en Marek begrijpt nu waarom Senni Amsterdam een miezerig dorpje vond, een belachelijk gehucht. De koperen muren glanzen in het ochtendlicht, hoger dan wolkenkrabbers en ze moeten duizenden kilometers lang zijn. De stad telt anderhalf miljard inwoners en de parken zijn wijder dan hele landen, heeft Cirnja hem verteld, met patriarchale karpervijvers zo groot als het IJsselmeer. Ze passeren een dok waarin twee vliegdekschepen zij aan zij kunnen liggen en dat is nog een van de kleinere dokken.

'Het triomfbeeld,' wijst Cirnja zodra de rivier een nieuwe bocht maakt. 'Zie je zijn kruisboog? De juwelen aan Halvorssons riem zijn de hartstenen van verslagen drooglanders.'

Marek moet meteen aan het Vrijheidsbeeld denken: dit geval is net zo pompeus en lomp. Er is echter een groot verschil: het Amerikaanse Vrijheidsbeeld zou makkelijk in Halvorssons geldbuidel passen.

'Er was toch nog een ander? Zijn adviseur, die Haroen ben-Moshe? Heeft hij ook een beeld?'

'Niemand weet wat er van hem geworden is,' zegt Cirnja. 'Misschien zeilde hij weg op een schip vol goudthalers. Sommigen zeggen dat hij naar het verste zuiden voer, waar de tijd bijna stilstaat. Als dat zo is, dan leeft hij misschien nog steeds.'

'Utgar de tuinman beweerde anders dat Haroen de kalief werd,' zegt Senni. 'De kalief heet ook Haroen.'

'Ja, en een paar miljard andere islamieten ook,' zegt Cirnja. 'Dat zegt toch niks? Ik bedoel, de patriarch heet Halvorsson. Dat bewijst toch niet dat hij dezelfde kerel als dat beeld is?'

'Wat weet jij daar nu van?' Senni zet haar handen in haar zij. 'Utgar is wel vijftig jaar ouder dan jij!'

Marek schuift weg en zoekt een ander stuk voordek op. Alleen een suïcidale dwaas gaat tussen twee ruziënde zusjes in staan.

De wind draagt nieuwe geuren aan: specerijen van onbekende continenten, eendenmossels die aan de meerpalen bengelen, het geurige teer waarmee de rompen waterdicht geverfd worden. Dit is niet meer dan een voorstad: de echte havens en warenhuizen liggen binnen de bescherming van de stadsmuren.

'Amarant, ahoi!' Een zeilboot schuift langszij. De zeilen zijn uit de veren van een reuzenvogel gemaakt en de romp is van zwart ebbenhout. Op de voorplecht wuift een koopman. Hij wacht niet op antwoord en grijpt een hangend meertouw vast. De man moet matrozenmuilen dragen, want hij rent langs de verticale scheepswand omhoog alsof zwaartekracht amper bestaat. Een soepele zwaai en hij staat op het dek. De punten van zijn snor wijzen fier omhoog en om zijn nek hangt een dozijn oortjes: duidelijk een man die bereid is met iedereen te spreken, in elke taal.

'Heer Metzengerstein!' Geddit snelt hem tegemoet en omhelst hem. 'Yul, oude vriend!'

'Ik ben blij dat de Muil jullie niet opgeslokt heeft.'

Geddits mond vertrekt. 'Thulans kaapten ons schip en wilden ons aan hun god offeren. Een andere godin redde ons maar de prijs was acht matrozen. Herde de smid. Hij voer nog met mijn vader.'

'De zee heeft tienduizend muilen,' mompelt Yul.

'En ze zijn allemaal hongerig,' echoot Geddit.

Yul kijkt omhoog. 'Wat hangt er voor raar spul in jullie masten?'

'Venetiaanse zijde. Het is een lang verhaal.'

'Ik zorg voor een stel ordentelijke vlindervleugels. Zo kun je de stad niet binnenzeilen. De andere families zouden over de kade rollen van jolijt.'

'Oom Yul!' Senni hangt aan zijn arm. 'Waar is Darwen? Ik dacht…' Ze gebaart naar haar zus die onzeker aan de rand van het groepje staat. Cirnja houdt haar handen slap omhoog, alsof ze elk moment van haar polsen kunnen vallen.

'Er is toch niks met hem?' vraagt Cirnja.

'Met Darwen gaat het een heel stuk beter dan niks,' zegt Yul. 'Waarom denk je dat ik een purpermuts draag en er Maria Theresathalers aan mijn gordel rinkelen?'

'Bloed en zilver!' roept Cirnja.

'Krek zo.' Hij reikt haar twee glazen lelies aan waarvan de stengels met elkaar verstrengeld zijn.

Cirnja's ogen worden wijd en dan is het alsof haar hele gezicht als een bloesem openvouwt. Marek heeft nog nooit zulk ongeremd plezier gezien. 'Hij stuurde je. Hij stuurde zijn vader om mij ten huwelijk te vragen!'

'We dachten, over een maand of drie?'

'Ho, ho, vriend Yul,' zegt Geddit. 'De dame heeft nog geen "ja" gezegd.'

'Idioot!' Cirnja stompt Geddit tegen zijn arm. Zo hard dat het niet helemaal spel is. 'Ik zei al jaren geleden "ja".'

'Zo?' Yul strijkt over zijn snor. 'Vertel.'

'We waren een jaar of vijf, schat ik, en we gingen met de hele klas naar het Eerbiedig Groeten van de patriarch. Darwen en ik glipten uit dat stomme bidgroepje weg en we namen de lift, helemaal naar de honderdvijftigste verdieping van de kathedraal waar de liften niet langer werken. We klommen op de rand van het balkon en lieten onze voeten boven de leegte zwaaien. In de verte kon je de zee nog net zien, een lijn van zilver. "Daar ga ik later heen," vertelde ik Darwen. "Alle landen achter de horizon. Als ik mijn oeluk gevonden heb."

"Prima," zei Darwen. "Ik zal thuis op je wachten en naar al je verhalen luisteren als je terugkomt. Elke vos heeft een hol nodig."' Ze knikt. 'Dat was het wel ongeveer en we vonden het allemaal prima geregeld zo. Darwen is meer een zeeanemoon dan een wegzwemvis. Voor hem is Huy Jorsaleem groot genoeg.' Ze legt haar hand op Mareks arm, trekt hem naar voren. 'Hij hier is Marek van Dessen. Mijn oeluk uit de Oudlanden. Bovendien is hij een verteller. Hij fluisterde een godin wakker en zij heeft ons al twee keer gered.'

Marek heeft zich zelden zo ongemakkelijk gevoeld. Het is altijd lastig als iemand je zo aanprijst. En dan die blik in de Yuls ogen: ontzag en een grote bereidheid om hem aardig te vinden. Elke vriend van mijn toekomstige schoondochter is ook mijn vriend, lijkt die blik te zeggen. Zo goed als familie en voor een oeluk geldt dat natuurlijk helemaal.

Marek slikt, steekt zijn hand uit en een, twee secondes tuurt Yul vol onbegrip naar de hand. *Hij weigert me. Hij ziet me absoluut niet zitten. Yul weet hoe jaloers ik op zijn zoon ben.* Het is bijna een opluchting.

'Marek komt uit de Oudlanden,' zegt Cirnja. 'Uit Nederland. Je weet wel, waar Saeftinghe ligt.'

'Ach natuurlijk!' Yul slaat zich voor het hoofd, een theatrale klets. 'Geen omhelzingen en diepe buigingen dus.' Hij grijpt Mareks hand vast. 'Ja, laten wij handen schudden. Naar hartenlust, eh? Alsof wij aan de zwengel van een dorpspomp rukken!'

Er volgt een klap op Mareks schouder die hem bijna door de knieën laat gaan. 'Noem mij Yul.'

'Ik zou uw zoon graag ontmoeten.' Marek weet niet waarom hij het zegt. Zelfkwelling? Net zoals je het niet kunt laten om met je tong tegen een pijnlijk kloppende kies te porren?

'Volgende week Michdag. Nu ik Cirnja Darwens eerste lelies heb gegeven, moeten beide jongelui hun dagenkettingen rijgen, namen voor hun kinderen verzinnen. Dat soort zaken. Tot dan mogen ze elkaar niet spreken of zien.'

'Oeluks, moet een oeluk ook nog iets doen?' Hij moet blijven praten. Het brok in zijn keel wegwerken voor hij erin stikt.

Geddit en Yul kijken elkaar aan.

'Tja,' zegt Geddit. 'Eigenlijk hoort de vader of de oudste broer de bruid weg te geven. Een oeluk is dichterbij dan een vader of een broer. Belangrijker.'

'Het verbond tussen oeluks is de sterkste band van alle,' beaamt Yul. 'Marek draagt Cirnja's dagenketting en de armband met namen. Als ze naar het altaar loopt. Goed?'

'Goed,' mompelt Marek.

Prompt daarop begint iedereen opgewonden door elkaar te praten en niemand ziet Marek wegsluipen, als een gewond dier op zoek naar een donker hol.

De avond valt als ze de zuidelijke waterpoort eindelijk passeren. In de opening hangt een doolhof van sluiers die uit het dunste koperdraad geknoopt werden. Ze zwaaien in de wind en in het strijklicht lijken het vlammen. Het doet Marek aan het immitatievuur denken dat zijn moeder een jaar geleden bij de Blokker kocht: lappen gaas die in een oranje licht wapperden.

Ze passeren de eerste sluier en Geddit draait het stuurwiel meteen naar rechts, gebaart naar de matrozen. De gloednieuwe vlinderzeilen komen tot leven, slaan met een klap naar voren dicht en het schip komt bijna tot stilstand.

'We kunnen hier nooit sneller dan stapvoets,' zegt Geddit. 'Daaraan zie je meteen het onderscheid tussen een echte stuurman en een klungel. Roerzwabberaars zeilen met masten vol gescheurde sluiers de stad binnen. De Raad laat ze voor elke vierkante centimeter betalen. Nee, jongen, het is zigzaggen hier, rondcirkelen, soms zelfs achteruitvaren.'

'Die sluiers, is dat om drooglanders buiten te houden?' gokt Marek.

'Klopt. Magische wezen als djinns en spiegelgeesten vliegen enkel in rechte lijnen: zelfs de eenvoudigste doolhof houdt ze tegen.'

'Onze wijk ligt vlak achter de poort,' zegt Senni. 'De Dema stra Poulou.'

'Stra Poulou?' zegt Marek. 'Zijn jullie naar deze wijk vernoemd? Zoiets als "Bies van Ede"?'

Senni kijkt hem aan alsof dit de stomste opmerking is die ze ooit gehoord heeft. 'Nou, eigenlijk zit het andersom. Deze wijk heet zo omdat onze familie hier woont.'

3

De wijk Dema stra Poulou draait als een kurkentrekker tegen een hoge heuvel op: een wirwar van steegjes en pleinen, van pakhuizen en hondenrenbanen.

Cirnja wijst: 'Zie die grijze toren op de top?'

'Het ziet er nogal lelijk uit.'

'Hij staat er ook niet voor het mooi. Het is de liftschacht naar onze villa. De verdiepingen bovenaan steken boven de muren uit en daar werkt magie prima. De armen moeten het met water uit een geiser doen, motorriksja's, Senseo's.' Ze lacht. 'Als wij een geladen kop ophouden, vult hij zich met stomende koffie. De badkuipen zepen je in met onzichtbare handen en een tamme luchtgeest blaast je vervolgens droog met een warme bries.'

Nu ontdekt hij de villa zelf ook: het lijkt het miniatuurhuisje uit een treinset, met piepkleine torentjes. In werkelijkheid moet het zo groot als het paleis op de Dam zijn. Ja, op het dak groeien speelgoedboompjes. Groene dotjes op cocktailprikkers. Waarschijnlijk zijn het woudreuzen van zestig meter hoog met adelaarsnesten in de bovenste takken.

Op de kade wacht een stoomkoets hen op, met ramen van spiegelend, zwart glas. Marek ploft in de kussens neer en het is of hij op een verende wolk zit.

'Die ramen,' zegt hij. Hij legt een vinger op het glas. 'Volgens dit keurmerkje is het bulletproof, kogelvrij.'

'Och, niet iedereen houdt van ons Stra Poulous,' zegt Cirnja. 'Als je geen vijanden hebt, doe je iets verkeerd. Er blijven altijd lui die iets tegen stinkend rijke mensen hebben.'

Senni snuift. 'Alleen luilakken. Iedereen die dat wil, kan rijk worden.'

'Je kamer,' zegt Cirnja een half uur later. 'Hij kijkt uit op de kathedraal. Onderaan kun je de scheepswerven en de Slangentuin zien.'

Marek steekt de kamer over, trekt de balkondeuren open. 'Een eigen bad met gouden kranen. Een zwevende matras van twee meter breed. Ik heb niets te kla-

gen. Alleen voelt het een beetje eenzaam. Kan ik vannacht, ik bedoel, we hoeven niet direct te slápen.'

'Sorry,' zegt Cirnja, 'vannacht niet. Ik moet de rest van de week alleen in mijn uppie. Van die oeroude gebruiken. Maagdelijke bruid bij de eerste Schouw. Pure klets. Alleen hoor ik tot Michdag geen man aan te raken. Darwen kan ik niet eens spreken of zien en de laatste drie dagen draag ik een sluier.' Ze haalt haar schouders op. 'Ik vind het ook onzin. Het is maar een week, tot we verloofd zijn.'

Ze tikt hem tegen de wang. 'Het is laat. Ga slapen.'

De kamer lijkt onzinnig groot en het bed is nog erger. Een hoeslaken van koele zijde, dekens die zo licht en donzig zijn dat ze bijna wegzweven.

Marek tuurt naar het plafond en ziet dat het marmer met honderden nimfen en fauns versierd is. Hij duwt de dekens opzij en staat op. Cirnja ligt in de kamer naast hem en ze slaapt met haar deur open. In de diepe stilte kan hij haar ademhaling horen.

Hij stapt het balkon op en het marmer is kil onder zijn blote voeten. De stad ligt diep onder hem, als een woud met een miljoen versierde kerstbomen. De kathedraal steekt boven de horizon uit, een verticale donderwolk. Marek zoekt de hemel af: er is te veel spreidlicht van de stad. Nergens stolt de nacht tot leesbare duisterwoorden. Hij zucht. Dit kan wel eens een verdraaid lange nacht worden.

4

De volgende ochtend neemt Geddit hem mee naar de werven buiten de muren. De Hanze is niet het enige handelsverbond dat de oceanen bezeilt. Vouwers zijn zeldzaam, hoogstens één op de miljoen. Bijna allemaal behoren ze tot de Hanze. Minder fortuinlijke lieden steken de oceaan over op immense schepen van soms wel drie kilometer lang. Schepen die net als bij de Venetianen tien, twintig jaar onderweg zijn voor ze een volgende kust bereiken.

Senni rent voor hen uit, dartel als een lentevlinder. Ze springt van vat tot vat over, tikt de meerkabels van de monsterschepen aan die soms niet dikker dan een draad zijn. Hier, buiten de muren, kolkt en zindert het van magie. Waarschijnlijk is minstens de helft van die drijvende paleizen met illusielak bestreken. Al die vergulde trappen en glas-in-loodramen, smaragden lantaarns: het kon best weleens verveloos hout en bekrast veiligheidsglas zijn.

Senni wijst. 'Zie je dat grijze schip daar? Met zeilen die met duizend lappen en platen geperst mos gerepareerd zijn? De Idswar Hadmarech is net terug van een expeditie naar het allerdiepste noorden. De tijd gaat daar zo snel dat er voor de bemanning driehonderd jaar is verstreken.'

'Het was de moeite waard,' bromt Geddit. 'Ze hebben veertienhonderd eieren van zonnevissen en een ruim vol drakenveren. Plus vaten vol lichtende amber. Neem een slok en een grijsaard groeit zwarte krullen op zijn kale knar en trouwt met de achterkleindochter van zijn beste vriend. Geheel tot genoegen van de jongedame in kwestie.' Hij werpt een blik op de zon. 'Zo laat al! We moeten ons haasten. Cirnja en de anderen zijn er waarschijnlijk al.'

Ze steken een brug over naar een toren van rookglas. Binnen heerst een roestbruine schemering, als op de bodem van een diepe poel. De voltallige bemanning hurkt langs de muren.

Cirnja staat op bij hun binnenkomst. 'Vrienden stierven deze reis. Goede vrienden.'

De anderen vallen met een koor in. 'Iedereen sterft eens en dood is dood. Dat

weet elke Hanzeman. Hemels en hellen zijn voor klanten. De enige onsterfelijkheid vind je in de verhalen die we elkaar in zeemanskroegen vertellen.' Cirnja heft haar linkerhand en ineens houdt ze een schitterende smaragd vast. Doorzichtige slangen kronkelen zich uit de steen en slingeren zich om haar pols omlaag naar haar enkels. Een waterval van spookslangen die verdampen zodra ze de vloer raken.

'Mijn naam is oeluk Olga, Olga Slangensteen, en ik maak ze een deel van mijn verhaal.'

Ze kijkt Marek aan en het is volkomen duidelijk wat zijn functie is. Hij is niet eens verbaasd dat hij nu een zwaard vastgrijpt met een lemmet waarvan bloeddruppels druipen.

'Mijn naam is oeluk Björn, Björn Bloedzwaard, en ik maak ze een deel van mijn verhaal.' Hij gaat naast haar staan.

'Mijn naam is Zilverster,' zegt Senni, 'prinses Zilverster, en ik zal hun verhaal bewaken.' Ze maakt een breed gebaar. 'Vertellers zullen nog over hun avonturen dromen als alle muren van Huy Jorsaleem gruis en koperroest zijn.' Ze knielt op de vloer en krast een naam in de harde tegels met een diamanten pen. 'Ze heette Yulduz Hugel. Iedereen kende haar als de Kokkin en ze zou niet anders willen. Zelfs een oudbakken krakeling van haar met grijze schimmel smaakte beter dan de gesuikerde granaatappel uit de Tuin der Goden. Meeuwen vlogen duizend mijl achter haar schip aan in de hoop op een enkele gerookte makrelenkop, een afgekloven graat.'

Marek merkt dat hij de Kokkin kristalhelder voor zich ziet. Over haar onderkinnen ligt een bovennatuurlijke glans en haar pollepel is van het fijnste goudfiligrein.

'Natuurlijk gingen Olga en Björn voor hun vertrek bij haar langs. Alleen de Kokkin kon reisbrood bakken dat negen jaar meeging of…'

Haar keuken is gevuld met heerlijke geuren en wijder dan de praalzaal van een groothertog. Hele ossen draaien aan braadspitten, taarten reiken als de torens van gastronomische kathedralen naar het plafond, versierd met boomgaarden aan kersen.

'Herde was een smid waar zelfs Welland-de-Smeder nog van zou kunnen leren. Luister: er waren negen mannen nodig om zijn mokerhamer op te tillen! Herde kon het witgloeiende ijzer met zijn blote handen buigen en…'

'Ulrich de scheepsjongen heette in werkelijkheid Admar bin Omar en hij was de oudste zoon van een woestijnkoning. De dag echter voor de sjeiks de ijzeren kroon op zijn hoofd zouden zetten, zag hij een fata morgana. Een Hanzeschip zeilde over het gortdroge zand, met masten hoger dan de hemel en een sleep van

geluidloos krijsende zeemeeuwen. Het hart van de prins werd zwaar van verlangen en die nacht wierp hij zijn kostbare mantel af en besteeg het snelste paard van de stal. Hij nam niets ander mee dan een eenvoudige dolk zoals alle zeelieden dragen. Er zaten zelfs geen amethisten in het heft.

"Draaf naar het noorden," fluisterde hij in het oor van zijn paard, "en stop niet tot wij het bruisen van de branding horen, het gejuich van de meeuwen.'"

Het is avond voor ze de toren verlaten.

'Ze zijn niet dood,' zegt Senni tevreden. 'Niet langer.'

Marek is schor van het vertellen en de dode mannen en vrouwen schrijden door zijn hoofd. Herde de Smid die een vulkaan als smidsvuur gebruikt, de aartsengel die vermomd als lepreuze bedelaar bij de Kokkin aanklopte en een mand met negen bruidstaarten meekreeg. Ulrich die de honderd mijl hoge mast van het spookschip beklom tot hij de albatros ving die de ziel van prinses Zilverster had gestolen.

'Ja,' zegt Marek. 'Ze leven.'

'Ik vertelde bijna over Esle,' zegt Senni. 'Omdat ik haar zo vreselijk mis en in een verhaal ben ik bijna bij haar. Dat zou alleen verkeerd zijn. Mijn moeder leeft toch nog?'

Marek slaat een arm om haar schouder. 'Dat verhaal komt nog. Als we het meegemaakt hebben. We zullen haar terugvinden. Bevrijden. Ik beloof het.'

'Zweer je dat, Björn? Op de scherpte van je zwaard, op het graf van de overgrootmoeder die de wereld kneedde?'

Björn, ze noemt me Björn. Omdat alleen een verzonnen held zoiets onmogelijks kan verrichten.

'Dat beloof ik,' zegt Marek. Een hartenklop lijkt de wereld haar adem in te houden, aandachtig te luisteren en hij weet dat het een onwrikbare belofte is, een heilige eed. Het doet er niets toe dat het Björn Bloedzwaard was die met zijn stem sprak.

5

De vierde dag houdt Marek het niet langer uit: hij moet urgent uit de villa weg. Al die bedienden die zijn wensen vervullen voor hij ze kan verzinnen. 'Heer oeluk, wilt U…? Nog een wierookstaafje, heer oeluk? Zal ik deze deur voor u openen, heer oeluk?'

De eindeloze stroom bewonderende bezoekers die Cirnja's oeluk komen bekijken, is nog irritanter. Hij moet weg: even anoniem zijn, gewoon een domme buitenlander, al is het maar voor een uurtje.

Na het avondmaal staat hij meteen op, voor bedienden de glazen met bowl en schalen viskoekjes kunnen neerzetten en een gast een toost kan uitbrengen.

'Ik denk dat ik even de stad in ga. Alleen.'

'Prima,' zegt Cirnja. 'Iedereen kan je de weg naar onze villa wijzen. Halla stra Poulou. Zolang je die naam onthoudt…'

'Als je erg dronken wordt, moet je een draagstoel terugnemen,' zegt Senni. 'Of een riksja.' Zij en Cirnja buigen zich alweer over het in Marokkaans leer gebonden bruidsboek. Het is zo groot als een schoenendoos en minstens even dik.

'Moet je die jurk zien!' roept Senni. 'Zo'n sleep. Je hebt wel negen bruidsmeisjes nodig om hem…'

'Ik heb hem liever wat korter en leer is beter dan zijde. Ik bedoel, ik ben een oeluk! Geen Paris Hilton-barbie.'

'Gothic?'

'Laat mij eens, Senni. Stop. Zie je die riem? Allemaal werpmessen.'

'Ja, dat is ook best wel cool.'

'Nou, tot straks dan.' Bruidsjurken! Marek weet wanneer hij te veel is.

De lift daalt zo snel dat zijn voeten drie hartenkloppen van de vloer loskomen. De deuren schuiven open en hij kijkt over de hoofdstraat uit. Kooplieden doen niet aan oprijlanen: alle luxe bevindt zich op de magische verdiepingen, boven de muur. Hij werpt een laatste blik op de deur. Zonder het ingebeitelde devies zou je niet eens weten dat het naar de Halla stra Poulou voert.

'Alleen een tevreden klant staat morgen weer voor je kraam,' vertaalt hij de Hanzn sprach automatisch.

Marek draait zich om en ademt diep in: verwelkte orchideeën, rook die in de muren is getrokken, urine en verschraald bier, ozon. Het is de opwindende geur van alle nachtsteden en de duisternis zingt in zijn bloed, klopt als een reusachtig, onzichtbaar hart. Voor het eerst sinds dagen voelt hij zich vrij, kan hij Cirnja bijna vergeten.

Marek wandelt door de slingerende stegen, langs de barokke uithangborden, heerlijk anoniem, alleen zichzelf. Het is vreemd om zo veel tech in de Wijdere Wereld te zien: knipperende neonreclames, stoomscooters. Achter een raam flakkert een oude zwart-wit-tv en twee huizen verder vangt hij een vlaag van een recente tophit op. Gangsta-rap. *'All tha ho on the street, hey man they say, who yo wanna meet, got it sweet, man, am in heat, man.'* Het maakt de stad alleen nog maar exotischer.

Twee ordebewakers marcheren langs: behalve kruisbogen dragen ze ook revolvers. Bij elke derde stap kletsen ze met hun wapenstokken tegen hun leren lieslaarzen. Er is niets dreigends aan: ze zijn deel van het ritme, van de galmende nacht.

'Marek? Oeluk Marek?'

Hij draait zich met een ruk om, slaat automatisch op zijn lege zakken. *Ik ben een stommeling. Een wildvreemde stad en ik heb geen enkel wapen bij me.*

'Allekodai!' lacht het meisje. 'Je maakte zowat een hoeps in de lucht.' Ze zet haar handen in haar zij. 'Ik ben geen trol, hoor, heer oeluk.'

Haar zo blond dat het bijna zilver lijkt, krult onder haar kapje vandaan en de randen zijn met zilveren munten versierd. Grijze ogen. Prachtige grijze ogen. Ze steekt een hand uit. 'Volgens mijn vader hoort het bij jullie zo.'

Vader. 'Je bent een Metzengerstein? Je komt van Darwen?'

'Zijn tweelingzus. Nu ja, niet helemaal tweeling. Ik werd zes minuten later geboren.' Ze schudt zijn hand, op een vreemd bedachtzame manier alsof ze al zijn botjes probeert te tellen en ze houdt hem net iets te lang vast. 'Ik heet Esmin.'

'Marek van Dessen.' Hij kan haar vingers nog steeds in zijn hand voelen. Haar vel is gladder dan dat van Cirnja. Amper eelt, maar de greep was krachtig genoeg.

Ze doet een stapje terug, kijkt naar hem op. 'Ik dacht dat alle oeluks drie meter lang waren, met een haaientand door hun neus.' Het is precies het juiste toontje. Een beetje plagerig, uitdagend. Marek is al dat ontzag intussen goed zat. Al die oh's en ah's zodra mensen horen dat hij en Cirnja oeluks zijn.

'Ik moet nog een beetje groeien, Esmin.' *Mooie naam trouwens.* 'En die haaientand, och, iedere andere oeluk draagt al een haaientand.'

'Je wacht tot je kokkerd groot genoeg is voor een walrustand?' Ze ritst haar tas

open en het geluid laat tranen van volkomen onverwachte heimwee in Mareks ogen branden. Het is zo vertrouwd, zo heerlijk Oudlands. 'Dit pakketje is voor Cirnja. Niet uitpakken in de muurschaduw. Anders lekt de magie meteen weg.'

Dat kan kloppen. Het voorwerp is in isolerend koperfolie gewikkeld.

'Waar dient het voor?'

'Een geladen spiegel. Dan kunnen ze toch stiekem met elkaar praten. Hoe Darwen die ooit kon betalen, snap ik niet. Een echte patriarchenspiegel kost algauw tweeduizend thaler.'

'En zo veel zakgeld krijgen jullie niet?'

'Zakgeld voor een koopmanskind?' Ze schudt haar hoofd. 'Eten, drinken en een dak boven ons hoofd. De rest moeten we zelf ritselen.'

'Ik breng het Cirnja wel. Het is vlakbij.'

'Heb je zo'n haast? Je kwam vast niet naar de stad om voor boodschappenjongen te spelen. Volgens mij kun je best een gids gebruiken. Herbergiers schenken ezelinnenpis aan buitenlanders en verkopen ze gebraden rat als parelhoen.'

'Laat me raden: die gids ben jij?'

'Krek.' Ze haakt haar arm in de zijne. 'Ze beweren dat je een verteller bent. Vertel.'

'Nou, toen de Nocchio's ons schip kaapten, in Veneto Secundo…' De woorden rollen vanzelf over zijn lippen. Dit is perfect, denkt hij. De nacht, een mooie vrouw aan mijn arm en ze luistert naar elk woord dat ik zeg. Ze drinkt het op als glinsterende morgendauw. Wat kan een verteller zich nog meer wensen?

Daarna wordt het allemaal een beetje vager. Soms denkt hij in het drankkot te zitten, tussen Gerben en Rita, met een bierblikje in zijn hand dat maar niet leeg wil raken. Dan weer doemen de stenen nimfen van het café in Veneto Secundo op. Hij neemt een slok van iets dat waarschijnlijk geen bier is maar wel een stuk lekkerder. Sterker ook. Esmin zit op zijn schoot, met haar armen om zijn nek, en hij kan zich niet herinneren hoe ze daar terecht is gekomen.

'Vertel verder,' roept iemand. Nee, een heel stel iemanden. 'Ciao, bella, ciao!' zingt de gitarist op de omgedraaide bierton en een ijskoude vinger strijkt over Mareks ruggengraat.

'Nee, stop! Als Julia het hoort…'

'Het is goed zo,' zegt Esmin. 'Hier beneden werkt alleen tech. Zo weinig magie dat geen godin ons kan verstaan. Zie je zijn gitaar niet? Hij is een Fender, elektrisch.'

'O. Waar was ik?'

'Julia en Romeo hadden een vuur aangestoken in de ijsgrot,' zegt een van de luisteraars.

Geen idee hoe ze daar belandden. Doet er ook niet toe. Gewoon doorgaan.

'"Het is zo raar, Romeo, zei Julia. Hoe meer twijgen ik op het vuur gooi, hoe kouder het wordt."'

Romeo boog zich over de takkenbos. "Grote galopperende zeekoeien! Dit zijn helemaal geen takken, maar…"'

Grijs ochtendlicht drukt tegen Mareks oogleden. Naast hem snurkt iemand. Te rasperig voor Cirnja of Senni. Niet luid genoeg voor Geddit.

Marek wrijft in zijn ogen tot hij ze in ieder geval op een spleetje kan openen. Op de vloer ligt een mutsje met glanzende munten. Her en der kledingstukken.

Hij draait zijn hoofd voorzichtig om. Een bos zilveren haar. Onder de dekens steekt een bevallig bloot been uit. Esmin. Darwens zus. *Ik hoop dat ik niet iets vreselijk stoms heb uitgehaald.*

Hij duwt zachtjes tegen haar schouder. 'Esmin?'

'Wat?'

'Hebben we…' Hij stopt. Dat is ongeveer de beledigendste vraag die je aan een meisje kunt stellen. Bovendien ligt zijn onderbroek op de vloer en zodra hij die ziet, komen de herinneringen weer terug. Op Esmins linkerbil staat een vlinder getatoeëerd met weerhaakvleugels en smaragden oogjes. Hij weet hoe de facetten van die smaragden onder zijn vingers voelen en dat zijn dingen die je niet verzint. Zeker niet beschonken.

'Morgen.' Ze opent haar eigen ogen en ze zijn nog steeds prachtig, ook al lijken ze een beetje bloeddoorlopen. Esmin duwt haar handen tegen haar slapen en kreunt. 'Of het een goede morgen is staat nog te bezien.' Ze kijkt om zich heen. 'Heb je de spiegel nog? Want daar was het eigenlijk allemaal om begonnen. Darwen vermoordt me…'

'Daar. Op de stoel. Waar zijn we eigenlijk? Of weet je dat ook niet?'

'Mijn eigen kamer. Nadat je voor de tweede keer in het vijvertje viel, floot de herbergier van de Boormossel een riksja. Darwen goot thuis een glas drakentranen in je keel en toen kwam je min of meer bij. In ieder geval genoeg…'

'Darwen. Wat, eh?'

'Mijn broer was natuurlijk apetrots. Ik bedoel, zijn eigen zus met een oeluk! Met Cirnja's oeluk.' Ze rolt het bed uit en trekt de met blauwe kreeften geborduurde sprei weg. 'Hup, overeind. Ik rooster je een vis en geef je een punt abrikozenvlaai. En daarna ga je eindelijk Darwens pakketje eens bezorgen.' Ze pakt zijn overhemd op, zijn broek, ruikt eraan. 'Hebben we echt door de geitenkeutels gerold? In welk café houden ze trouwens geiten? Nou ja, ik vermoed dat Darwen wel wat schone kleren voor je heeft. Jullie zijn ongeveer even lang.'

De straten zijn doodstil, vol blauwe ochtendschaduwen. Esmin heeft hem een kaart meegegeven: Huy Jorsaleem doet helaas niet aan naambordjes. Als je het

juiste huis niet eens kent, heb je hier niets te zoeken, schijnt het idee te zijn. Bij het vierde pleintje is Marek al hopeloos verdwaald.

Een behulpzame straatveger wijst hem uiteindelijk de juiste richting.

'Langs de uitgebrande muziekkapel en dan alle drie de trappen op, handelsheer. Vanaf de toren kun je het dak van de Halla stra Poulou zien. Drie zilveren torens en op de middelste staat een gevleugelde makreel.'

De lift opent zijn deuren zodra Marek zijn naam noemt en tilt hem met orenploppende snelheid naar de bovenste verdiepingen. Vlak voor de bovenste verdieping siddert de lift terwijl hij van tech naar magie overschakelt. De verlichte cijfers die de hoogte aangeven, doven en veranderen in een rij koperen getallen waarlangs een glazen scarabee omhoogklimt. Een half doorzichtige hand grijpt de kruk vast en trekt de deuren open.

Cirnja en Senni zitten alweer boven het bruidsboek gebogen. Op de hoek van de tafel liggen een tiental uitgescheurde bladzijden, met een versteende drakenveer tegen het wegwaaien.

Marek vist het pakketje uit zijn jas. 'Voor jou. Van Darwen.'

'Hij mag toch niet... O, zijn zus natuurlijk.' Ze snuift. 'Je ruikt naar wijn en kokos en er zitten tandafdrukken in je nek. Wilde nacht?'

'Toen Björn met de goden dronk, moest hij bij elke hoorn mede een vraag beantwoorden,' zegt Senni. '"Met hoeveel vrouwen heb jij gelegen?" vroeg Odin. En toen zei Björn: "Hoeveel naalden heeft een duizendjarige spar?" Vat je hem? Hoeveel...'

'Ja, ik snap hem echt wel.'

Cirnja wikkelt de verpakking zorgvuldig los: alleen een trollenklauw kan het taaie koperfolie scheuren. 'Een spiegel?'

'Esmin zei dat het een patriarchenspiegel was. Hij is op Darwen afgesteld zodat jullie met elkaar kunnen spreken.'

'Als de tantes het merken, krijgen ze een rolberoerte!' roept Senni. 'Wat een ziek cadeau!' Ze draait zich naar Cirnja. 'De ketting. Jullie doen er precies evenveel kralen aan.'

'Niet precies evenveel. Dat valt op.'

'En jullie kunnen het eens worden over de kindernamen. Zeg zeven van de twintig.'

'Zweer lekker samen, jullie,' zegt Marek. 'Ik ga naar bed.'

6

'Wacht even. Iemand klopt aan.' Darwen schuift de tegenspiegel haastig onder de sprei als een bediende de kamer inglipt zonder op antwoord te wachten. 'Is er iets van uw dienst? Water, wijn of geurige doeken?'

Darwen schudt zijn hoofd. 'Nee, niets.' Hij geeft een draai met zijn pols. 'Blijf voor de deur staan en laat niemand door. Ik moet met de sterren spreken.'

'Niemand zal u storen, meneer.'

Darwen trekt het sprei opzij. 'Waar waren we, Cirnja?'

'Bij de R. Ronalissa zei je. Persoonlijk vind ik dat een belachelijke naam. Dochters met zo'n naam lopen van huis weg om pupkenkastspielster te worden of trouwen met een apotheker.'

'Dat kunnen we niet hebben. Vooral dat laatste niet. Rissa dan?'

De spiegels geven alleen beeld door, geen geluid. Elke koopman kan voor zijn achtste liplezen. In een magische omgeving hebben de muren maar al te vaak oren, soms zelfs letterlijk.

Cirnja heeft het bruidsboek op haar schoot opengeslagen. 'Moet je horen: bij de schouw kijken de jongelieden elkaar voor het eerst in het gelaat. Momenten van sidderende spanning! Zal ze lelijk zijn als een harige potdeksel, met wangen als gerimpelde pruimen? Is zijn neus als de vervellende snavel van een zieke papegaai?'

'Zouden ze vroeger echt niks van elkaar geweten hebben? Voor ze uitgehuwelijkt werden?'

Ze heft haar hand op. 'Sorry. Daar gaat de gong voor het avondeten. Er is een oom uit Serlangen en als tamme oeluks moeten…'

'Zie je straks weer. Derde uur van de nacht?'

'Dan moeten we wel uitgegeten zijn.' Ze wappert hem een kushandje toe. Elkaars spiegelbeeld kussen is minder slim hebben ze gemerkt. De lading van de spiegel laat een knetterende vonk overslaan en het voelt alsof je een zee-egel kust. 'Morgen is de Schouw. Eindelijk weer zoenen. Ik wil je armen om mij heen voelen. Dit is toch belachelijk? Ik heb je sinds onze aankomst nog niet één keer aangeraakt.'

Darwen glimlacht. 'Na morgen kan niemand daar meer bezwaar tegen maken. En na de bruiloft al helemaal niet.'

Darwen duwt de deuren van zijn balkon open. De stad ligt aan zijn voeten: een sprookjesachtig web van neon, geel natriumlicht. Het gedruis van verkeer, muziek, van de machtige, bonkende machines die uit de Oudlanden geïmporteerd werden.

Een windvlaag strijkt langs zijn gezicht en alle lichten flakkeren, het geroezemoes sterft weg. De wind moet gedraaid zijn. Hij waait nu uit het fabelachtige noorden waar de drooglanders loeren. Haar magie drukt de tech weg. Een tweede, harde vlaag en alle lichten doven. Alleen de offervuren op de orthodoxe slangentempels en het maanlicht blijven over. In de diepe straten is er echter niets van te merken en blijven de lichten branden, de luidsprekers schallen: alleen hier op het balkon is de magie sterker dan de tech.

Darwen verplaatst zijn blik. *Zo veel sterren heb ik in jaren niet gezien: de maguswind moet uitzonderlijk sterk zijn.*

Automatisch zoeken zijn ogen de duisterwoorden tussen de sterren. Daar. Ja, Darwen och Cirn… De rest van haar naam staat een half sterrenbeeld verder. Darwen och Cirnja habai edmir. Darwen en Cirnja hebben een vijand.

Een vijand. Wie niet? Wie verdorie niet? Hij heft zijn handen, probeert de magie met zijn duim uit de hemel te sleuren. Vertel me meer. Hier heb ik niets aan.

'Edmir proch,' staat er in de Grote Beer. 'Gleich serpens centro testes corcor,' in een cirkel om de Dolfijn.

Een vijand vlakbij. Als een slang diep in je eigen hart. Nee, het is meervoud: in jullie eigen hart of anders onder jullie intiemste vrienden.

De woorden zijn zo afgrijselijk duidelijk: hoekige zwarte slingers tussen de stralende sterren.

De wind draait, valt weg. Al het licht van de stad stroomt de hemel in en maakt de nacht grijs en onleesbaar.

Een vijand vlakbij. Iemand die we volkomen vertrouwen.

Voetstappen, steels als kattenpootjes. Marek blijft doodstil liggen, opent zijn ogen op een spleetje.

Mijn matrozenmes hangt nog aan de riem van mijn broek. Stom, stom.

'Marek?'

Cirnja laat zich op zijn voeteneind zakken. Hij ziet haar silhouet in het maanlicht tegen de muur afsteken.

'Ben je wakker?'

Hij ontspant zich en komt overeind. 'Nu wel.'

'Darwen. Ik sprak hem net. Hij las een waarschuwing in de sterren. We heb-

ben een vijand. Een slang is ons hart. Dat betekent iemand vlakbij. Een vriend of familie.'

'Wacht. Wij, zei je. Is dat jij en Darwen of jij en ik?'

'De duisterwoorden toonden zich aan Darwen. Hij en ik, denk ik. Wat doet het ertoe? Mijn vijand is jouw vijand. We zijn oeluks!'

'Ja, natuurlijk.'

'Wat doen we eraan?'

'Alert blijven. Niemand vertrouwen. Die oom bijvoorbeeld…'

'Je maakt er een stom geintje van! Terwijl iemand mijn toekomstige man gaat vermoorden!'

'Nu is het opeens vermoorden?'

'Waar schreeuwen jullie zo over?' zegt Senni uit de deuropening.

'Morgen,' zegt Marek. 'Morgen spreken we er verder over. Ik ben doodop, ja? Kapot.'

'Morgen is de Schouw al! Als hij Darwen…'

'Allebei de villa's. Alles en iedereen staat juist op scherp voor morgen. Niemand kan hier naar binnen sluipen.'

Cirnja springt overeind, smijt haar handen de lucht in. 'Maf maar lekker. Waarom zou je je druk maken? Het is de man van je oeluk maar.'

De deur knalt achter haar dicht.

'Volgens mij is ze behoorlijk boos,' zegt Senni. 'Moet je haar niet achterna? Om het goed te maken?'

'Laat Darwen dat maar doen. Ze wordt zijn vrouw.'

'Volgens mij snap je het niet helemaal,' zegt Senni en dan is ze ook vertrokken.

Marek ziet de maan van de ene rand van zijn raam naar de andere kruipen. Zijn hoofd zit barstensvol, als een kom met vette, soppend over elkaar glibberende kikkervisjes. Elke gedachte is te slijmerig om aan te raken. Had ik Cirnja inderdaad achterna moeten lopen? De kerel helpen die op het punt stond zijn vriendin in te pikken? Mooi niet.

Alleen zit het net een beetje anders: ik was het die Cirnja had ingepikt. Zij en Darwen kennen elkaar al jaren, hoorden bij elkaar. Hij siste tussen zijn tanden. Waarom kan ik Darwen niet gewoon in zijn sop gaar laten koken?

Hij rolt het bed uit, beent naar het balkon. In het licht van de megastad oogt de hemel een goor, korrelig oranje. De sterren worden net als de vorige keer door het licht weggedrukt en het is onmogelijk ook maar één duisterwoord te lezen.

Ik wed dat hij het gewoon verzonnen heeft. Om indruk op Cirnja te maken. Gevaar windt een oeluk op. Een onzichtbare vijand is beter dan duizend kussen. En ze droeg niet eens haar sluier. Voor alle mannen moet ze een sluier dragen,

maar die goede oude Marek, die is natuurlijk geen man. Een soort broertje hoogstens.

Ik moet terug naar bed, besluit hij. Die Schouw morgen is al erg genoeg. Ik maal. Dit soort onzingedachtes slaan echt nergens op.

Toch trekt hij zijn matrozenmes van zijn riem en schuift het ter hoogte van zijn rechterhand tussen de matras en de bedrand.

Als Marek zijn ogen sluit, beseft hij dat hij zichzelf absoluut niet aardig meer vindt. Jaloezie is een ellendige, kleverige emotie en hij is bijna vies van zichzelf.

Misschien gaat het morgen beter.

Hij gelooft er geen woord van.

7

Hinderlijk luide stemmen wekken hem de volgende ochtend. Senni heeft de deur op een kier laten staan, waarschijnlijk expres, als een stille hint.

Die wat hese stem moet Darwens vader zijn.

'Heb je het al gehoord, mijn vriend?' zegt de ander. 'De patriarch wil de handelsbelasting verhogen. Het wordt nu twintig procent op elke transactie.'

'Bizar!' roept Geddit met de diepe verontwaardiging van een koopman die zijn winstmarge ziet slinken. 'Wat geeft hij als reden?'

'De invasievloot van het Kalifaat. Op volle zee ontladen Oudlandse wapens razendsnel en de kalief schijnt nu ook tamme djinns te hebben.' Marek herkent de tweede stem nu. Het is heer Yul, Darwens vader.

'Djinns kun je niet temmen,' protesteert Geddit. 'Het is veiliger op een matras van levende slangen te slapen. De vloot? De vloot is al zestig jaar op weg.'

Marek stapt de gang in. 'Ook goedemorgen. Waar gaat het over?'

'De invasievloot van de kalief,' zegt Geddit. 'Hij zeilt recht op Huy Jorsaleem af en dat al een halve eeuw.'

'Naar verluidt vijftigduizend schepen,' verduidelijkt heer Yul. 'Ze moeten de hele afstand zeilen en kunnen geen vouwsprongen maken. Het kalifaat heeft geen vouwers, niet een.' Hij spreidt zijn handen. 'Zonder vouwers is zelfs de maan dichterbij. Bovendien, niemand heeft die vloot ooit gezien. In het hart van de oceaan vind je geen vouwen.'

'De patriarch zag ze,' zegt Geddit. 'In zijn spiegels. En wie zijn wij om daaraan te twijfelen?'

'Het zou niet bij me opkomen.' Yul raakt zijn oren aan en dan de muur.

'Jullie moeten een tweede vloot betalen?' vraagt Marek. 'Een die Prester Johnsland beschermt?'

'We zitten met hetzelfde probleem. We moeten ze onderscheppen en in de diepe oceaan valt er niets te vouwen. Onze schepen zijn daar even traag als die van hen.'

'Denk aan een schaakspel dat nog rustig anderhalve eeuw kan duren,' knikt heer Yul.

'De patriarch giet toch magische spiegels?' zegt Marek. Je kunt erdoorheen stappen naar elke plaats die je wilt? In elk derde Björn-en-Olgaverhaal komt zo'n spiegel voor.'

'Werkt niet,' zegt Geddit. 'Elke derwisj van de vloot zou zo'n doorgang onmiddellijk opmerken en bovendien, bij zo'n grote afstand kan er maar één man per keer door.' Hij klapt in zijn handen. 'Wat staan we hier te zwetsen? Dit is geen dag voor prietpraat!' Hij pakt Marek bij zijn arm. 'Laten we de ceremonie voor de Schouw nog even doornemen. Jij draagt dus Cirnja's ketting en…'

8

De Schouw vindt die avond plaats aan de voet van het stadspark. Als ze met de staatsiesloep aanleggen, ziet Marek dat de glooiende weide met ontelbare fakkels verlicht is. Lampions van rijstpapier en opwindvlinders zweven over. Op de achtergrond draait de toren van het stadspark zich als een immense, pikzwarte wenteltrap de hemel in.

'Daar is Cirnja's schouwtent!' wijst Senni. 'Diep gonzo! Nog groter dan toen met Hashe en Isolde.'

De tent is van sterrenmosgroen satijn en delicaat als ochtendmist. In de nok prijkt de gevleugelde makreel van de Stra Poulous en een dozijn vlaggen en banieren van verwante families.

Senni rent naar voren en buigt over een tentpen, streelt de kralen die aan de tentlijn gestoken zijn. 'Dat is puur pralen,' zegt ze instemmend. 'En de tentlijnen. Alleen wij en de Metzengersteins zouden parelkettingen als tentlijn gebruiken.'

Geen kralen dus. Marek kan intussen al redelijk als een koopman denken: al dit vertoon is om indruk te maken op je klanten en het is net zoiets als het Italiaanse cappuccinoapparaat in je autoshowroom, als het zwarte glas en de zilveren letters op je etalage. Geddit en handelsheer Yul lopen liever in een zeemanstrui rond dan in een staatsiemantel.

Een vloed van gasten en potsenmakers kolkt over het terrein, van priesters die bidmuntjes en ballpoints rondstrooien tot kermisklanten met dansende struisvogels. Een blik opzij naar een overvliegende slang en Marek is de rest kwijt. Enkel onbekende gezichten, maskers, dameshoeden met opgezette paradijsvogels.

'Cirnja! Geddit?' Een dwerg hopst langs op een pogostick en toetert recht in zijn gezicht. 'Senni?'

Het heeft geen zin. Alleen met een megafoon kun je je hier verstaanbaar maken.

Het kost Marek een half uur om zich door de menigte naar de ingang van de tent te worstelen.

Wachters met hellebaarden en uzi's bewaken de ingang. Aan weerszijden halen lakeien de uitnodigingen van de toeschouwers door kaartlezers. Marek beent langs de zestig meter lange rij wat hem een keur aan giftige blikken en boos gesis oplevert. Hij blijft voor de grootste bewaker staan en kijkt naar hem op.

'Laat me door. Geddit en Cirnja verwachten me. Ik ben haar oeluk.'

De man tuit zijn lippen. 'Dame Cirnja's oeluk? Vast wel, en ik ben de markies van Kalebas en mijn pauwen poepen gouwe eieren. Vort met jou!' De brede grijnzen van de andere wachters zouden niet misstaan op een clownsmasker.

'Uw uitnodiging?' vraagt een lakei. 'Deze rij is overigens uitsluitend bedoeld voor edellieden en magnaten met een purperen invitatie.'

'Ik heb geen uitnodiging nodig. Ik hoor hier verdorie bij!'

De lakei gebaart met zijn kaartlezer naar de bewaker. 'Alphons, verwijder dit sujet.'

'O, daar ben je eindelijk!' Esmin pakt Marek bij de elleboog. 'Ik heb hier Cirnja's dagenketting en de armband met kindernamen.' Ze trekt een groene sjaal van haar hals. 'Knoop deze om. Dan zien ze je niet aan voor verdwaalde geitenhoeder. Ons familiewapen staat erop geborduurd.'

De lakei gaapt haar aan, staart naar de sjaal. 'Dame Esmin, bedoelt u dat hij…'

'Jazeker, deze heer hier is oeluk Marek. En met een beetje geluk hakt heer Geddit alleen een van je vingerkootjes af en laat heer Yul je niet kielhalen. Onze families nemen gastvrijheid nogal serieus.'

'Maar oeluk Marek, hij is vier meter lang en er zit een adelaar op zijn schouder.'

De man is oprecht verward, ziet Marek.

'Vandaag ben ik incognito. Bovendien moet je niet alles geloven wat verhalenvertellers kletsen.'

Op de vloer van de tent ligt een tapijt van glasvezels uitgerold dat voortdurend van kleur verschiet. Spiegelbollen draaien in het licht van een dozijn lasers: Marek had in een Oudlandse disco kunnen staan. In Huy Jorsaleem laat je met peperdure geïmporteerde tech je rijkdom en macht zien, begrijpt Marek: magie is te gewoontjes, meer iets voor arme sloebers.

Aan het eind van het tapijt wacht een dubbele troon van plexiglas. Hij blijft nog leeg: Darwen staat ernaast. Net als Cirnja de afgelopen dagen draagt hij een zwarte sluier.

Wat een stupide poppenkast, denkt Marek. Zoiets kun je toch niet serieus nemen? En dit is nog niet eens het huwelijk zelf: alleen maar die we-doen-alsof-we-elkaar-voor-het–eerst-zien-Schouw.

Cirnja wenkt hem. 'Waar was je?' sist ze. 'Iedereen zat op je te wachten.'

'Ze wilden hem niet doorlaten,' zegt Esmin. 'Bij de deur. Het is zijn schuld niet.'

'Nu ja, hij is er in ieder geval.' Cirnja klinkt nog steeds nijdig.

'Tot straks,' zegt Esmin en ze knijpt in zijn arm. 'Ik hoor aan de overkant te staan. Als Darwens zus.'

Een vrouw schrijdt naar voren en blaast op een glazen trompet die de vorm van een lelie heeft. Senni geeft Marek een por. 'Dat was de Imca. Nu moeten we naar voren.'

Bij elke stap knarst het tapijt onder Mareks zolen. In de tent hangt de geur van ozon en overspringende vonken, van hete rozenolie. Hij werpt een blik opzij.

Hij kan Cirnja's gezicht dwars door de dunne zijde zien schemeren. Haar ogen glanzen, om haar lippen speelt een stille glimlach en ze kijkt recht vooruit. Alleen maar naar Darwen, naar zijn rivaal.

Ze is gelukkig, helemaal gelukkig, realiseert Marek zich. Ineens is dat onverdraaglijk. *We vochten samen tegen de drooglanders, bereden een vloedgolf. Je lag in mijn armen en je deed net alsof je daar thuishoorde.*

'Cirnja,' zegt hij en zijn keel is droog, zijn lippen zo stijf dat ze van hard rubber lijken. De curve van haar wenkbrauwen, de perfectie van jukbeenderen. Een wit litteken slingert zich over haar wang en hij zou elke bocht met zijn vingertoppen willen natrekken.

'Cirnja?'

'Ja?' Ze kijkt niet eens opzij. Haar antwoord is als het achteloze wegvegen van een vlieg die je amper opgemerkt hebt.

'Cirnja,' zegt hij, 'ik hou van je.' Zijn hand komt vanzelf omhoog, trekt haar sluier opzij.

Ze draait haar hoofd met een boze ruk zodat zijn kus op haar wang belandt in plaats van op haar lippen.

'Idioot! Wou je de Metzengersteins onsterfelijk beledigen? Je bent mijn oeluk!'

Een ontzette stilte waaiert over de tent uit. Marek voelt de druk van honderden stekende ogen die zich haastig afwenden.

Dit is het stomste dat ik ooit gedaan heb.

Hij duwt de ketting en de armband in Senni's handen en stommelt naar de uitgang.

Niemand houdt hem tegen. De bewakers deinzen opzij alsof hij de builenpest heeft.

Senni zit vlak achter hem aan. Ze grijpt hem bij zijn broekriem en stompt hem dan keihard in zijn buik.

'Je bent geen haar beter dan alle andere kleihappers,' zegt ze en haar stem is

hees van woede en teleurstelling. 'Een graaier. Natuurlijk haat Cirnja je. Jij verknoeit alles!'

'Ik…'

'Je wilt het allemaal. Cirnja moet ook je Zilverster zijn. Zoenen en trollen-
hoofden afhakken. Zo werkt dat niet.'

'Senni…'

'O, naar mij hoef je niet te luisteren. Ik ben Cirnja's kleine zusje maar!'

Ze rent naar de tent terug en Marek ziet haar schouders schokken.

9

Aan de rand van hun wijk hebben de Stra Poulous drie eeuwen eerder een openbaar stadspark opgericht. Als Marek aan de opgang staat, ziet hij een honderdtal terrassen die zich in een gigantische wenteltrap naar de top draaien.

'We namen het befaamde schilderij van Breughel als model,' had Geddit hem de vorige avond verteld. 'Je weet wel, de toren van Babel. De onderste tuinen zijn door ledlantaarns en tl-buizen verlicht. Daarna, als de tech begint te haperen, gebruiken we suizelende gaslantaarns en lampions. Op de top, waar de tuinen boven de muur uitsteken en de maguswinden vrij spel hebben, ah, daar vind je dwaallichten en stralende watervallen. Lichtvijvers waarin nimfen rondzwemmen die niet groter dan je vingerkootje zijn.'

Vanaf Mareks balkon had de parktoren steeds zo prachtig geleken, een feestelijke draaikolk van licht. Nu is het juist de duisternis die hem aantrekt, de diepe schaduwen tussen de lantaarns, waarin hij weg kan duiken en zich kan verstoppen.

Marek rent de treden omhoog tot elke ademtocht een pijnscheut in zijn zijde geeft en er groene en paarse vlekken voor zijn ogen dansen. De Schouwtent lijkt nog steeds onverdraaglijk dichtbij: hij kan feestgedruis horen, soms een wilde toeter en handgeklap.

Zijn voetzolen schrijnen en kloppen en hij loopt op kussens van bloedblaren als de tent uit het zicht verdwijnt. Hij zet door: de pijn is welkom. Alles is beter dan zijn eigen rondcirkelende gedachten.

Ergens halverwege, in een tuin met versteende bomen en fakkels waar uilen zo klein als nachtmotten omheen fladderen, slaat zijn wanhoop om in een machteloze woede. *Ze speelde met me. Ik was gewoon een tussendoortje terwijl ze op Darwen wachtte. Ik mag nog blij wezen dat ze zijn naam niet kreunde toen ze klaarkwam.*

Het is ver na middernacht als Marek de top van het stadspark bereikt. Hij leunt tegen de balustrade. Zijn beenspieren zijn als water, zijn borstkas is gevuld met vurige kolen.

'Ze ligt diep, eh?' zegt een stem. 'De stad aan je voeten. Als je over de reling klimt, zou je minutenlang vallen. Meer dan genoeg tijd om vreselijke spijt te krijgen. Je hebt maar één leven en zij is het niet waard.'

Hij draait zijn hoofd.

Niemand.

'Jij houdt van haar en ze spuwt op je schaduw.' De stem is zo iel dat Marek het zich net goed had kunnen verbeelden. Bovendien zegt het precies wat hij denkt, al zou hij het waarschijnlijk niet over spugen op zijn schaduw hebben.

'Marek?' zegt de stem.

'Ik hoorde je wel. Ik ben echt niet zo stom om te springen.'

Zand wolkt op uit een pot waarin de planten tot bruine stokjes verdroogd zijn.

Een djinn? Ja, de hoge stadsmuren liggen nu onder hem. Hun koper kan de magie van het land niet langer afschermen.

'Zou het niet heerlijk zijn als ze net zo naar je keek als naar Darwen?' zegt de djinn. 'Met die heel speciale smachtende blik in haar ogen? Dat ze je om een kus smeekte? Zou dat geen perfecte wraak zijn?'

'Jij was het wolkje dat ons achterna dreef. De djinn die ontkwam, de vizier.'

'Wie anders?'

'Waar heb je het eigenlijk over?' vraagt Marek. 'Een liefdesdrank?'

'Och, een op de drie mensen vraagt ons om een liefdesdrank. Jullie schijnen altijd met de verkeerde te willen paren. Al dat gehunker onder balkons of voor dichtgeregen tenten! Het is trouwens geen drank. Een kleurloze poeder. Zonder smaak of geur. Meng het in haar wijn en ze zal verliefd worden op de eerste die ze aankijkt.'

'Zo eenvoudig?' zegt Marek. 'En het blijft zo? Ik bedoel, Cirnja zal…'

'Diep en gepassioneerd. Niet van echt te onderscheiden.'

Marek probeert de gedachte uit alle macht weg te drukken. Ten slotte vraagt hij het toch. 'Wat is je prijs?'

'Roei mij naar jullie schip. Het ligt achter het koperen gordijn aangemeerd en daar ben ik zo goed als machteloos. Te zwaar om te zweven of zelfs maar over het water te lopen. De waakvissen zouden mij meteen ruiken en verslinden.'

'Wat moet je op de Gouden Amarant?'

'Doet het er wat toe? Je hebt al besloten op mijn aanbod in te gaan.'

Marek is moe, zo afgronddiep moe als hij aan de kade staat. Het ochtendlicht lijkt over zijn oogbollen te schuren en hij kan elk gesprongen adertje voelen. De

djinn hurkt op zijn schouder, een wervelwind amper groter dan een bromvlieg. Dit is verkeerd, volkomen verkeerd en stupide en daarom des te aantrekkelijker. Het past bij hem, bij zijn rancuneuze treurigheid, zijn frustratie. Als je iets verknoeit, moet je het ook goed verknoeien. Het is als een wilde vrijpartij na een ruzie, als je je vriendin eigenlijk hartgrondig haat, maar ze vult je hele hoofd, elke gedachte, en er is voor niets anders plaats.

De roeiriemen van de sloep plonzen in het doodstille, olieachtige water. De vin van een waakvis duikt op, cirkelt om de roeiboot.

Marek legt de roeiriemen neer, steekt een hand in het water. 'Zeewolf?'

Een minuscule prik van een naaldtand als de vis zijn bloed proeft. Een zilveren oog inspecteert hem en dan zinkt de waakvis in de diepte terug. Marek is veilig, geproefd en besnuffeld, bemanning.

Voor in de boot liggen matrozenmuilen en Marek klimt moeiteloos tegen de romp van de Gouden Amarant op.

In het ochtendlicht lijkt het dek schokkend shabby. De planken moeten nodig geschuurd worden, de rollen kabels pluizen.

'En nu?' vraagt Marek.

De djinn glipt van zijn schouders en verschijnt als een schaduw op het dek.

'Ik zoek de hartsteen van de emir,' komt zijn stem. 'Veel heb ik niet nodig, een scherf, een splinter. Zelfs een korrel is genoeg.' Hij spreidt zijn vingers en een groene vonk wrikt zich uit een spleet tussen de planken los, springt in zijn hand. 'Dit voldoet. Het kost twee, drie van jullie eeuwen om zijn hartsteen aan te laten groeien.

Twee eeuwen,' herhaalt de vizier. 'Tegen die tijd zijn jullie al lang en breed dood en wat kunnen de kinderen van je kinderen je schelen?' Hij klakt met zijn tong. 'Het is me om de liefdesdrank te doen, begrijp je? Dat is een vrij effectieve manier om jullie kapot te maken en het mooie is dat ik absoluut zeker weet dat je hem gaat gebruiken.' Hij lacht. 'Geef een betoverd zwaard aan een heilige en aan het eind van de week rollen er al hoofden. Jij bent een oeluk, even pervers en nieuwsgierig als een vos, geen heilige.'

Het dek is leeg en de enige schaduwen zijn die van de masten en de lekkende watervaten. Het zakje met liefdespoeder hangt om Mareks nek. Geen molensteen zou zwaarder kunnen wegen.

10

Het is nu definitief dag: gepensioneerde zeelieden die hun schor blaffende robben uitlaten. Tetterende vogels zitten op elke tak. Marek aarzelt bij de deur van de lift, loopt door, keert dan om.

Het wordt straks echt niet eenvoudiger, vertelt hij zichzelf. Tien tegen één dat ze mijn naam hebben gewist. Hij haalt diep adem. 'Marek,' zegt hij in de luidspreker.

Geen reactie en hij wil zich al omdraaien.

Nee, dit is pure lafheid.

'Marek van Dessen. Oeluk Marek van Dessen.'

'Welkom Marek van Dessen.' De liftdeur schuift open.

Als hij de hal binnenstapt, staat een bediende klaar met een nieuwe cape, een schone broek van soepel leer, nieuwe laarzen.

Ze wisten dat ik terug zou komen, denkt Marek. Hun smerige zwerver. De ongemanierde barbaar die helaas Cirnja's oeluk is. Een oeluk is voor altijd. Hebben zij even pech.

'Uw bad staat gereed, heer oeluk. Stomend en gemengd met geurige oliën.'

'Straks. Waar vind ik Cirnja?'

'Dame Cirnja gebruikt haar ontbijt op het ochtendterras.'

De lange gang door met zijn tegels van porfier en portretten van een honderdtal grootkapiteins en handelsdames, de wenteltrap op. Aan het einde van het terras, voor de openslaande deuren, zit Cirnja achter een glazen tafeltje met gekrulde poten.

Ze kijkt op en haar ogen twinkelen. 'Je kunt ook overdrijven. De hele nacht weg.' Ze klakt met haar tong. 'Je bent een Oudlander. Iedereen weet hoe Oudlanders zich gedragen.'

Het is precies het verkeerde toontje. *Ze vergeeft me omdat ik niet beter wist. Alsof ik een kleuter ben.*

'Ik voel me zo stom,' zegt hij en het is toneelspel. Woorden die hij onderweg

een dozijn keer gerepeteerd heeft. Hij ploft op de lege stoel voor haar neer. 'Sorry. Het spijt me.'

'Alleen de oudtantes waren ontzet. Darwen begrijpt het echt wel.'

Darwen begrijpt het echt wel. Zo liefdevol als ze dat zegt. Cirnja is mooier dan ooit en nu volkomen onbereikbaar. Niet langer van hem.

Niet dat Cirnja dat ooit was. Een kameraad was ze, mijn bloedzuster.

'Je glas is leeg,' zegt Marek. 'Zal ik nog wat muntthee inschenken?'

'Waarom ook niet?' Ze legt haar hand op de zijne en het kost hem de grootste moeite om zijn vingers niet weg te rukken.

'Je thee.' Hij reikt naar de zilveren theepot, tilt de deksel op en inhaleert. 'Ja, hij is nog vers.' Elk woord klinkt zo volkomen onoprecht. Hoort ze de trilling in zijn stem niet? Is ze stekeblind?

De korrels lossen meteen op in de thee en hij schenkt zichzelf ook een glas in.

'Goedemorgen, Marek.'

Darwen staat op het balkon, een silhouet in een omlijsting van zonlicht.

'Hoi.' Mareks stem blijft ergens diep in zijn keel haken.

Cirnja werpt een blik op haar kopje, ruikt eraan. O nee, denkt Marek, het gaat mis. Ze heeft het door.

Cirnja haalt haar schouders op en neemt een flinke slok. Ze zet het meteen weer neer. 'Oetsj, een beetje te heet nog.'

Hoeveel tijd heeft een liefdesdrank nodig? Twee seconden, tien?

Dit is zo verkeerd. Zo godvergeten kinderachtig. 'Het gaat me om de liefdesdrank,' had de grootvizier gezegd. 'Dat is een vrij effectieve manier om jullie kapot te maken en het mooie is dat ik absoluut zeker weet dat je hem gaat gebruiken.'

'Doe je ogen dicht!' roept Marek. 'Kijk me niet aan!'

Oeluks vertrouwen elkaar: Cirnja knijpt haar ogen meteen stijf dicht.

'Wat is er mis, Marek?'

'Draai je nu langzaam om. En jij, Darwen, kom dichterbij. Kniel met je gezicht vlak voor haar gezicht. Ze moet je kunnen zien. Niets anders. Niemand anders.'

'Een bezwering?' vraagt Cirnja.

Marek loopt naar de deur. 'Doe je ogen open als ik het zeg. Kijk hem aan. Kijk Darwen aan.'

'Ja, nu!' Hij laat de deur achter zich dichtglijden, rent de gang door.

De bediende staat nog steeds bij de liftdeur.

'Verlaat u ons nu al, heer oeluk? Wenst u geen schone kleren?'

Marek ramt met zijn duim op de scarabeeknop en onzichtbare handen schuiven de liftdeuren open.

11

Op het Kopernikplein kijkt hij omhoog: de lifttoren van Halla stra Poulou steekt boven de koepels van de visafslag en de kerktorens uit. De gevleugelde makreel schittert in het zonlicht.

Marek versnelt zijn pas: het is onmogelijk om daar ooit nog terug te keren. Het is voorbij, definitief uit. Cirnja is niet dom. Ze zal doorhebben wat hij geprobeerd heeft.

Ik kan beter naar een andere wijk verkassen. Stel je voor dat ik haar tegenkom? Of iemand anders die mij kent?

Hij steekt zijn hand op en houdt een stoomkoets aan.

'Waarheen, heerschap?' vraagt de bestuurder vanaf de bok. Hij draagt een koperen motorhelm en een zwart T-shirt met een opdruk van metallic groene rozen. In zijn neusring knipperen felle blauwe en paarse ledlampjes.

Marek schudt een tienthalerstuk uit zijn geldbuidel. 'Hoe ver kom ik hiermee, vriend?'

'De overkant van de rivier,' zegt de man, 'en dan nog een paar wijken verder.'

'Wat ik eigenlijk zoek, is een wijk zonder kooplieden of zeelui. Vooral geen zeelui.'

'In Dema Barachstov kweken ze lotussen zo groot als wagenwielen en aan elk balkon bungelt een bak met orchideeën. De kolibries zwermen zo dicht dat je vaak de overkant van de straat niet eens kunt zien. Geen zeil of zeemeeuw te bekennen.'

'Net wat ik zoek.' Marek hijst zich de koets in.

De Novaya Sont is zo breed dat de brug achter de kromming van de horizon verdwijnt. De andere oever van de rivier is natuurlijk helemaal onzichtbaar. Honderden schepen laten hun vlinderzeilen schitteren. De zon gaat al onder als ze de poort van de bloemkwekerswijk binnenrijden.

'Dit is het wel ongeveer,' zegt de koetsier. 'Vraag gerust rond. De enige vissen zwemmen hier in vijvertjes en als je de kwekers een peddel laat zien, denken ze dat het de theelepel van een reus is.'

Marek stapt uit. De avondlucht is zwaar van de bloemengeuren en de straten zijn met dik, borstelig gras begroeid.

Perfect. Een plaats waar niemand mij kent. Hier kan ik helemaal opnieuw beginnen. Clean worden en vergeten wie ik was.

De vijfde dag is zelfs het wisselgeld van zijn laatste thaler op. Marek zet zijn ellebogen op de tapkast en kijkt de herbergier aan. 'Eigenlijk ben ik een beetje op zoek naar werk.'

'Je laatste houten stuiver vergokt,' knikt de herbergier. 'Ik vroeg me al af toen je gisteren geen gestoofde kwartel bliefde en water in plaats van bier bestelde. Wat kun je zoal?'

'Verhalen vertellen. Ik tokkel niet onverdienstelijk op een gitaar.'

De herbergier snuift. 'Van rare verhalen houden we hier niet. Bloemen bloeien en niks groeit zonder mest. De rest is onzin. Wat is trouwens een gitaar?'

Als je in een vreemde stad naar werk zoekt, merk je al snel hoe ongeschoold je eigenlijk bent. Hazenkeutels in de rozenbakken strooien en het opwrijven van de sedakkadoorns schuift twee stuivers per uur, ontdekt Marek. Er zitten tweehonderd stuivers in een thaler en je hebt zeven stuivers voor een brood nodig.

De tuinder laat hem op de vliering van de afgekeurde duiventil slapen. Marek is al lang blij. Een armvol veren in een jutezak, wat mos erbij: niks mis mee als matras, toch? Aan de stank wen je ook wel, maakt hij zichzelf wijs. De rest van de mestjongens stinkt minstens even erg.

Een week verstrijkt, dan veertien dagen en Marek moet toegeven dat de stank niet went. Absoluut niet. Andere burgers beginnen nadrukkelijk te snuiven en lopen in een wijde boog om hem heen als hij in de avond naar de markt sloft om een handvol afgekeurde radijzen uit de afvalbakken te vissen. Hij moet nieuwe gaatjes in zijn broekriem ponsen: een brood en een halve komkommer per dag zijn blijkbaar toch niet genoeg. Als hij over zijn kin wrijft, raspen de stoppels onder zijn handpalm. Het is nog niet genoeg haar voor een echte baard, al laat het hem er wel als een zwerver uitzien. Zijn scheermes is de derde dag bij de tuinderij al gejat.

De verzakte duiventil ligt op de hoogste heuvel van de wijk en vanaf het dak kan Marek nog net de rivier zien als hij een waterpijp met de andere jongens rookt. De rivier is een slang van zilver, vol minuscule zeilen. Daarachter, ergens in het blauwe waas, moet Dema stra Poulou liggen met Cirnja's hoge villa. Het is een dag reizen met een stoomriksja of een snelkoets en dagen, zo geen weken te voet.

'Wat een diepe zucht,' zegt Hunge. 'Heb je daar soms ergens nog een liefje zit-

ten die je de bons gaf? Of denk je terug aan het paleis van je vader de hertog?'

'Bijna goed,' zegt Marek. 'Ken je de Stra Poulous?'

'Mij maak je niks wijs! Je wilt zeker beweren dat je eigenlijk een bastaardzoon van heer Geddit bent?' Hunge reikt Marek het mondstuk van de waterpijp aan. 'Jij bent me een rare.' Hij gniffelt. 'De Stra Poulous!'

De rook heeft een bittere nasmaak van gistende appels en schimmel. Mestjongens roken nu eenmaal niet de beste tabak.

De schemering sluipt aan over de daken en de kassen van gebrandschilderd glas en Marek krijgt het afgrijselijke gevoel dat hij hier al honderden, duizenden keren heeft gezeten. Dat hij inderdaad nooit meer dan een mestjongen is geweest, een met een bijzonder rijke fantasie.

'Vertel nog eens over de Oudlanden en de emir van de drooglanders,' zegt een van de meisjes. Tinka, ja, Tinka met de groene ogen en al die sproeten. 'Zoals jij het vertelt…'

Een reeks plaatjes stroomt door Mareks hoofd. Hij en Tinka, jaren verder. Drie kinderen en hij voorman Van Dessen met een dozijn mestjongens onder zich. Marek huivert. Morgen, neemt hij zich voor, morgen ga ik beslist terug. Al moet ik om droge broodkorsten bedelen en op slangenkarren meeliften. Morgen. Als ik wat uitgeruster ben.

Hij is nooit uitgerust genoeg. Het is veel makkelijker om door te blijven modderen.

12

Soms droomt Marek over oceanen zo wijd dat de kusten enkel geruchten zijn. Over zandvlaktes vol schitterende glazen schelpen. Samen met Senni loopt hij over kades van paars glas en voeren ze meeuwen met veren zo kleurig als paradijsvogels. Het is nooit Cirnja, altijd Senni en dat is volkomen begrijpelijk, want hij heeft het volkomen verpest bij Cirnja. Zijn oeluk zou op zijn schaduw spuwen en zijn laarzen aan de zeehonden voeren. Het rare is dat Senni in die dromen altijd ouder lijkt. Geen kind, geen klein meisje meer, een jonge vrouw en minstens even oud als haar zus.

Bij het eerste ochtendlicht verdampen al die wonderbaarlijke landschappen steevast en blijft van Senni's stem zelfs geen echo meer over.

'Hairo, Marek? Marek!' Hunges stem.

Marek stommelt over de vliering, steekt zijn hoofd uit een van de nestelgaten. Hunge staat bij de watertank en tuurt omhoog.

'Wat is er?'

'Een meisje,' zegt zijn vriend. 'Een dame bedoel ik. Ze kwam in een echte koets en vroeg naar je.' Hij slikt en Marek ziet zijn adamsappel hopsen. 'Ze zegt…' Hunges stem klinkt hees van ontzag en ongeloof. 'Ze zegt dat ze een Stra Poulou is…'

Beneden schuift de roestige deur open.

Hij herkent haar voetstappen al op de gietijzeren trap: die ademloze roffel. Senni duwt het luik open en het is precies het juiste gezicht. Cirnja had hij nooit geloofd. Senni valt nog net te begrijpen en bovendien heeft de droom hem voorbereid.

'Daar ben je dus,' zegt Senni ferm en het is alsof er een schitterende vlinder naar binnen is gevlogen. Iets dat te mooi is, veel te schoon gepoetst voor deze stoffige gribuskamer.

Een edelvrouw, een prinses. Eindeloos veel beter dan ik. Een fractie van een seconde lijkt er een zilveren ster op haar voorhoofd te stralen.

'Hoe heb je me gevonden?' Hij weet dat het stom klinkt, iets dat enkel een mestjongen eruit zou flappen.

'Je matrozenmuilen, oen. De gespen werken twee kanten uit, weet je. Al moesten we natuurlijk wel een paar duizend muilen laten natrekken. Alle matrozen dragen ze en ze doen ze echt niet uit zodra ze aan wal stappen.'

'Ik dacht niet aan mijn muilen.'

'Je muilen verbranden zou weinig helpen als je zo nodig wilt verdwijnen. Er zijn altijd grootmoeders en oudtantes en die roddelen. De oeluk die zo stomdronken was dat hij zijn Olga op haar Schouw kuste.' Ze zet een schrille roddelstem op: 'Volgens mij lijkt hij daar verdacht op. Ja, jemig, Aleid, hij is het echt! Zo.' Ze bekijkt hem van top tot teen met een vreemde schuine glimlach. 'Cirnja haat je niet meer trouwens. Ook niet voor dat stomme glas thee.'

'Ik wilde alleen…'

'In ieder geval niet meer zo erg dat ze je ogen wil uitkrabben en je tong aan de varkenstrog gaat vastspijkeren. Daar had ze het eerst over. Darwen heeft tegen haar gezegd dat alle oeluks een gloeiend kooltje Loki in zich hebben. Ze zijn onbetrouwbaar als valse wolven en soms moeten ze alles verpesten. Je deed gewoon wat oeluks zo nu en dan doen. Na een keer of tien luisterde ze.'

'Ik kan… Ik bedoel, hoe kan ik haar onder ogen komen? Het was zo stom, zo walgelijk van me.'

Senni vouwt haar armen over elkaar. 'Ik heb je verhaal zo vaak verteld dat het een soort schuine mop werd en niemand meer echt boos is. Ze zingen er zelfs liedjes over in de kroegen.'

'Je wordt bedankt!'

Misschien is het wel het beste zo. Beter een dronken hansworst dan een gemene klootzak die zijn Olga niet eens een echtgenoot gunt.

'Nu moet je terugkomen,' zegt Senni. 'Je hebt genoeg gesipt en we hebben je nodig om Esle te bevrijden.'

'Ik ben geen oeluk meer, geen Björn. Ik ben het niet waard.' Het is niet makkelijk om je zelfbeklag op te geven, merkt Marek, de afkeer van jezelf.

'Klets! Dat jammerde Björn ook de ochtend nadat hij die ton trollenbier helemaal had leeggedronken.'

Ze pakt zijn hand en trekt hem zowat het trapgat in. 'Je beloofde het!'

'Ik kom al! Ik kom al.'

Buiten de duiventoren is het zonlicht iel en waterig. Zelfs de prijsasters lijken op verlept sitspapier. Tijd dat ik vertrek, denkt Marek. De hoogste tijd.

Ik zal Cirnja weer zien. Zijn hart slaat over en zijn maag trekt samen tot een pijnlijke knoop.

'Eerst naar het badhuis,' zegt Senni tegen de koetsier. 'Marek hier blijft zolang naast je op de bok zitten. Je houdt je adem maar in.'

'Zo u wilt, mevrouw.'

'Denk maar zo, elke kokhals nu levert je straks een thaler extra fooi op.'

Schone kleren en haren die naar rozenolie ruiken. Een gladde kin. Vooral de gladde kin is een opluchting.

De graswegen van de kwekerswijk maken plaats voor mozaïeken, dan rook-glazen keien. Ze glijden de brug over, met kleurige zeilen aan iedere kant. Uren later bereiken ze de gifmengerswijk met de grijze trapgevels en tuinen vol blauwe schimmels en glimmende walgbessen.

De stoomkoets dreunt langs het beeld van Sint Wenceslas op zijn eenhoorn, langs een vijver vol schril fluitende zeeslangen. De huizen krijgen nu daken met gele en groene dakpannen, schoorstenen als gestapelde hoge hoeden. Als ze de Dema stra Poulou binnenrijden, beginnen de etensklokken op het dak net te beieren. Duizenden echtgenotes en dienstbodes rukken aan het schellekoord om de mannen naar huis te roepen. Leg je hamers en tangen neer, vouw de zeilen op! De kippen zijn geroosterd, de kervelsoep borrelt!

'Bijna thuis,' zegt Senni en dan ziet Marek de liftschacht van Villa stra Poulou in de hemel priemen. De gevleugelde makreel zwemt door de blauwe lucht en de tranen springen Marek in de ogen. Thuis. De enige plaats die werkelijk thuis is in deze miljardenstad.

'U bent er weer, heer oeluk,' zegt de deurman. 'Dat is goed.' Voor het eerst klinkt er geen afkeuring in zijn stem door. Hij grijnst zelfs een beetje. Dat moet het effect van Senni's liedje zijn. Mareks stomme streek is een familieverhaal geworden, een anekdote.

'Dame Cirnja verwacht u voor de late thee. Ze zit op het ochtendterras.'

Door de open deuren valt avondlicht. Cirnja zit aan hetzelfde tafeltje. Ze draagt zelfs precies dezelfde leren broek, het openvallende jasje met driehoeken van geborduurde kauri's.

Een tweede kans, denkt Marek. Een andere manier om ons verhaal te vertellen.

Hij loopt naar voren, kust haar op de wang en haar voorhoofd.

'Nee,' zegt Cirnja. 'Niet zo timide. Ik ben je oudtante niet. Ik ben je oeluk!' Ze kust hem vol op de mond, omhelst hem.

'Ik was stom,' fluistert hij in Cirnja's haar. Ze ruikt naar kaneel, naar bossen op hoge, mistige hellingen.

'Nee, niet stom. Het was een soort compliment. Een met twee rechterhanden en een bananenschil. Maar wel een compliment.'

'Ik ben blij…'

'Ga zitten. Hier, recht tegenover me.'

'Wanneer is je bruiloft? Jullie bruiloft?' De vraag doet tot zijn eigen verbazing geen pijn meer. Meer of je naar iemands verjaardag vraagt, of een uitje waar je zelf ook best zin in hebt.

'Minder dan een maand nu. De Stra Poulous komen overal vandaan zeilen. Van zo ver als de Oudlanden en Brendaan.' Haar ogen schitteren en hij weet dat het gedeeltelijk zijn schuld is.

'Vertel hem over Esle,' zegt Senni achter zijn rug. 'Dat papa een kaart van de kathedraal heeft laten stelen. Ons plan.'

Senni legt haar spiegelscherf op de tafel en legt er een vergrootglas overheen. In het hart van de scherf flakkeren de dagen voorbij en Marek kan Esle onbeweeglijk in de palm van de versteende hand zien sluimeren. De schone slaapster, alleen heel wat onbereikbaarder dan die prinses.

'Die hand,' zegt Marek. 'Waarom ligt ze eigenlijk op een marmeren hand? Bedoelde de emir daar iets mee? Iets symbolisch?'

'Er is niks symbolisch aan die rottige hand,' zegt Cirnja. 'Hij staat op scherp. Als je hem aanraakt, klapt hij dicht en knijpt hij Esle tot moes, kraakt al haar botten.'

'O.'

'Daar vinden we wel wat op. Het is in wezen niet ingewikkelder dan een muizenval.' Cirnja buigt zich over de scherf. 'Elke geladen spiegel is tegelijk een doorgang. Deze is natuurlijk veel te klein en hij leidt helemaal naar het allerhoogste noorden. Een godsallemachtig grote sprong en daarom kun je er hoogstens één keer per jaar doorheen. De rest van de tijd is hij bezig met opladen.' Ze reikt hem de scherf aan. 'Hou hem bij je lippen. Voel je de luchtstroom? De doorgang is open nu.'

'Jammer dat hij zo verrekte klein is,' zegt Marek.

'Daar gaan we iets aan doen,' zegt Cirnja. 'Er bestaat maar één ware spiegel weet je en hij is ouder dan Huy Jorsaleem zelf. Ouder dan de djinns en de mammoets. De patriarch sloeg hem aan scherven met een magische donderhamer en van elke scherf maakte hij een nieuwe spiegel. Als hij een scherf in het gesmolten glas laat vallen, groeit er een gloednieuwe spiegel uit. Alleen bij hem helaas. Mindere magiërs hebben het vaak genoeg geprobeerd: ze bleven met een emmer vol waardeloze scherven zitten en spiegels die alleen hun eigen gezicht weerkaatsten.'

'Daarom noemen we onze patriarch ook de Heer der Spiegels en al hun Reflecties,' zegt Senni.

'Je wilt hem vragen om een nieuwe spiegel te gieten?' zegt Marek. 'Met onze scherf?'

'Nou, vragen heeft weinig zin,' zegt Cirnja. 'Smeken en kruiwagens goudstukken ook niet. Hij laadt honderden spiegels op elk jaar, maar nooit op verzoek. De

meeste spiegels zijn militair, gluurspiegels. Ze gaan regelrecht naar het leger en de rest dient als beloning voor uitzonderlijk trouwe onderdanen. Lui van de Hanze staan nu niet meteen bekend als trouwe onderdanen. We betalen onze achttien procent onder luid gemopper en geweeklaag en dat is het.'

'We moeten dus sluw zijn, ja?' zegt Senni op het toontje dat gewoonlijk voor kleuters en mentaal mindervermogenden wordt gereserveerd. 'Hem een spiegel laten gieten zonder dat hij het in de gaten heeft. Als hij merkt dat het voor de Hanze is, smijt hij de spiegel kapot.' Ze knikt. 'Voor een Olga en een Björn moet dat toch even eenvoudig zijn als het plukken van een slapende eendenmossel? Oeluks zijn sluwer dan hermelijnen en van hun prinses Zilverster kunnen zelfs grijze havenratten nog wat leren!'

'Als ik trouw, zal Esle naast ons staan,' zegt Cirnja. 'Mama zal de salamanderkaarsen aansteken en de gedroogde roggeneieren om Darwens nek hangen.' Haar stem heeft de onwrikbare zekerheid van een Olga.

Boek 7

Torens half zo hoog als de hemel

1

De afstanden binnen Huy Jorsaleem zijn immens: zelfs dag en nacht doorreizend, met de snelste stoomtreinen en vlinderschepen, duurt het nog drie weken voor de laatste veerboot aan de voet van de Halvorsson Kathedraal aanmeert.

Van de kade walmt de stank van goedkoop sandelhout en gefrituurde slang hun tegemoet, van zwetende pelgrims en ongewassen reismantels. Het stoomorgel van de boot loeit en de reis is voorbij.

Marek kijkt niet langer omhoog: hij heeft nog steeds een krik in zijn nek van de vorige dagen. De kathedraal vult de hemel en lijkt alarmerend naar voren te kantelen, alsof hij reizigers elk ogenblik onder miljoenen tonnen graniet en marmer kan bedelven.

Op haar balkons groeien uitgestrekte cederwouden, heeft Geddit verteld, waarin oerossen grazen en zelfs getrainde houtvesters vaak verdwalen. Ver boven de wolken, uit de waterspuwers van de tweehonderdste verdieping dreunen watervallen omlaag die tot regenbogen en mistslierten verwaaieren voor ze de grond kunnen bereiken.

'Doen jullie in de Oudlanden ook aan zulke overdreven protstorens?' vraagt Darwen.

'Niet dat ik weet.' Natuurlijk hebben de Oudlanden niets dat er ook maar vagelijk in de buurt komt. Als Marek de verhalen mag geloven zou de Taj Mahal misschien net als toegangspoort voor de publieke toiletten kunnen dienen, terwijl de Dom van Utrecht makkelijk kopje-onder gaat in de kleinste wijwaterbak van de Doopzaal.

'Toch raar,' peinst Darwen. 'Toen ik de kathedraal voor de eerste keer zag, leek hij een stuk groter.'

Leuk geprobeerd, Darwen. Stel de barbaar uit de klungellandjes een beetje gerust. Toch is het aardig van hem dat hij het sowieso probeert. Darwen is een geschikte peer, besluit hij. Niet iedereen kan een oeluk zijn en Darwen zou het waarschijnlijk niet eens willen. Bovendien heeft Cirnja al een oeluk.

'Sommige bezoekers,' zegt Geddit, 'vooral van buiten de stad, staan erop de trap persoonlijk te bestijgen. Alle negenduizend treden.'

Marek werpt een verontruste blik op de trappen. Zo godvergeten veel treden en dat in de blakerende zon. 'Ik hoop dat wij geen sommige bezoekers zijn.'

'Mijn grootvader liet ons de hele trap beklimmen terwijl hij "Hup, hup!" en "Zijn jullie nu gezonde Jorsaleemse knapen?" joelde. Halverwege verstuikte hij een enkel en moesten Thadde en ik hem verder omhoogdragen. Wij nemen de kabelbaan. Met een beetje comfort is niets mis.'

Marek tuurt omlaag uit het raampje van de koperen cabine. Een stroom van pelgrims op blote voeten bestijgt de trappen, mieren op het millimeterpapier van de treden.

'Moet jij ook even?' Senni reikt hem de verrekijker aan. De menigte zwiept dichterbij, een kolkende mensenmassa. Marek ziet nomaden op reuzenstruisvogels. Hertogen en palingkoningen in schitterende draagstoelen die zich naar de poort laten torsen door gladgeschoren bavianen met muilkorven.

'Hoeveel bezoekers schat je vandaag in de kathedraal?' vraagt Marek aan Geddit.

'Als het er minder dan drie miljoen zijn, klagen de priesters steen en been. Dit is een mooie heldere dag. Prima uitzicht van de balkons. Zes, zeven miljoen schat ik.'

De kabelbaan zet hen voor de Zuiderpoort af en ze sluiten zich aan bij de rij voor de kassa's.

Verkopers schuiven langs met karretjes vol gepofte kastanje en sissend hete heksenappels. Opwindslangen kronkelen door de lucht, soms wel dertig meter lang.

Het kabaal is onbeschrijflijk, galmend als duizend zwembaden bij vrij zwemmen. Zonder liplezen kom je hier niet ver. Gelukkig werkt Mareks lichtblauwe oortje perfect: de opmerkingen van de anderen schuiven met groene letters over zijn netvlies.

'Moet je die prijzen zien!' snuift Darwen. 'Zes thaler de man voor de troonzaal. Een karpervisser verdient dat nog niet in een week.'

'Ja, en de patriarch krijgen ze niet eens te zien,' zegt Senni. 'Alleen op Gloriare en Bremmersdag zit hij op zijn troon. Pure afzetterij.'

Marek grijnst. Niemand scheldt harder op hoge prijzen dan schatrijke kooplieden.

'Eerst de glasfabriek,' besluit Geddit. 'Eens kijken waar we onze bestelling straks kunnen ophalen.'

Een lift zo lang als de ferryboot naar Dover trekt hen gierend en brullend de lift-schacht in. Pas een half uur later schuiven de deuren open en haasten ze zich met een twee dozijn anderen achter hun gids aan.

'Ons edelglas is in heel Prester Johnsland befaamd,' juicht de rondleider, 'en welke gastvrouw droomt niet van een pronkkast vol patriarchale roemers? De prachtigste kleuren en je kunt het nog niet breken met een mokerhamer. Na de rondleiding bezoeken we de aangrenzende bazaar. Daar kunt u schenkkannen en de schitterendste kroonluchters met verbluffende kortingen kopen. U hoeft enkel uw kaartje te tonen.'

Ja, en dan zetten ze je helemaal af, denkt Marek, want alleen een minkukel ge-looft zo'n doorzichtig verkooppraatje.

Als ze een vuistdik panoramaraam passeren, zigzagt Marek door de menigte en kijkt hij omlaag. De stad ligt in een vaalblauwe hittemist, als een ongelooflijk complexe mozaïek op de bodem van een diep meer. De rivier is een slang van gloeiend goud.

'We zitten net in de sproei van de watervallen,' zegt Senni. 'Zie je die regenbo-gen niet? Vanaf het balkon is het uitzicht een stuk beter.'

'Komen we daar vandaag ook?'

'Wie weet?' Ze trekt aan zijn arm. 'Iedereen wacht op ons.'

'Wat is dat voor een raar gekir uit je rugzakje?'

'Mijn roddelvink. Je weet nooit wanneer je er eentje nodig hebt.'

'Aha. Natuurlijk, een roddelvink.' Als Senni in zo'n plagerige stemming is, komt er geen begrijpelijk woord uit.

'Ik moest je nog iets vragen, papa,' zegt ze als ze zich naast Geddit in de rij wringen. 'Een spuitbus uit de Oudlanden, werkt die hier? Ik bedoel, ook in de maguswind, boven de muren?'

'Hangt ervan af wat erin zit.'

'Verf. Autolak. Ik heb hem uit ons magazijn.'

'Geen reden waarom hij niet zou werken. Ik denk alleen niet dat de patriarch graffiti op zijn kerkmuren erg op prijs stelt.'

'Daar is het niet voor. Ik gedraag me heus wel.'

Ze lopen onder zestien meter lange kroonluchters die als gigantische glazen kwallen boven hem zweven en met hun tentakels tinkelen. Dan langs paarden van zeegroen glas, doorzichtige badkuipen en een complete tuin waar elke bloem, elk blad uit glas werd geblazen. Marek houdt zijn armen stijf langs zijn lijf.

'En dit is het schitterende hart van de glasmakerij,' zegt de gids een vol uur later en hij duwt een ijzeren deur open. 'Waar we de patriarchale spiegels gieten.'

Een duistere hal vol flakkerende vuren, als de smidse van Hephaistos. Kuipen met witheet glas ratelen onder een loopbrug door, kantelen dan en gieten een streep gloeiend glas over de walsplaat. Rollers walsen over het glas en smeren het uit tot dunne platen.

'Na het afkoelen komen ze in de vacuümkamer terecht waar we zilver op de achterzijde dampen. Daarna snijden de krassers ze op maat en schroeven ze de spiegels in een sierlijst.'

'Is elke spiegel hier eigenlijk een magische spiegel?' informeert een paling-koning. 'Erg magisch ziet het er hier niet uit.'

'Ja, hoe werkt dat nu precies?' vraagt Geddit. 'Hoe zijn deze spiegels anders dan gewone spiegels?'

'Nou, dat zit zo: in elke kuip mikt de spiegelmeester een scherf van een be-staande spiegel. Een beetje zoals een joekel van een kunstparel ook om een piep-klein zaadpareltje uitgroeit. Een matrix, ja? De nieuwe spiegel neemt de eigen-schappen van de scherf aan.'

Geddit knikt. 'Ik snap het. Alleen, waar is de patriarch dan nog voor nodig? Als de spiegel al opgeladen uit de werkplaats komt?'

'Meneer, ik zou niet graag door een wilde spiegel stappen. Zonder lijst zou je overal terecht kunnen komen. Op vier, vijf plaatsen tegelijk en in bloederige hompen. Bovendien hebben spiegelgeesten vrij spel in een ongetemde spiegel.'

'De patriarch stelt de spiegellijsten dus af? Maakt de spiegel veilig?'

'U begrijpt het.' De gids veert op. 'We boffen, beste mensen! Daar stapt de spiegelmeester in hoogsteigen persoon de loopbrug op. Heer Shadrach Wilhelm von Escher zelf.' Hij wuift enthousiast. Helaas kijkt de man op de brug straal over hem heen.

De spiegelmeester draagt een mantel van gestikte asbestplaten, ziet Marek door de kijker. Uit zijn kegelhoed steekt de schitterende veer van een feniks en zijn laarzen moeten van drakenleer zijn. Hij slentert in ieder geval zonder enige aarzeling door de vlammen.

Een nieuwe bak met glas schuift onder hem door en hij werpt er een scherf in met een nuffig wipje van zijn pols. Vier, vijf seconden dansen groene vlammen boven de bak, vlammen die in een gevleugelde slang veranderen, dan in een mas-ker met de kwastoren van een lynx. De vlammen zakken terug en de bak glijdt verder.

'Merk de spiegelmeester!' sist Geddit tegen Cirnja. 'We moeten hem straks te-rugvinden!'

Zijn dochter rukt de klep van haar handtasje open. Een vale nachtmot flad-dert op en dwarrelt als een dor blad door de gloeiend hete luchtstromen. Een

tweede mot volgt, een derde. Cirnja kromt haar linkerduim. Marek ziet de motten flikkeren, uitdoven.

Cirnja trok een vouw open. Zij stuurt ze.

Een seconde later fladderen de motten hoogst hinderlijk om het hoofd van de spiegelmeester. De man wappert met zijn handen, plet een mot tegen zijn mouw.

'We hebben hem,' zegt Geddit tevreden. 'Met vleugelpoeder op zijn handen kunnen de andere motten hem overal terugvinden.'

'Ik schoot veertien foto's,' zegt Darwen. 'Eentje moet toch wel gelukt zijn? Hij stond op "sport" voor het bewegen en ze zijn 12 Meg.' Hij steekt zijn digitale camera terug in zijn met koperfolie gevoerde jaszak.

'Mooie snelle reactie,' zegt Geddit. 'Ik had er zelf nog niet eens aan gedacht. Met foto's is een illusievlies veel makkelijker af te stellen.'

'Wat is jullie plan precies?' vraagt Marek. 'Misschien is het handig als ik het ook weet?'

'Sorry,' zegt Geddit. 'Het kwam net spontaan bij me op. Vannacht komt er hier een nieuwe spiegelmeester langs. Al zal niemand hopelijk het verschil zien met heer Shadrach. De spiegelmeester zal de nachtploeg het bevel geven een extra spiegel te gieten. Iets militairs. Met de hoogste prioriteit uiteraard en onder de striktste geheimhouding.' Zijn stem klinkt al bijna als een spiegelmeester, zelfingenomen en pedant.

2

Als de spiegelmeester het balkon op stapt om tussendoor een hap verse lucht te nemen en het zweet van zijn gezicht te vegen, wacht een meisje hem op. Ze kan niet ouder dan een jaar of tien zijn, elf hoogstens.

'Meneer?' zegt ze met een hoog kinderlijk stemmetje. Nee, geen tien, denkt de spiegelmeester. Acht. 'Bent u werkelijk de spiegelmeester?'

'Dat klopt, meiske.'

'En heeft u wel eens met de patriarch gesproken?'

'O, bijna elke week. Hij stelt de spiegels af, weet je. Zonder hem zijn ze niet meer dan een glasplaat met een mooi lijstje.'

'Gossie.' Ze knoopt haar tasje open. 'Zou u hier uw naam willen schrijven? Ik verzamel handtekeningen. Van werkelijk belangrijke mensen. Mijn vriendinnen zullen stinkjaloers zijn!'

'Geen enkel probleem.' Hij vist zijn Mont Blancvulpen uit zijn borstzakje en zet zijn handtekening met een zwierige krul.

3

'Zonder hem zijn ze niet meer dan een glasplaat met een mooi lijstje,' zegt Senni's roddelvink.

'Zie je?' zegt Senni. 'Herhaal dat nog eens, papa, en nu met een zwaardere stem.'

'Zonder hem zijn ze niet meer dan een glasplaat met een mooi lijstje,' zegt Geddit.

'*Perfetto.*' Ze grabbelt in haar jaszak. 'Bijna vergeten. Ik heb zijn vulpen ook gejat.'

Het is het vierde uur van de nacht, het tijdstip dat gefortuneerde lieden zich een goed glas port inschenken en hun meerschuimen pijp stoppen om het speenvarken met cranberrysaus te laten zakken.

De nachtportier schuifelt mopperend zijn hokje uit als de triangel bij de voordeur klingelt. Zijn ogen worden groot van verbazing als hij ziet wie er op de barnstenen drempel staat.

'Meneer Shadrach, u was toch al binnen?'

'Tja,' zegt de spiegelmeester. 'Een van ons moet zich vergissen en ik betwijfel of ik dat ben.'

'Nee, natuurlijk niet. Ik zal de kokkin waarschuwen. Uw vrienden…'

'Doe geen moeite. We hebben niets nodig. En geef het aan de rest van het personeel door: we willen in geen geval gestoord worden.'

De portier kijkt de onverwachte bezoekers na. Dure kleren, praalspullen die regelrecht uit de Oudlanden moeten komen. De broek van dat meisje, het leek verdorie wel een authentieke Jeans en die andere freule droeg plástic armbanden. *Ik wist niet dat meneer zulke bovenmuurse kennissen had.*

'Dat verliep gesmeerd,' zegt Marek. 'We zijn binnen.'

'Dit is nog maar het begin. Meer dan genoeg zaken die een barracuda in ons bubbelbad kunnen mikken.' Geddit klopt op de deur van de huiskamer.

'Wat nu weer?' snauwt een stem en Marek moet toegeven dat Geddits imitatie niet onverdienstelijk was. Een tikje te vriendelijk hoogstens.

'We komen van de patriarch en het is dringend.'

Het automatische slot klikt en Geddit trapt de deur open.

'Wat... Wie bent u, meneer?'

De spiegelmeester kijkt recht in zijn eigen gezicht en herkent het niet. Niet zo vreemd, niemand ziet zichzelf in de spiegel zoals anderen hem zie, terwijl geen portretschilder het in zijn kop zou halen om een klant waarheidsgetrouw af te beelden.

'Wie ik ben, doet er weinig toe,' zegt Geddit. 'Misschien wilt u dit even lezen?'

Hij duwt de spiegelmeester in de leren kussens van de bank terug en drukt hem een brief in handen.

'Dit is een schande! In mijn eigen huis.'

'Lees de brief!' brult Geddit met een stem die zelfs een straalbezopen matroos onmiddellijk in de houding zou laten springen. 'Hardop.'

'Ik, ik... Ik heb de gevraagde spiegel opzijgezet in een voorraadkamer die niemand meer gebruikt. Kom na het zevende uur van de nacht langs en neem...' De spiegelmeester hapt naar adem. 'Waar slaat dit op? Geen mens zal deze leugens geloven. Ik heb nog nooit een spiegel gestolen.'

'Het is anders wel uw handtekening. Zelfs een dorpsheks kan dat met de eenvoudigste congruentiebezwering bewijzen. En de rest van de tekst is met dezelfde pen geschreven.'

De spiegelmeester staart naar Senni. 'Jij. Je draagt nu andere kleren en laarzen. Je stond op het balkon!'

Ze glimlacht. 'En ik nam je pen per ongeluk mee. Sorry. Hier heb je hem terug.' De vulpen valt op het kussen naast hem.

De spiegelmeester zucht. 'Deze brief is een kopie?'

'Uiteraard.'

'De patriarch handelt dit soort zaken nooit persoonlijk af. Hij leest enkel de rapporten van zijn ondervragers door en die hakken eerst een paar vingers af voor ze hun vragen stellen. Zeg het maar. Ik kan geen kant op.'

'Wanneer komt de patriarch langs om de nieuwe spiegels af te stellen?' vraagt Geddit.

'Freyasdag. Overmorgen. In de ochtend altijd.'

'Prima. Je blijft tot Freyasdag thuis en je meldt je natuurlijk niet ziek. Wees niet bang: de spiegelmeester zal aanwezig zijn.'

'En de brief?'

'Niemand zal hem ooit lezen.'

'Ik zie nu pas dat jullie niet alleen mijn vulpen gestolen hadden. Je draagt mijn gezicht!'

'Dat krijg je binnenkort ook terug.'

'De voorman van de gieters was niet bijzonder blij met zo'n late opdracht,' zegt Geddit. 'Ze hadden het vuur al gedoofd en ik moest hem een halve thaler fooi geven.'

'En de spiegel?'

'Hij is gegoten, met scherf en al. De voorman zal hem persoonlijk opzijzetten zodra de patriarch hem afgesteld heeft. Ik heb hem verteld dat ik iemand zou sturen om hem af te halen. Een zekere Geddit stra Poulou. Dat was dus tien thaler extra.'

'Was het wel slim om je echte naam te geven?' zegt Cirnja. 'Misschien besluit hij nog wat extra te verdienen door je aan de Varangor te verraden?'

'Weinig kans. Hij kent de Varangor te goed. De lijfwachten van de patriarch trekken elke informant ook wat tanden en nagels uit, houden zijn voeten in het vuur tot ze een mooi knapperig korstje krijgen. Louter voor de zekerheid, eh? Mocht iemand later inderdaad onschuldig blijken dan bieden zij hun welgemeende excuses aan. Bovendien, de voorman herkende mijn familienaam. Ik weet niet waarom mensen zulke nare dingen over de Hanze geloven: handig is het wel.'

4

Nog drie dagen voor de patriarch de spiegels zal afstellen. Darwen en Marek varen met een fluisterboot door de doopvijvers om de sluimerende reuzenkrokodillen te begluren. Ze zijn massief als olietankers en eten slechts één keer in de eeuw. Een oog zo groot als een sloopkogel draait knarsend in hun richting en blijft hen aanstaren tot Marek de boot draait. De hele terugreis naar de aanlegsteiger blijft hij die stekende blik in zijn nek voelen.

Met Senni en Cirnja gaat hij de volgende middag naar de wisseling van de erewacht voor de Patriarchentoren. De Varangor vormen het persoonlijke legertje van de patriarch. Ze dragen antieke vikinghelmen, trollenleren laarzen. Hun automatische vuurwapens zien er daarentegen allesbehalve ouderwets uit.

Senni stapt achteruit, wijst. 'Kijk eens omhoog. Van hieruit kun je het zilveren dak van de Magdalenatoren zien. Maria Magdalena, je weet wel, de vrouw van Jezus? Dat kleine torentje aan de zijkant is hun baby die ze in haar armen houdt.'

'De vrouw van Jezus?' zegt Marek. Huy Jorsaleem is beslist een christelijke stad. Anders bouw je geen muren in de vorm van een reusachtig kruis. Alleen is het blijkbaar een beetje een ander christendom dan in de Oudlanden.

'Wat kijk je raar,' zegt Senni.

'Nou, bij ons, ik geloof niet dat Jezus een vrouw had.'

Cirnja tuit haar lippen. 'Dan moeten wij wel ongelijk hebben, Senni. Per slot van rekening zijn wij maar met veertien miljard gelovigen.'

'Kaartjes?' vraagt een man en hij wappert een bos kleurige papierstroken voor hun neus.

'Kaartjes waarvoor?' informeert Cirnja.

'Weten jullie het dan niet? Vandaag is het Bremmersdag! De Schouw van de patriarch. Om precies half elf beklimt hij zijn troon en zegent hij al de aanwezigen. Bremmersdag is het maar eens in de vier jaar.'

'Ik heb de patriarch nog nooit gezien,' zegt Senni verlangend. 'Alleen op een munt.' Ze draait zich naar de verkoper. 'Is de patriarch echt drie meter lang?

Groeien er madelieven in zijn voetafdrukken? Zelfs als hij over keien of asfalt loopt?'

'Beslist,' verzekert de man haar. 'En niet alleen madelieven maar ook de prachtigste orchideeën, geurende lelies. En op zijn schouder hurkt een witte condor, schone dame.'

'We kopen kaartjes,' zegt Marek. 'Iemand die zulke onzin kan uitkramen, is een geboren verteller en verdient een bijdrage.'

De man scheurt drie kaartjes van het paarse lint. 'Neem de lift met het nijlpaard boven de deur. Dat is een snellift en als je je haast, kun je de Schouw nog net halen.'

De Nijlpaardlift blijkt krankzinnig vol met valreepaanbidders en laatste-kanstoeristen: vergeleken met deze reizigers hebben sardientjes zeeën van ruimte in hun blikje.

'Een halve thaler het stuk!' foetert Cirnja. 'Dat is toch pure oplichting?'

'De patriarch is het waard,' protesteert Senni. 'Hij is dapper en wijs en op zijn schouder zit een witte condor.'

'*Dream on, kid,*' zegt Cirnja.

De lift komt met een gierende schok tot stilstand en ze schuifelen de zaal binnen. Het is een immens balkon, ontdekt Marek, dat honderden meters buiten de toren uitsteekt. Een dozijn trappen slingert zich onder kroonluchters naar de troon omhoog.

'Zit de patriarch al op de troon?' vraagt Senni. Ze probeert over de schouders van de mensen heen te kijken.

'Uw kaartjes,' zegt een man in het blauwe uniform van de patriarchale ordedienst.

'Hier,' zegt Cirnja.

De man schudt zijn hoofd. 'Ik weet niet wat je je in de maag heb laten splitsen, jongedame, maar dit zijn beslist geen schouwkaartjes. Die zijn patriarchaal grijs met een zilveren krulrandje.' Hij pakt haar bij de schouder en probeert haar om te draaien. 'Ga terug. Maak plaats voor mensen met een geldig kaartje.'

Cirnja loopt rood aan, sist en ineens houdt ze een krom slangenmes in haar hand. De man verstijft als de punt in zijn strottenhoofd prikt.

'Mijn naam is Cirnja,' zegt ze, 'en ik ben de oeluk van handelshuis Stra Poulou. Als ik je strot afsnijd, hoef ik waarschijnlijk niet eens bloedgeld te betalen. De bards zingen er hoogstens een grappig liedje over. Over de controleur die zo stom was een oeluk vast te grijpen.'

Ze is echt kwaad, denkt Marek. Dit loopt uit de klauwen. 'Eh, Cirnja? Ik denk dat de man zich gewoon vergiste. Als hij wat beter kijkt, ziet hij vast dat de kaartjes wel geldig zijn.'

'Ja, ja, ge-eldig,' stottert de man. Hij durft niet eens bevestigend te knikken. 'Loop door. Loop alsjeblieft door!' Cirnja laat haar slangenmes in haar mouw terugglijden.

'Idioot!' snauwt ze nog tegen hem en dan lopen ze godzijdank door.

'Wat zei ik?' kraait Senni. 'Een levensechte condor op zijn schouder. Bovendien heeft hij de ijzeren doornenkroon op en een koperen strijdbijl om djinns te hakken.' Ze geeft de kijker aan Marek door. 'Kijk zelf maar.'

De man op de troon heeft inderdaad wel iets weg van de held Halvorsson. Hetzelfde ringbaardje als het triomfbeeld voor de haven, de brede neus.

Over zijn rechterhand draagt de patriarch een gepantserde handschoen. Marek zoomt in en het blijkt een massief geval te zijn, van rijkversierd koper.

Over de pols kronkelen zeeslangen en een gesmede monnik heft zijn kruis naar een stralende engel op. Marek weet niet of het is om een zegening af te smeken of om de engel juist af te weren. De engel heeft iets arrogants en zijn vleugels lijken een fractie rafelig, verschroeid. 'Cirnja, had hij die koperen hand al eerder?'

'Het is de eerste keer dat ik hem in levenden lijve zie. Op de iconen in de kerken heeft hij twee normale handen.'

'Een magisch wapen misschien? Zo'n door dwergen gesmede handschoen waarmee je ijsberen kunt wurgen?'

'Nah, het is koper,' zegt Cirnja. 'Je maakt niks magisch van koper. Ik denk dat het juist is om tegen magie te beschermen. Dat er tech onder zit. Iets slims uit jullie Oudlanden.' Ze gebaart naar de zaal. 'Deze zaal hier zit hoog in de toren. Pal in de maguswind. Zonder afscherming houdt tech het hier nog geen kwartier uit.'

'Een kunsthand?' zegt Marek.

'Geef terug!' roept Senni en ze rukt de kijker uit Mareks hand. 'Hij gaat ons zegenen!'

De stem van de patriarch rolt door de zaal, dreunend als een lawine, diep als duizend bronzen klokken en Marek voelt zijn liefde, zijn kracht. De patriarch is de vader van heel Prester Johnsland, begrijpt hij nu tot in het merg van zijn beenderen, de wijze, allesvergevende heerser.

De echo's sterven weg en ze kijken naar een lege troon.

'Wow,' zegt Cirnja, 'goede truc. Ik geloofde het bijna zelf.'

5

De vierde dag stappen ze uit de lift voor de glaswerken.

'Tijd om onze bestelling af te halen,' zegt Geddit na een blik op de ornamentele klok boven de poort van de glaswerken. De wijzer staat bij de twee zeemeerminnen die een haai omhelzen. 'De patriarch is een uur geleden vertrokken. Voorman Samudel heeft ruim de tijd gehad om de spiegel te verplaatsen.' Hij drukt het pakketje met zijn spiegelmeesterkostuum in Cirnja's handen. 'Dump dit ergens. Of beter nog, laat het achteloos uit je open tas hangen zodat het gejat wordt.'

'Doe ik. Heb je geen hulp met de spiegel nodig? Dat geval is toch twee meter hoog en loodzwaar?'

'Samudel zou een steekkarretje regelen en er zit al cadeaupapier van de Bazaar om. Zelfs een stel satijnen strikken met "Juichend Eeuwfeest, grootmoeder, uitroepteken."'

Een handzwaai en hij sluit zich bij een groep toeristen aan. Drie stappen achter hun gids wandelt hij de glaswerken binnen, opgetogen om zich heen blikkend als een pas gearriveerde marmottenherder.

Een uur later is Geddit nog niet terug.

'Dit zit me niet lekker,' zegt Cirnja. 'Ik ga naar binnen. Jullie blijven hier. Het is waanzin als we elkaar mislopen.'

Senni grijpt haar arm. 'Draai je hoofd weg. Hij kent onze gezichten.'

'Wie?' zegt Marek.

'Ik zag de spiegelmeester,' zegt Senni. 'Met drie soldaten. Varangor.'

'Hij zoekt ons?' Ik had het kunnen weten, denkt Marek. Geddits plan was idioot gecompliceerd. Natuurlijk loopt het mis.

'Ik denk niet dat hij ons zoekt,' zegt Senni. 'Hij droeg handboeien en… Handig! Nog meer Varangor. Met de voorman.'

'Als ze de voorman en de spiegelmeester arresteerden, hebben ze Geddit ook,' zegt Darwen. 'Dit loopt een beetje uit de hand.' Hij heft zijn camera en Marek hoort een reeks klikken.

'Slenter naar het raam,' zegt Senni en elk woord is afgemeten, strak van angst. 'Kijk naar buiten. Dan kan niemand je gezicht zien.'

In de reflectie van het raam ziet Marek de Varangor met hun arrestanten in een lift stappen. De deuren schuiven dicht.

'Wat doen we nu?' vraagt hij. 'Gaan we erachteraan?'

'Dat heeft nu nog geen zin,' zegt Darwen. 'We weten waar ze heen gaan. Alle arrestanten eindigen in de kerkers onder het fort van Varangor.' Op de een of andere manier is de leiding op Darwen overgegaan. Hij straalt een kalme zekerheid uit, competentie.

Een kwartier later en twee verdiepingen lager klikt Darwen door het geheugen van zijn camera. 'Ik heb ze allemaal. Alle Varangor.'

'Wat moeten we met foto's?' vraagt Marek.

'Zodat we straks weten wie we om moeten kopen natuurlijk. Zo veel Varangor kunnen er niet zijn.' Darwen knikt. 'Ik regel het wel.'

'Ik ga mee,' zegt Marek meteen. Hij heeft er schoon genoeg van om als een soort reservewiel mee te hobbelen. *Ik ben verdorie een oeluk. Ik hoor onverschrokken op vijanden af te stormen, steels als een hermelijn de kastelen van mijn vijanden binnen te glippen.*

'Prima. Met een oeluk erbij kan het niet mislukken.'

'Dat is kanariegekwetter,' zegt Senni. 'Oeluks kunnen net zo erg knoeien als gewone mensen. Toen met "Ysdruns Hongerige Hart" hakten de mensratten al Björns vingers af en lieten hem zijn eigen tenen opeten. En in de Wolkenvilla hakte de Grauwe Dame iets heel anders…'

'Zo is het wel genoeg, Senni,' zegt Cirnja. Ze kijkt naar Darwen op. 'Je hebt onze spiegelscherf nog. Roep ons op als het misloopt. Hoeveel heb je trouwens bij je? Baar geld?' Ze klink zakelijk, rationeel en Marek ontspant zich. Cirnja heeft de zaak onder controle, zij en Darwen. Ze kennen elkaar al zo lang. Ze zijn een team, en voor het eerst hindert hem dat absoluut niet meer.

'Veertigduizend thalers,' zegt Darwen na een korte inspectie van de diverse verborgen zakken in zijn leren jas.

'Dat moet wel genoeg zijn, ja.'

'Wij kooplieden weten noodgedwongen alles over corruptie,' vertelt Darwen als ze de lift omlaag naar het fort van de Varangor nemen. 'Zodra je in een haven aanmeert, komen de douaniers en ordebewakers aansnellen.' Hij rent met zijn vingers over zijn arm en Marek grijnst. 'Als hongerige, onverzadigbare babyvogeltjes, vriend oeluk.' Darwen doet zijn handen open en dicht om de happende snavels na te bootsen en deze keer schatert Marek het uit. Darwen is oké, beslist grappig en op zijn eigen manier even koelbloedig als een oeluk. 'Dan zijn er

nog de laadmeesters, de wagenmenners.' Hij knikt wijs. 'De kunst is te weten wie je absoluut moet omkopen en wie je rustig in het smerige havenwater mag jonassen.'

'Volgens mij kan ik een heleboel van je leren,' zegt Marek en het is niet eens sarcastisch bedoeld. Marek weet dat hij een vrij beroerde leugenaar is. Van de hoge kunst van het omkopen weet hij al helemaal niets.

'Zoek om te beginnen de man met de stempels op,' zegt Darwen. 'Alles draait om de juiste papieren en als die eenmaal gestempeld zijn...'

Tegen de tijd dat de liftdeuren knarsend openglijden, kan Marek in ieder geval een junior klerk omkopen, al zou de portier van een dure nachtclub waarschijnlijk nog te hoog gegrepen zijn.

6

Hegeira, het Kalifaat van de Derde Haroen

Als de kalief uit zijn siësta ontwaakt, is een blik door de spiegel naar Huy Jorsaleem zijn eerste, automatische handeling. Het patriarchale bureau ligt weer vol schriftrollen, verzegelde geloofsbrieven, zilveren cilinders met smeekbeden. Sluit je ogen een moment, denkt de kalief, voor het kortste hazenslaapje en de rotzooi stapelt zich torenhoog op…

Dan pas merkt hij het signaal van de alarmspiegel op: het voorwerp knippert urgent, gifgroene en snijdend paarse flitsen. De berichtbazuin moet woest staan te loeien maar die is hier natuurlijk onhoorbaar.

Haroen schiet overeind en graait zijn levende masker uit de poel met voedingssiroop. Niet meer dan een half dozijn onderdanen draagt de tegenhanger van die spiegel bij zich en geen van hen zou het in zijn hoofd halen om de patriarch voor iets onbenulligs te storen. Een hoofd zit maar zo stevig op de schouders vast als het de patriarch behaagt.

Het levende masker van de patriarch zuigt zich aan zijn eigen huid vast en een paar seconden later kan Haroen de lippen al bewegen, met de oren wippen. Dit masker is import, Venetiaanse magie en van hetzelfde type als de doge in publiek draagt. Een illusievlies is helaas onbruikbaar als vermomming: iedereen ziet daarin het gezicht dat hij verwacht of vreest en dat zou fataal zijn. De patriarch moet altijd een en dezelfde zijn, ogenblikkelijk herkenbaar.

Haroen slaat zijn staatsiemantel op, mikt zijn Omaanse sierdolk met de schede van rinoceroshoorn in de kleedkoffer en stapt de spiegel in.

De Spiegelzaal ligt hoog in de kathedraal, pal onder het dak met gletsjers, en het kippenvel rimpelt over Haroens armen zodra hij uit de spiegel stapt. Pardoes van een warme doezel in de vrieskou, denkt hij. Twee continenten regeren is afzien.

Haroen brengt zijn lippen tot vlak bij de pulserende alarmspiegel. 'Ja?'

De lippen van zijn onderdaan bewegen geluidloos achter het glas. 'U vroeg ons de zaak in de gaten te houden,' lipleest de kalief. 'U weet wel, die extra spiegel die van niemand was? Nu, dat werkte. We hebben hier een Hanzeman in de

kraag gegrepen, Uwe Excellentie. Een van de rijkste. Heer Geddit stra Poulou zelf.'

'Heer Geddit! Hebben de spoelwormen je hersens weggeknaagd, Gorsson?' Een ijskoude woede verstrakt heel zijn lichaam. Woede en een tweede, bijna vergeten emotie die enkel paniek kan zijn, pure radeloze angst. 'De Hanzebond rijt ons aan flarden! Elk schip zal ons weigeren en ze timmeren hun graanschuren potdicht! De rechters van de Confessie plukken ons kaal! Gorsson, hoe kón je?'

'Het is veilig, Uwe Excellentie. Heer Geddit werd betrapt toen hij een spiegel probeerde te stelen. Een legerspiegel.'

'Hoogverraad dus. Ah, dat is andere koek.' De paniek smelt weg, gaat over in een monkelend plezier. 'Dan moet heer Geddit dus voor de krijgsraad komen. Geen hoge rechters met krullende baarden die waarschinlijk achterneven en aangetrouwe oms zijn. Nee, strenge veteranen. Oud-generaals en maarschalken op krukken.' Een dozijn plannetjes tuimelt door zijn hoofd. *Geddit de grootkapitein. Deze keer heb ik hem in mijn eigen paleis, niet ergens op een godvergeten zandbank, met een leger van onbetrouwbare djinns.*

'Zijn er getuigen?' vraagt de kalief. 'Er *zijn* toch wel getuigen?'

'Een heel stel, Uwe Excellentie. Het mooiste is dat de rechters onze getuigen zonder enig probleem kunnen volgieten met waarheidsdrank. Omdat het waar is. Geddit werd op heterdaad betrapt, net als de glasmeester en de voorman van de gieterij.'

'Ik kom meteen naar jullie toe. Krenk intussen geen haar op zijn hoofd, ruk zelfs zijn pinknagel niet uit.'

'Dat is een beetje een probleem, Uwe Excellentie. De Varangor grepen hem in de kraag en u kent ze. Altijd overijverig.'

'Zorg dat ze meteen met martelen kappen. Ik houd ze persoonlijk verantwoordelijk voor elke gebroken vinger, iedere uitgeslagen tand!'

'Het zal gebeuren.'

'Nog iets: verdubbel de bewaking. Pak iedereen op die ook maar de minste belangstelling voor Geddit toont.'

'Het zal gebeuren, Uwe Excellentie.'

De lippen verdwijnen en de beveiligde spiegel wordt dof als gekrast lood zodra de kalief zijn blik afwendt.

Er bestaat geen directe spiegelverbinding tussen de Spiegelzaal en het fort van de Varangor: van hoge magie naar harde tech is veel te riskant. Haroen stapt door een zestal spiegels, neemt een glazen glijbaan omlaag, dan een parachute door een schacht zodra de tech betrouwbaar genoeg wordt om de zijde niet spontaan in spinrag of distelpluis te veranderen. De laatste zestig verdiepingen moet hij de publieke lift nemen.

De kalief ijsbeert mompelend over het dikke tapijt van de snellift. Haroen heeft een illusievlies over zijn levende masker getrokken. Als de andere passagiers hem al als de patriarch herkennen dan laten ze daar wijselijk niets van merken. Als je heerser incognito wil rondsluipen, kun je hem maar beter niet nawijzen.

Een grootkapitein, denkt de kalief, een meestervouwer. Eindelijk!

De kaping van de Gouden Amarant was op een fiasco uitgelopen. De djinns hadden vouwers willen hebben, een manier om van hun zielige zandbanken naar de andere continenten uit te zwermen en hun broeders achter de Stromendblauwe cirkel te bevrijden. Natuurlijk had het niet gewerkt: geen Hanzelid zou zich ooit door djinns laten gebruiken. Van de Loerende Zandbanken wegvouwen was sowieso onmogelijk: duizenden mijlen in de omtrek viel er geen vouw te bekennen.

Haroen gebruikt vouwers zelf op een heel andere, praktischer manier. Iedere burger weet toch dat alleen de patriarch reisspiegels kan temmen, ze vrij van spiegelgeesten kan maken? Alleen Haroen kan ze vertellen wat een onzin dat is, dat hij niets, maar dan ook helemaal niets met het temmen te maken heeft. Het zijn vouwers die de spiegels bewaken, de verscheurde zielen van vouwers. Ontvoerde vouwers stappen een verse spiegel binnen, met het zwaard op de keel, of beter nog, met het zwaard op de keel van een zoon of dochter. In het hart van de spiegel, tussen de tollende glasscherven en het gebroken licht, laten ze een deel van de ziel achter, van hun mooiste herinneringen, van hun persoonlijkheid. Dat krijsende, half krankzinnige zielendeel wordt de werkelijke bewaker die de spiegelgeesten aanvliegt tot ze jammerend terugdeinzen en de reizigers met rust laten.

De gemiddelde vouwer was goed voor zo'n twintig spiegels voor hij als een wauwelende idioot eindigde, met ogen waaruit de tranen bleven stromen en een hoofd zo leeg als een gebroken emu-ei.

Elke grootkapitein was een meestervouwer, de absolute top. Een man als Geddit stra Poulou kon misschien wel duizend spiegels temmen. Genoeg om tien nieuwe Spiegelzalen te vullen en een glitterend web over de hele Gran Terre te leggen.

'Duizend spiegels,' herhaalt kalief opgetogen, en hij voelt zich even blij, even vol verwachting als een kleuter op de dag voor het Suikerfeest.

In zijn geldbuidel trilt de scherf, stoot dan een onderdrukte piep uit.

Het is Gorsson.

'U had gelijk met meer bewaking. We hebben er nog twee opgepakt, bij de deur al en ze zijn van de Hanze. Beslist Hanze want de ene jongen scoort negentien op de Thaumaturgische Vouwschaal.'

'Negentien?' Even gelooft de kalief hem verkeerd verstaan te hebben. Zelfs een

grootkapitein als Geddit haalt niet meer dan twaalf en dat is op zijn beste dagen.

'Negentien,' herhaalt Gorsson. 'Onze eigen sjamanen konden het eerst ook amper geloven. Het is echt negentien.'

De zes andere reizigers turen naar de vloer, bestuderen het plafond en houden hun adem in. Hun vrienden en gelieven zouden misschien nog net geloven dat ze met de patriarch in een publieke lift gestaan hebben. Dat hun heer en meester rondsprong als een dronken kikker en zelfs een handstand maakte, is te surrealistisch, iets uit een nachtmerrie.

'Tienduizend spiegels!' joelt de kalief als hij door de openschuivende deuren danst. 'Een miljoen gonzende glitterspiegels!'

7

De celdeur valt achter hen dicht en Marek hoort de sleutel omdraaien. Dan klikt een tweede slot, een derde.

'Dat liep niet bijster gesmeerd,' zegt Darwen. 'Wat deden we fout?'

'Dat lijkt me nogal voor de hand liggen,' zegt Marek. '"Ze dragen matrozenmuilen!" riep die klerk ineens terwijl je hem net zo lekker aan het omkopen was. "Het zijn Hanzehonden!"'

Darwen kijkt naar zijn eigen gespen omlaag. 'Tja, een beetje stom is het wel. Het leek zo'n goed idee van Cirnja. Voor het geval we tegen een steile muur moesten klimmen om Geddit te bevrijden.' Hij wrijft over zijn hand.

'Deden ze je iets?' vraagt Marek.

'Die ene bewaker knakte mijn pink om.' Darwen haalt zijn schouders op. 'Hij had ook mijn arm kunnen breken. Dat is wat ze normaal gesproken zouden doen. Ik denkt dat ze opdracht hadden om voorzichtig te zijn.'

Marek inspecteert de cel. De muren zijn dof grijs, met afgeronde hoeken. Toen de deur dichtviel, leek hij in de muur te verdwijnen. 'Ik denk dat dit een speciale cel is, Darwen. Vouwproof. Nergens zit ook maar het geringste kiertje.'

'Dat is wel erg grondig,' zegt Darwen. 'We zitten hier toch op de begane grond? In de muurschaduw kun je nog geen water in wijn veranderen en al helemaal niet vouwen.'

'Ja, iemand wil helemaal op zeker spelen.'

Twee uur later horen ze de sleutel weer en springen alle drie de sloten open. De voorste Varangor gebaart met zijn uzi. 'Hup, hup, overeind en in looppas! De patriarch wil jullie spreken.'

'Breng ze in de war,' fluistert Darwen in Mareks oor. 'Verneder ze.'

Verneder ze. Prima. Een roekeloze vreugde stroomt ineens door zijn hele lijf, de tintelende sluwheid van een vos. Hij is op de oelukstand gesprongen.

Van een gevangene verwachten bewakers angst, onderworpenheid. Marek klakt met zijn tong en stapt naar voren.

'Wat…' zegt de bewaker en dan grijpt Marek de loop van de uzi al vast en duwt het wapen omlaag. Het staal voelt heerlijk koel onder zijn vingers en dat het wapen elk moment kan afgaan, maakt het alleen nog maar opwindender.

'Laat los,' stamelt de Varangor. 'Laat los.' Hij probeert zijn wapen terug te rukken en Marek grijpt de loop enkel steviger vast.

'Stop dat rare speelgoedje weg,' zegt Marek, zegt Björn Bloedzwaard. 'Je mag de trekker niet eens overhalen. Ik wed dat je bevel hebt ons heelhuids af te leveren.'

De man deinst achteruit, graait naar zijn koppelriem. 'Ik heb een taser! Ik kan je de schok van je leven geven!'

'We lopen echt wel mee,' zegt Darwen. 'Zeg, Marek? Zal ik mijn kop zo hard tegen de deur slaan dat mijn neus breekt? Gewoon voor de gein?'

'Nee!' roept een ander. 'Jullie moeten ongedeerd…'

'Plaag die arme soldaten niet zo.' Geddit staat naast de laatste soldaat. Om zijn nek zit een koperen band met een ketting. Handboeien om zijn polsen en Geddits linkerhand zit dik in het verband gewikkeld.

'Geddit!' zegt Darwen. 'Je hand!'

'O, dat. Ze hakten twee vingers af. Kootje voor kootje. Geddit snuift. 'Stelletje amateurs.' Hij fluit tussen zijn tanden. 'Ze hebben jullie dus ook te pakken.'

'De Varangor krijgen de vijanden van de patriarch altijd te pakken,' zegt een bewaker, maar er klinkt geen enkel vertrouwen in zijn stem door. Ze zijn in de war, denkt Marek. Vernederd. Nu is het jouw beurt, Darwen.

Het is alsof ze een toneelstuk spelen, eentje dat ze perfect ingestudeerd hebben, want nu stapt Darwen naar voren.

'Jullie,' zegt hij, 'wat verdienen jullie eigenlijk?'

'Driehonderd thaler per maand,' zegt Geddits bewaker. 'Probeer je ons soms om te kopen?'

'Ik heb hier veertigduizend goudthalers. Laat ons vrij en ze zijn van jou.'

'Niemand kan veertigduizend goudthalers meeslepen,' protesteert de man.

'Dan heb je een kruiwagen nodig.'

'Ik heb ze in zesduizend in smaragden en de rest als cheques. Vrij in te wisselen in elke Hanzehaven.'

'Waarom zouden we ze niet gewoon van je afpakken?'

Dit loopt mis, denkt Marek de oeluk. Op die vraag valt geen fatsoenlijk antwoord te geven. Meteen wieken de listen als giechelende vleermuizen door zijn hoofd.

'Ik kan je vertellen waarom jullie die niet zomaar kunnen afpakken,' zegt Marek. 'Omdat…' Hij loopt op de deur af, smakt met zijn gezicht tegen het keiharde koper. 'Omdat jullie nu al diep in de problemen zitten,' zegt hij terwijl het bloed uit zijn gebroken neus gulpt. 'De patriarch wilde ons ongedeerd.'

'Maar dat deden wij niet. Je liet zelf…'

'Denk je dat de patriarch zo'n verhaal gelooft?'

Darwen haalt zijn arm achteruit en smakt zijn vuist tegen de deur.

'En ook nog een gebroken pols,' zegt hij terwijl zijn lippen asgrauw wegtrekken van de pijn.

'Jullie kunnen kiezen,' zegt Geddit, 'een leven van luxe en rijkdom of de toorn van de patriarch.'

'Laat de smaragden zien,' zucht de officier en Marek weet dat ze gewonnen hebben.

8

Als ze, gehuld in juten mantels en met de oranje lieslaarzen van leerling-mest-scheppers, door de dienstuitgang van de struisvogelstallen naar buiten stappen, staat de zon nog hoog aan de hemel. Marek knippert tegen het felle licht. Op de een of andere manier had hij verwacht dat het middernacht zou zijn, onder stille sterren.

'Waar vinden we mijn dochters ergens?' vraagt Geddit.

'Geen flauw idee,' zegt Darwen. 'Dat leek ons veiliger. Je kunt niet verraden wat je niet weet. We zouden ze oproepen zodra we meer wisten.'

Darwens spiegelscherf wordt pas op de zestigste verdieping doorzichtig.

'We hebben Geddit terug,' zegt Darwen en dan leest hij Cirnja's bewegende lippen. 'Ze huurden een suite op 256, hotel Odins Wagen.' Hij brengt de scherf weer aan zijn lippen. 'We komen omhoog.'

In de winkelstraat voor het hotel kopen ze nieuwe sandalen en proppen ze de mantels in een vuilstortkoker.

Senni schiet langs Darwen heen zodra de hoteldeur openzwaait en valt Geddit met een kangaroesprong om de nek. 'Papa!'

'Ze waren nog maar amper met de ondervraging begonnen toen ze het bevel kregen het kalm aan te doen.' Geddit steekt de omzwachtelde hand op. 'Twee vingers maar. Zelfs een dorpsheks kan het weer aan laten groeien.'

'Je bofte,' zegt Cirnja. 'Vaak beginnen ze met afsnijden van een oor.'

Ze gaan er zo achteloos mee om, denkt Marek. Oren afsnijden en de politie die vingerkootjes afhakt. En dan herinnert hij zich een gesprek met Cirnja in de trein, over een bericht in het gratis krantje.

'Jullie politie wist dat die kerel drie vrouwen verkracht had en toch ze lieten hem gewoon lopen?' had Cirnja geroepen. 'Zonder dat, dat *ding* van hem af te hakken? Wat zijn jullie voor barbaren?'

'Ze konden het niet bewijzen,' zei Marek.

'Wat heeft dat er nu mee te maken?' zei Cirnja oprecht verbaasd. 'De agenten wisten het toch?'

In Huy Jorsaleem gaan ze misschien wat minder voorzichtig met daders om?

'De patriarch hield het aantal spiegels blijkbaar toch zorgvuldig bij,' zegt Geddit. 'Eentje extra viel hem helaas meteen op. Hij heeft onze spiegel naar zijn Spiegelzaal laten transporteren.'

'Ik roep een heelmeester,' zegt Senni. 'Darwen heeft zo'n zielig geknakt handje en jullie lopen allemaal bloed op het tapijt te druppen.'

9

Hegeira, Kalifaat van de Derde Haroen

'Je had een oeluk, mijn vriend,' zegt Halvorsson, 'en je liet hem door ordinaire soldaten bewaken.' Het hoofd rolt gierend van de lol over de zwevende schaal. 'Een oeluk is sluw als duizend vossen! Even krankzinnig als een hondsdolle nerts. Natuurlijk ontsnapte hij!'

'Oeluks zijn onzin,' gromt de kalief. 'Fabelfiguren van dronken vertellers. Wijnklets.'

'Oeluks zijn onze oudste legende. Ouder dan Yussuf Jesusson en San Nicholas-van-de-reizigers. Ze beschermen de Hanze.'

'Het was gewoon stomme pech,' zegt de kalief.

'O ja? En heb je hun bewakers al gevonden?'

'Nou nee. Waarschijnlijk liggen ze ergens in een vuilkoker, met een gebroken nek. De Varangor zouden de patriarch nooit verraden.'

'Ah, eer en trouw en zo? Mijn vriend, iedereen heeft een prijs. De Hanze is rijk genoeg om elke prijs te betalen. Een donzen matras en in de armen van een beeldschone dame lijkt me een waarschijnlijker plaats voor je Varangor dan een vuilstortkoker.'

'Ik vrees dat je gelijk hebt. Nu, ze hebben die spiegel nog steeds nodig. Daar namen ze ongelooflijke risico's voor.' Hij draait zich naar het hoofd. 'Ik heb hun spiegel midden in de Spiegelzaal gezet en alles staat op scherp. Elke spiegel in de buurt kan een dozijn spiegelgeesten uitbraken. De Varangor verschuilen zich achter klapluiken in de muren. Zodra iemand over de drempel van de Spiegelzaal stapt...'

Hij knielt naast de zwevende schaal. 'Voorspel mij de toekomst. Vertel of ik win. Of de Oudlanden voor mij zullen buigen. Of...' Hij stopt. In Halvorssons ogen dansen de blauwe vlammen van de profetie al, het koortsachtig langsflakkeren van dagen die nog moeten komen.

Vier minuten verstrijken, een ongehoord lange tijd voor een voorschouw. Halvorsson knippert en de vlammen doven.

'En?' vraagt de kalief.

'Ik zag de toekomst. Je stapte door een spiegel en de Hanzemensen volgden je, allebei de oeluks. Drie jaar verstreken. Al die tijd lag de Spiegelzaal leeg en verlaten en alleen de geesten zwommen door het glas. Drie jaar in de toekomst is mijn limiet, Haroen. Verder kan ik nooit kijken.'

'De spiegel waarin ze mij achtervolgden, had die een zwarte rand, Halvorsson? Puur git?'

'Dat klopt.'

De kalief ontspant zich. 'Meer hoef ik niet te weten.'

'Die spiegel is een val?' informeert Halvorsson.

'Ja, beter dan een berenklem, effectiever dan een valluik met giftige speren.'

10

'Daar,' wijst Geddit die avond en hij geeft zijn telescoop aan Marek door. Aan zijn vingerstompjes botten al nieuwe vingers uit. 'Net onder de voorste gletsjertong die over het patriarchale paleis hangt? Zie je een oranje lichtpuntje?'

'Ik heb hem.' Het is een vage ovaal vol zenuwachtige flikkeringen.

'Dat is de Spiegelzaal. Een soort centraal station voor alle transportspiegels van de patriarch. Zijn spionnen kunnen van spiegel naar spiegel stappen, duizenden kilometers in een oogwenk.'

'Waarom gebruiken jullie eigenlijk vouwers als je ook spiegels hebt?'

'Zo werkt dat niet. Je hebt om te beginnen al twee identieke spiegels nodig. Spiegels die uit dezelfde plaat gesneden werden. Alleen dan is het veilig. Zonder tegenspiegel nemen de spiegelgeesten je onderweg steevast te grazen. Je arriveert met uitgeklauwde ogen of in bloederige dobbelsteentjes. Dat hangt van hun stemming af. Spiegelgeesten hebben een heel speciaal gevoel voor humor.'

'Meestal verdwijn je gewoon,' zegt Cirnja. 'Nog iets, als je duizend kilometer wilt springen, zul je de tegenspiegel daar toch eerst heen moeten slepen. Bij vouwsprongen is dat onnodig.'

Geddit knipt zijn wissellamp aan en rolt een kaart uit. 'We kunnen tot de tienkilometergrens komen als pelgrims. De schrijn van de Heilige Hubertus van Donnerberg. Hoger? Dat wordt een beetje een probleem. Nog afgezien van zo'n achthonderd Varengors, zwerven er ook giftige duizendpoten door de gangen die de geur van alle rechtmatige bewoners kennen. Achter iedere spiegel kan een geest loeren. Nu heb ik hier wel een soort plattegrond. Kostte me de prijs van drie staatsiesloepen.'

'Zelfs als we er binnen weten te komen, kunnen er achter elke deur dus monsters zitten,' somt Marek op. 'Gangen met valluiken, ja? Speren die uit de muren schieten? Dat soort werk? En zeventien verdiepingen lang?'

'Als je het zo stelt, lijkt het gekkenwerk. De Spiegelzaal wordt beter bewaakt dan de harem van de kalief.'

'Geldt dat ook voor de buitenwand? Als we nu eens langs de toren omhoog-klommen?'

'Je hebt natuurlijk het probleem van lucht die te ijl wordt om te ademen. Een temperatuur van min zestig graden.'

'Olga en Björn kauwden ademkruid,' zegt Senni meteen. 'De trollenberg die zij beklommen was heel wat hoger dan de kathedraal. Björn stootte zijn hoofd tegen de maan toen die over zeilde.'

'Ik weet niet of ademkruid werkelijk bestaat, Senni.'

'Ze dronken poolvissenbloed. Hun bloed bevriest nooit. Zelfs niet als ze in een ijsberg vastraken.'

'Dat van de poolvissen klopt,' zegt Marek. 'Dat hadden we ook bij biologie.'

Zelfs de flinkste poolvis blijkt het toch af te laten weten bij zestig onder nul en bovendien is hun antivriesbloed giftig voor mensen. Alle vijf de magisters die ze raadplegen, noemen ademkruid een bizar verzinsel van vertellers. 'Als Atman ge-wild had dat wij in de ruimte ademden dan waren we met zuurstofflessen op onze rug geboren.'

'Prima!' roept Senni. 'Dan trekken we toch ruimtepakken aan?'

Geddit schudt zijn hoofd. 'Gebruik je verstand. Zo hoog knettert de magie door de ether en springen er vonken van elke steen. Een ruimtepak is tech: het zou binnen seconden in rafels en gruis uit elkaar vallen.'

'Alle magische zaken werken daar honderdmaal beter, toch?' zegt Marek. 'Darwen, hebben jij en Cirnja jullie geheime spiegels meegenomen?'

11

Twee dagen later heeft Marek de grootste spijt van zijn briljante brainwave. Het is middag en boven zijn hoofd kleurt de hemel blauwzwart, vol twinkelloze sterren. Aan zijn voeten zitten matrozenmuilen en zijn handschoenen zijn met spinnenkoord omwonden. Een pak van drakenleer dat nooit tot onder de dertig graden zal afkoelen, snoert zijn lijf in.

Zuurstof spuit zijn mond binnen via een buis die in een scherf van Cirnja's spiegel eindigt. Alle spiegels zijn poorten, doorgangen. Darwens spiegel bleef achter op de begane grond en geeft de warme lucht door. Het drukverschil is echter hoogst irritant: Marek moet voortdurend boeren om zijn longen niet te laten barsten.

Hij kijkt op naar de overhangende gletsjerrand. In het zonlicht zijn de gigantische ramen van de spiegelzaal een verblindend sterretje dat groene vlekken over zijn netvlies laat zwieren. Vanaf de schrijn was het zeventien verdiepingen omhoog en daarvan zijn er ondanks twee uur klimmen nog twaalf over.

Praten is onmogelijk en ondanks de handschoenen hebben zijn vingertoppen alle gevoel verloren. Het puntje van zijn neus is waarschijnlijk afgevroren en ligt nu ergens op de grond. Aan zijn oren hangen ijspegels. Als zijn skibril niet zo berijpt was, zou hij ze kunnen zien.

Dertig meter boven hem klapt een raam open en iets slaps en grijs passeert hem rakelings, geluidloos in het bijna-vacuüm. Een dode kat, een zak afgedankte amuletten?

Zijn hart bonkt in zijn keel: een halve meter verder naar links en hij was meegesleurd.

Geddit trekt de buis uit zijn mond. 'Door,' leest Marek zijn blauwzwarte lippen, 'we moeten door.'

De zon raakt de bergtoppen als ze zich over de granieten richel van het raam hijsen. Onder hen ligt de stad al in de nacht. Alleen de top van de toren baadt nog in het bloedrode licht.

Ondanks de intense koude wipt Marek zijn skibril omhoog en brengt hij de kijker aan zijn ogen. Over de rivier lijkt een rups van lichtjes te kruipen. Zo veel lampen: honderden, duizenden scheepslantaarns. Een ceremoniële race, een vlootschouw? Wat het ook is, die vloot moet tientallen kilometers lang zijn.

Zijn ogen beginnen te branden en de rijp kruipt over zijn wimpers. Hij trekt zijn bril omlaag en knippert tot zijn oogleden niet langer stijf voelen.

Geddit wurmt een splinter diamant zo lang als zijn onderarm uit zijn ransel en krast een cirkel in de ruit. Een ferme trap en een schijf glas tuimelt de zaal in. Stijf en klappertandend kruipen ze naar binnen.

Het plafond is duifgrijs marmer, met brede aders van serpentijn. Spiegels omringen hen, een doolhof van spiegels, die in elkaar weerkaatsen en eindeloze tunnels van licht maken. Sommige spiegels kijken over alpenweiden of woestijnen uit. In de meeste is het echter nacht. Logisch: de belangrijkste spiegels zullen over Prester Johnsland uitkijken, over het rijk van de patriarch.

Een klaaglijk geloei rolt door de zaal en Marek kijkt geschrokken om zich heen.

'Kop omlaag!' sist Cirnja. 'Soldaten, daar achter in de zaal. Een hele rij. Ze stapten pardoes uit de muur.'

'Het liep ook te gesmeerd,' zegt Geddit. 'Daar houden goden niet van.'

Marek weet dat hij serieus is. Voor de bewoners van Huy Jorsaleem is elk mensenleven een prachtig drama, vol onverwachte wendingen. Het enige dat het nooit mag zijn, is saai.

'Wat doen we?'

'Geen flauw idee, Marek. Sorry.'

Het zijn Varengors, ziet Marek nu, met dezelfde helmen en wapens als de erewacht bij de patriarchentoren. Alleen zijn deze soldaten een kop groter en ze bewegen zich soepel als dansers. Dit zijn de pitbulls onder de soldaten die je nog in de hielen proberen te bijten als je hun armen en benen hebt afgehakt.

De hoorn loeit opnieuw en het lijkt van eindeloos ver te komen, van tientallen verdiepingen lager. Nieuwe soldaten tuimelen uit de muur, speuren om zich heen. Een officier wijst op een flakkerende spiegel in de verste hoek, brult een bevel. De soldaten rennen de zaal door, stormen de spiegel in.

'Vraag niet hoe het kan,' zegt Senni als de laatste verdwenen is, 'maar geniet ervan!' Ze springt op. 'En nu? Hoe vinden we onze eigen spiegel, Geddit? Er staan hier honderden.'

'Ik merkte onze spiegel met vlinderstof toen ze hem in de lijst monteerden.' Hij trekt een zak open en smijt de motten met handenvol de lucht in. Een dozijn dwarrelt naar de vloer, dood en geknakt. De andere motten openen hun vleugels, fladderen de zaal in.

'Wacht,' zegt Darwen, 'die spiegel daar, met de zwarte rand. Ik heb er ooit een gravure van gezien. Dat is de oudste spiegel, de krachtigste.'

Het beeld in het glas is kristalhelder: een binnentuin met palmbomen en mimosa's. Een man knielt voor een tas met zilveren kwasten. Achter hem staat een troon in een halve cirkel van spiegels.

'Het moet ergens diep in het zuiden zijn,' zegt Geddit. 'Zie je die gier daar vliegen? Zijn vleugels bewegen amper.'

De man heft zijn gezicht in slow motion en Cirnja knijpt hard in Mareks arm. 'Dat is de patriarch! Halvorsson zelf.'

'Je hebt gelijk,' zegt Darwen. 'Wat voert hij daar in godsnaam uit? Ik bedoel, alles beweegt zo traag. Deze spiegel moet regelrecht naar het Kalifaat voeren!'

De patriarch zet zijn ijzeren doornenkroon af, pakt zijn oren vast en trekt. Zijn hele gezicht vervormt, komt los als een levend latexmasker. Een tweede gezicht wordt zichtbaar: een met een adelaarsneus, dunne lippen, een gevorkte baard. Hij reikt naar een met gouddraad gestikte doek, wikkelt hem als tulband om zijn hoofd en zet hem vast met een smaragden speld.

'De kalief?' zegt Cirnja. 'De kalief is de patriarch! Daarom zeggen ze dat hij onsterfelijk is en voor altijd leeft. Hij woont het grootste deel van de dag in de trage tijd.'

'We moeten door,' zegt Geddit. 'Hoe interessant dit alles ook is.'

'Je begrijpt het niet, papa! De kalief is onze grootste vijand! Erger dan de duivel, dan alle djinns. We zijn verdorie al tweehonderd jaar in oorlog met het Kalifaat! Er koerst een reusachtige oorlogsvloot op ons land af en…' Ze wappert met haar handen. 'Hij voert ons leger aan en hij is tegelijk onze grootste vijand.'

'Cirnja! Een koopman hoort zich niet met politiek te bemoeien. We hebben hier niets mee te maken. Niets.'

Cirnja kijkt hem aan en dan ziet ze iets in zijn blik dat haar doet huiveren.

'Je wist het,' zegt ze ongelovig. 'Je wist dat de kalief en de patriarch dezelfde man zijn. Dat die hele oorlog nep is. Er is geen vloot van een miljoen zeilen.'

'O, nee,' zegt Geddit, 'geen leugen. Die oorlog is volkomen echt en de vloot helaas ook. Onafwendbaar. Onder elke andere kalief zou hun oorlogsvloot ook uitgevaren zijn. Het zijn vechters en wij zijn hun natuurlijke vijand. Het is wel zo veilig dat beide leiders hetzelfde zijn. De kalief zal alles doen om een echte invasie te voorkomen.'

'Alles is een leugen,' zegt Cirnja. 'Mijn hele wereld is een leugen en jullie doen er gewoon aan mee.'

'Ik heb onze spiegel gevonden!' roept Senni en dat is belangrijker dan welke patriarch of kalief ook.

De motten drommen op de bovenrand van de spiegel samen. Esle ligt nog steeds in dezelfde houding en lijkt zich geen centimeter bewogen te hebben.

Senni staat voor de spiegel. 'Mama,' zegt ze. 'Ik heb je zo gemist. Zo…' Ze zucht, trekt de flap van haar rugzak open en steekt een wissellantaarn in haar riem, pakt een spuitbus op. Metallic, ziet Marek. Koperkleur.

'Een spuitbus?' zegt Geddit.

'Koper. Het is Cirnja's truc. Koper stopt alle magie. De hand kan Esle nu niet meer fijn knijpen.'

'Dat is verdraaid slim. Precies wat ik nodig heb.' Hij steekt zijn hand uit maar Senni rukt de spuitbus weg, danst achteruit.

'O nee, o nee! Ik ben de jongste. Ik kan de jaren het makkelijkst missen.'

'Senni! Luister naar me!'

'Bovendien ben ik het zat om steeds het kleine meisje te zijn.' Ze kijkt Marek aan. 'Ik hou van je,' fluistert ze en dan slokt de spiegel haar op.

Mareks verlamming duurt niet langer dan een halve seconde en dan sprint hij op de spiegel af. Geddit rukt hem aan zijn riem terug.

'Stop. De spiegel zit weer potdicht. Geen doorgang meer. Je zou hoogstens je neus weer breken.' Hij roffelt met zijn knokkels tegen het glas. 'Zie je?'

'Maar Senni. Je eigen dochter.'

'Kijk in de spiegel. De marmeren hand, hij is leeg!'

Op het flakkeren van de dag en nacht na beweegt niets in de spiegel. In het hoogste noorden verloopt de tijd te snel om een bewegende mens te herkennen. Zelfs voor een flits moet Senni minutenlang, misschien wel urenlang doodstil staan, realiseert Marek zich.

'Bedoel je dat…'

'Het is Senni gelukt. Anders hadden we opgedroogde bloedvlekken gezien, beenderen. En de hand zit van top tot teen onder de koperverf.'

'En nu?'

Geddit spreidt zijn handen, spreidt ze opnieuw en zijn schouders schokken. Het is een afschuwelijk gezicht. Marek heeft hem nooit eerder zo besluiteloos gezien. 'Het was nooit mijn bedoeling dat Senni door de spiegel stapte.'

'Ze komt terug,' zegt Darwen. 'Prinses Zilverster komt altijd terug.' Het is zo'n naïeve opmerking dat Marek hem aangaapt. Olga en Björn, prinses Zilverster: het zijn rollen, een manier van denken en durven. Zelfs in de verhalen overleven ze hun queeste vaak niet.

De pijn op zijn borst wordt sterker, alsof zijn ribben zich aansnoeren tot een dwangbuis. Cirnja slaat haar arm om zijn schouders. 'Ze laat je heus niet in de steek. Al moet ze van ijsberg tot ijsberg springen en aan de poten van reuzen-albatrossen meeliften. Bovendien is Esle bij haar.' Ze masseert zijn nek. 'Ze houdt

veel te veel van je.'

Het duurt twee, drie seconden voor de woorden tot hem doordringen.

'Je bent gek. Senni is een kind! Nog niet eens een puber. Wat ze riep, dat was gewoon een *crush*. Kalverliefde.'

'Wat maakt dat uit? Senni was helemaal bereid te wachten. Te wachten tot ze oud genoeg werd en jij doorkreeg dat je ook verliefd was. Al bijna vanaf het begin.'

'Ze was mijn…' Nee, dat is onzin, Oudlandsgeklets. Wees eerlijk: Senni was geen zusje en hij geen grote broer. Ze was inderdaad nog te jong maar dat hoefde ze niet te blijven. Niet in deze wereld waar mensen rotsvast in verhalen geloven. Bovendien wisten Cirnja en Darwen al sinds ze kleuters waren dat ze voor elkaar bestemd waren. Een gearrangeerd huwelijk, maar misschien had je daar niet altijd ouders voor nodig. Misschien kon een legende dat evengoed regelen.

'Twee van de drie keer praatte je met Senni en niet met mij,' zegt Cirnja. 'Over alle werkelijk belangrijke zaken. Zo hoort het ook. Ik ben je Olga Slangensteen, je oeluk. Actie, wilde lol. Senni is je Zilverster.'

Cirnja heeft gelijk. Ik heb Senni altijd serieus genomen. Hoe jong ze ook was. Toen ik het helemaal verpeste bij de Schouw was Senni de enige die achter mij aan rende. Ze was zo boos op me. Zo wanhopig verdrietig.

Senni sprong expres door de spiegel. Ze wilde me inhalen in de razendsnelle tijd van het noorden.

12

Een hoge toon snerpt door de zaal, als het aanslaan van honderden gebarsten xylofoons. Het begint bij Esles spiegel en springt dan naar de andere spiegels over.

Een tiental kleurt prompt een broeierig rood: de spiegels sidderen en spuwen dan een stroom spiegelgeesten uit.

Ze kaatsen van spiegel naar spiegel, zwiepen armen van knarsende glassplinters langs het plafond en laten diepe krassen in het marmer achter. Hun nagels zijn zwart vulkaanglas. Met een zwiep van hun handpalm kunnen ze je gezicht van je botten scheuren.

Cirnja klakt met haar tong. 'Dit is kwalitatief uitermate teleurstellend. Om met Senni te spreken.'

Een nieuwe spiegel tinkelt.

'Laat mij door!'

De geesten buigen soepel als zeewier opzij en de kalief schrijdt door een tunnel van sidderende scherven en loerende ogen. Haroen houdt zijn levende patriarchenmasker in zijn linkerhand. De tong sliert uit de mond terwijl de lippen trekken en wilde grimassen maken.

'Mijn spiegels werken twee kanten uit, weet je,' zegt de kalief. 'Dat raam was een briljante list. Het enige onderdeel dat ik niet beveiligd had. Gelukkig raakten jullie de spiegel wel aan.' Hij bekijkt ze van top tot teen. 'Heer Stra Poulou dus, en de befaamde oeluks. Jullie hebben beslist talent. De laatste vier eeuwen heeft zelfs de fanatiekste sluipmoordenaar het niet verder dan mijn laagste trofeezaal gebracht.'

Geddit vouwt zijn armen over elkaar. 'Kalief?'

'Ah, de fameuze laatste woorden van de ter dood veroordeelde! Die zijn altijd amusant.'

'Het kost misschien moeite om het te geloven maar je geheim is veilig bij ons. De Hanze weet al eeuwen dat de patriarch en de kalief dezelfde man zijn. Als het volk dat zou ontdekken… Kijk, wij kooplieden hebben iets tegen revolutie en gerechtvaardigde volkswoede. Op de een of andere manier zijn het altijd onze warenhuizen die het eerst in de fik vliegen.'

'Ik zou je graag geloven. Helaas.' De kalief tilt het masker op, kleeft tegen zijn gezicht. 'Zekerheid voor alles. Een waarzegger beweerde dat ik jullie niet kan doden, maar ik zou het toch graag proberen.' Hij draait zich naar de spiegelgeesten. 'Neem ze mee. Smijt ze van het dichtstbijzijnde balkon. Negen mijl moet hoog genoeg zijn. Zelfs voor oeluks.'

Een spiegel siddert, krijst als een nagel over een schoolbord.

'Wat nu weer?'

Een Varangor wankelt de grootste spiegel uit en aan de paarse diamanten op zijn helm te zien, moet hij de kapitein van de patriarchale lijfwacht zijn. Zijn harnas is geblakerd en aan zijn rechterhand ontbreken drie vingers. Hij heft zijn bloederige hand op en in de plotselinge stilte kun je het bloed op de plavuizen horen druppen.

'Heer. Een vloot. Tienduizend schepen met albatrosvleugels als zeilen. Hun aanvoersters commanderen ijsslangen. Krijgers op hermelijnen zo groot als ijsberen klommen recht tegen onze torens op.'

'Zet de Blauwe Garde in! Je hebt toestemming om de krachtigste Oudlandwapens te gebruiken. Mortieren, neutronengranaten desnoods.'

'Heer,' zegt hij droevig. 'Dat zal niet meer gaan. De Blauwe Garde gaf zich over. De paar soldaten die de bestorming overleefden. Ik ben de enige die ontkwam.'

'Hoe ver kwamen ze?'

'Ze marcheren al door de Adelaarskooien. Twee verdiepingen onder uw vertrekken.'

De patriarch wervelt om zijn as. 'Vergrendel de spiegels! Laat niemand door.'

'Te laat,' zucht de aanvoerder. 'Ze zijn me gevolgd. De monstervrouwen, de furies. Zo stom.' Hij wankelt, stort dan voorover op het tapijt.

Twee vrouwen rollen de spiegel uit, springen overeind. Een dozijn soldaten met reflecterende schilden volgt hen.

'Esle!' roept Geddit en ze glimlacht naar hem, een flits van witte tanden, en dan richt ze zich weer tot haar krijgers, druk gebarend. Een spiegelgeest duikt op haar af en haar schild komt omhoog. Hij kaatst krijsend terug en spat in rinkelende scherven uiteen.

De tweede vrouw loopt recht op Marek af en blijft vlak voor hem staan. Het moet Senni wel zijn, al is ze nu even lang als Marek zelf. Ze draagt de pels van een ijsbeer, een ketting van levende demonenharten. Op haar voorhoofd fonkelt de zilveren ster die daar altijd al heeft gebrand.

'Senni?' Het is alsof Marek op een hoge piek staat, met de zon recht in zijn gezicht en de stormwind tintelend en puur. Nee, Senni is niet langer de juiste naam. 'Prinses Zilverster,' zegt hij en in haar ogen leest hij dat dit precies de juiste reactie is. 'Ik…' Een dozijn Björn-en-Olgaverhalen geeft hem de volgende zin: 'Ik heb op je gewacht.'

'Sorry dat het even duurde,' zegt Senni. 'De weg terug naar Huy Jorsaleem is zestigduizend mijl en negen jaar lang.' Ze pakt zijn hoofd in beide handen en kust hem vol op de lippen.

'Hé!' roept Cirnja, een kreetje tussen een lach en een protest in.

Senni kust Marek voor de tweede maal. 'Wees maar niet bang: hij is nog steeds je oeluk. Alleen heeft zijn prinses ook haar rechten.'

'We hebben ons onderweg niet verveeld, kalief met het gezicht van de patriarch,' zegt Esle en haar degen schuift uit, doorboort een drietal geesten tegelijk. 'We hadden ruim de tijd om te plannen. Om ons af te vragen waarom spiegelgeesten Senni en Cirnja in de Oudlanden aanvielen terwijl alleen de patriarch ze kan commanderen.' Ze gebaart naar haar soldaten. 'Misschien valt het u op dat onze krijgers spiegelende schilden en wapenrustingen dragen? Geen geest kan hen aanraken.' Ze stapt dichterbij, en de geesten deinzen terug voor haar vonkende degen tot ze vlak voor de kalief staat.

'Een wijze man zou dit schaakmat noemen,' merkt de kalief op. 'Hoewel…' Hij houdt zijn hand op. 'Zien jullie deze ring, ja? Ik geef nu een draai aan de saffier.'

'En?' zegt Esle en de punt van de degen tikt zijn strottenhoofd aan.

'In de zetting zit een spiegel die met de Oudlanden in verbinding staat. Ik heb net het bevel gegeven zevenduizend djinns te wekken. Mijn soldaten hebben hun hartstenen in alle woestijnen geplant, elk in een nest van dynamietstaven en semtex.'

Marek verstijft. 'Je liegt!'

'Waarom zou ik? Prester Johnsland en het Kalifaat zijn als een reusachtige machine. Tienduizend glanzende raderen, zo perfect en soepel dat zelfs de engelen van ontroering huilen bij het zien van die glorie. Alleen de Hanze, de Hanze is het knarsende zand in mijn machtige uurwerk.'

'We hebben je geheim bewaard,' protesteert Geddit. 'Eeuwenlang.'

'De Hanze is handel,' vervolgt de kalief. 'Zonder de Oudlanden zijn jullie niet beter dan haringvissers. De volgende keer dat jullie een Oudlandse haven binnenzeilen, zal de maan en het kromzwaard van het Kalifaat boven de ruïnes wapperen. Ik…' Van zo'n bolronde kerel verwacht je geen circussprong en zeker niet midden in een redevoering: de kalief rolt opzij, schopt Esles degen uit haar hand en verdwijnt na een klap tegen de sierrand met een achterwaartse salto in de spiegel.

'Shit!' Esle wrijft over haar pols.

'Hij loog,' herhaalt Marek. Paniek borrelt in zijn keel. 'Zeg dat hij liegt!'

'Lieden als hij liegen niet tegen ordinaire onderdanen,' zegt Geddit. 'Dat is beneden zijn waardigheid.'

'Zijn spiegel staat nog open,' zegt Esle. 'Zie je de tentakels in de sierrand kron-

kelen? Wijd open!' Ze graait haar degen van het tapijt en duikt de spiegel in.

'Nee!' schreeuwt Geddit. 'Niet nog een keer!'

Esle staat in een open paviljoen, met opgetrokken knie en halverwege een pas. Ze lijkt bevroren. Dit is het diepe zuiden, in de trage tijd waarin alles superlangzaam beweegt. In de verte is een ommuurde stad zichtbaar, met koepels van parelmoer.

'Ik weet niet of dit wel slim is,' zegt Geddit. 'Ik vermoed van niet, eigenlijk,' en hij spingt zijn vrouw achterna.

13

Marek heeft Senni's hand nog vast als de spiegel om hem heen rimpelt en hij het Kalifaat binnenstapt, een halve wereld verder.

De lucht slaat hem op de keel: ovenheet en droog, met de geur van kamfer en nootmuskaat.

De patriarch staat tegen een ebbenhouten pilaar van het paviljoen geleund, ogenschijnlijk ontspannen. Trap er niet in, denkt Marek. Die vloer, glanst het malachiet niet opvallend sterk? Is het soms een diepe poel waar een illusievlies op drijft?

Het paviljoen, dit is een volkomen andere plaats als eerder! Nergens een troon en dit is de enige spiegel...

'Allemaal door de zwarte spiegel,' zegt de kalief. 'Dit is exact waar ik op hoopte. Heerlijk als je tegenstanders toch nog een beetje voorspelbaar blijken.' De kalief klapt een gouden zakhorloge open, tuurt op de wijzerplaat. 'Ik schakelde de spiegel naar een dieper zuiden over toen ik erdoorheen sprong. Naar een aanzienlijk tragere tijd.' Hij sluit de gouden deksel. 'Volgens mijn horloge zijn er in de Oudlanden intussen vier jaar verstreken. Dat lijkt me lang genoeg voor mijn djinns om de oorlog te winnen. Weinig kans dat jullie nu nog iets in de war kunnen gooien.' Hij schuift een gordijn opzij waarachter een tweede spiegel staat. 'Ik zal mijn nieuwe domeinen nu gaan inspecteren.'

De spiegel slokt hem op.

14

'Kutterdekut!' Senni's vingers dansen over de sierrand van de tweede spiegel. Ze verdraait bronzen bloemen, haakt een vinger in een varanenstaart, drukt op een vis. Een paars kristal gloeit op, kleurt een groezelig grijsblauw. 'We hadden een spiegel voor onszelf en alle tijd om uit te vinden hoe dat kreng werkte. We konden uiteindelijk zelfs een dag eerder terugkeren dan ik vertrok. Al lukt dat helaas geen tweede keer.' Ze stapt achteruit. 'De spiegel staat nu op Utrecht afgestemd. Je oude straat. Hem achtervolgen leek me minder slim. De kalief heeft een voorsprong van maanden. Waarschijnlijk eindigen we in een kuil vol gesmolten lood als we dezelfde weg volgen.'

In de spiegel is enkel wervelende mist zichtbaar. Zonder tegenspiegel ben je even blind als bij een vouwsprong, begrijpt Marek.

Hij zet zich schrap als hij door de nieuwe spiegel stapt. Senni en Esle heffen hun schilden om hen tegen spiegelgeesten te beschermen.

Vier jaar, denkt Marek, eerder zes nu. Wat ligt er aan de andere zijde? De hele stad een puinvlakte? Een flakkerende noorderlichthemel vol overwiekende draken? Paleizen van schedels en mensenbeenderen?

Het glas lijkt taaier dan de vorige keer, een dikke, lillende stroop. Marek wrikt zich door het glas en dan verdwijnt alle weerstand en smakt hij voorover op het keiharde asfalt.

Boek 8

In het hart van de Oudlanden

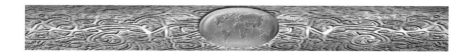

1

Ralph en Timur zijn alweer twee weken terug in Amerika en de organisatie begint zich langzamerhand te herstellen van het Hollandse fiasco. 'We likken onze wonden en slijpen onze gebroken slagtanden bij,' zoals Timur het uitdrukt. Met behulp van satellietfoto's en een Cray supercomputer heeft Ralph een dozijn van de geheime Hanzehavens kunnen opsporen.

Je moet op de foto's inzoomen en naar herhalingen zoeken: een dubbele eikenboom, een kerktoren die vier keer voorkomt. De Hanzeleden mogen het menselijk oog volmaakt kunnen bedriegen, met camera's lukt dat minder goed.

Als de tijd rijp is zal het Genootschap toeslaan: de schepen enteren en aan de ketting leggen, de atlassen met geheime vouwen confisqueren. Vrijhandel: heel de Gran Terre zal voor de Amerikaanse vloot openliggen.

Timur klapt zijn laptop dicht.

'Ik moet door naar de haven. De laatste zending handschoenen controleren. Ik zie je vanavond bij admiraal Sandecker.'

Ralph Harcourt steekt zijn hand op zonder van zijn eigen scherm op te kijken. *'See you. Kill some monsters for me.'*

Alleen een dwaas vertrouwt zijn bondgenoten. Machtige landen als Amerika hebben geen vrienden, geen ware vrienden, en van die tulbandkoppen als Timur zijn al helemaal niet te vertrouwen. Vooral als het niet eens echte mensen zijn. De zegelring met de ster en het kromzwaard die Timur altijd draagt, was de duidelijkste aanwijzing geweest. Op de kaart van de Gran Terre prijkt hetzelfde teken levensgroot boven het Kalifaat van de Derde Haroen.

Belachelijk zo lang als het duurde voor hij het doorkreeg. Timur is een indringer, weet Ralph nu en al die verhalen over een geheime derwisjenorde van djinnbestrijders zijn onzin. Er bestaat geen Oude Man van de Bergen, geen leger om de Oudlanden te verdedigen.

Het mooiste is dat hij Timur zo stevig aan de computer heeft gekregen. Lui voor wie magie gesneden koek is, lijken juist gefascineerd door techniek. Tegen-

woordig scant Timur elk document in zodra een berichtenfles opduikt, blij als een klein kind.

Ralph opent Timurs laptop. De deksel is met een eigenaardig zacht leer bekleed dat onaangenaam warm onder zijn vingers aanvoelt. Timur gelooft dat hij zijn laptop heeft uitgeschakeld en vergrendeld. Hij staat echter op stand-by, al is het zonder verraderlijk lampje. Ralph heeft niet eens een wachtwoord nodig.

Hij duikt Timurs versleutelde files in en het scherm vult zich met Arabische lettertekens. Een drietal toetsaanslagen en ze veranderen regel voor regel in Engels. Lichtelijk krom Engels weliswaar maar dat mag de pret niet drukken.

Het woord 'America' licht felrood op en het woord komt alarmerend vaak in de tekst terug.

'*Final secret djinn caches placed.*' Geheime opslagplaatsen voor djinns? Waar is Timur nu weer mee bezig? '*Map*' zegt een hyperlink en Ralph klikt erop.

De kaart van Amerika vult het scherm. Het is een haarscherpe satellietfoto en hij is bezaaid met knipperende blauwe sterren. Op de kaarten van Gran Terre staat een blauwe stip onveranderlijk voor een nederzetting van djinns.

Hij zoomt in. De opslagplaatsen liggen in de droogste gebieden, in Death Valley, op zinderende zoutvlaktes. Hij zoomt uit en nu wordt de rest van de continenten zichtbaar. Blauwe sterren in de Sahara, de Gobi, de koude, maar gortdroge hoogvlaktes van de Andes en de Tibetaanse hoogvlakte.

Ralph hapt naar adem. Dit is één grote nachtmerrie. Alsof heel Amerika ingezaaid is met op scherp staande atoombommen. Erger: een djinn is gevaarlijker dan een kernwapen. Kernwapens kunnen niet denken, atoombommen haten je niet.

'Gebruik de bijgeleverde spiegel voor het wekken van de djinns,' beveelt het bericht. 'In elk depot is een overeenkomstige spiegelscherf aanwezig. Kras het codewoord in je eigen spiegel om de hartstenen te activeren. Het codewoord luidt 'Idwar Sci87mitar ahRe7dai ob EltlanD'. Het is geen Farsi, ziet Ralph, maar Hanzn sprach: 'Het heilige kromzwaard rijst boven de Oudlanden.'

Ralph duikt meteen in de onderliggende code en verandert de cijfers, maakt cursieve letters van twee kapitalen. Het wachtwoord is nu onbruikbaar maar zal toch op het eerste gezicht identiek lijken. Al schreeuwt Timur de woorden uit, al beeldhouwt hij ze in achttien karaats gouden letters, geen djinn zal uit zijn sluimer ontwaken.

Hij stuurt de landkaart naar zijn eigen computer door, schakelt Timurs virusscanner uit en zet een dozijn virussen en computerwormen op scherp. Ze zullen meeliften op Timurs eerstvolgende boodschap en de computers van alle andere infiltranten in jengelende idioten veranderen die niet eens op hun eigen elektronische vingers kunnen tellen. Het is vreselijk naïef om te vertrouwen op het zwaard dat je vijand je aanreikte.

'Ik zie je,' zegt een hese, sensuele stem. In het wandkleed heeft een geborduurde haremvrouw haar ogen geopend en ze leunt uit het kleed, wijst beschuldigend naar de laptop. 'Je schreef valse woorden in het toverboek van mijn heer en meester.' Haar gelakte nagels verlengen zich en veranderen in klauwen. 'Ik zal...'

Shit, een waakgeest. Ralph rukt een vel koperfolie uit de wandrol en duikt op haar af. Het dunne koper kleeft prompt in een regen van elektrostatische vonken tegen haar gezicht. Ze slaat wild met haar armen, verstijft en zinkt terug in het wandkleed.

Dat was op het nippertje. Ik moet hier weg. De anderen waarschuwen.

Een beweging in zijn ooghoeken waarschuwt hem en hij draait om zijn as, graait naar zijn pistool. Timur staat in de manshoge spiegel naast de deur. Hij draagt een eigenaardig zwaard met een lemmet van gegraveerd glas. Langs de snede dansen gele vlammen die een vettige walm verspreiden.

Timur stapt uit de spiegel en er springen barsten in de vloertegels waar zijn zolen de grond raken. Magisch zwaard, magische laarzen.

'Mijn laptop is met mijn eigen, levende huid bekleed, Ralph. Elke vreemde aanraking voel ik meteen.'

Tech tegen magie. Ralph deinst terug, richt zijn wapen. De kogels in zijn Glock heeft hij eigenhandig uit geel koper gedraaid. Geel koper zal elk magisch harnas doorboren, elke tovermantel. Hij haalt de trekker over en de terugslag breekt zijn pols bijna.

De kogel stopt tien centimeter voor Timurs borst en valt op de vloer als een verfrommelde bij.

'Ik verving je kogels. Goud is even geel als koper.' Timur heft het zwaard.

'Ik heb boodschappen achtergelaten,' kaatst Ralph terug. 'Voor de NSA, de CIA. De Mossad. Kluisjes met magische voorwerpen. Als ik sterf...'

Timur lacht. 'Elke magische ring, elke geladen spiegel en gluurspin heb ik gelabeld met een druppel van mijn eigen bloed. Net als bij mijn laptop wist ik elke minuut waar ze waren.'

Het is razendsnel steekspel van bluf en tegenbluf. Van leugens die waarschijnlijk geen leugens zijn.

'De kluisjes...' stamelt Ralph.

'Ze zijn niet leeg, hoor,' zegt Timur. 'Alles ligt er nog. Zilveren ringen en rare handschoenen. Alleen heb ik ze een week geleden ontladen en de kaarten laten enkel jullie Oudlanden zien.'

Jullie Oudlanden. Timur heeft alle schijn laten varen. Hij is een Gran Terraan.

Een zijstap en Timurs zwaard slaat snel als een slang toe. Ineens lijkt de vloer omhoog te springen, een naad schiet langs, de rekken met de server staan nu ondersteboven.

Ralphs hoofd rolt over de tegels. Als hij tot stilstand komt, ziet hij zijn lichaam

in elkaar zakken. Uit de nek spuit een fontein van bloed die helemaal tot het gele behang doorspat.

Het afschuwelijkste is dat er geen duisternis aanrolt. Zijn blik blijft scherp, gefocust, hoewel zijn hart niet langer in zijn keel bonst en zijn ademhaling gestopt is.

Timur bukt zich en tilt Ralphs hoofd aan zijn haar op. 'Dit zwaard werd uit pure levenskracht gesmeed. Een afgehakt hoofd blijft in leven tot alle magie is weggelekt.'

Hij ritst een met koperfolie gevoerde koffer open en laat Ralphs hoofd in de uitgespaarde holte van piepschuim zakken. Het past precies, bijna zuigend. Alleen de nek moet iets ingedrukt worden.

Timur had de koffer al geprepareerd. Hij was altijd al van plan mijn hoofd af te hakken. Ralphs gedachten zijn kristalhelder, emotieloos. Alleen nieuwsgierigheid is overgebleven, een bijna kinderlijke verwondering. Zijn gehoor wordt bovennatuurlijk scherp en elke voetstap van zijn vijand is een galmende cimbaalslag, het knarsen van een zandkorrel, een rollende zwerfkei.

Een gongslag klinkt, vreemd geluidloos, alsof hij uit een andere wereld aanzweeft. De spiegel vult zich met een blauwe, verschuivende gloed, alsof je in het hart van een gigantische saffier staat.

'Het signaal van de kalief!' roept Timur. 'Geen uitstel meer.' Hij klapt zijn laptop open, leest het codewoord op, herhaalt het. Het gekras van een diamantpen over het glas van een geladen spiegel volgt.

'Prima. Ze zijn ontwaakt.' Een zucht van tevredenheid. 'Zevenduizend orkanen zullen hun steden neerhalen. Gloeiend hete Katrina's. Ze zullen alle wolkenkrabbers van de ongelovigen tot gruis slaan.'

Waarom haat iedereen ons toch zo? denkt Ralph. *Waarom droomt de halve wereld over de vernietiging van Amerika?*

'Het is misschien beter dat je zolang slaapt,' zegt Timur. 'Een krijsend hoofd in je koffer valt zo op.'

Hoezo krijsen? Ik ben echt niet hysterisch. Ralph giechelt en de giechel wordt luider. Het is onmogelijk te stoppen.

'Kijk, dat bedoel ik nu.' Timur spreekt een djinnwoord en Ralphs gedachten stollen tot harde grijze kristallen.

2

Uit Ralphs laptop komt een urgente, bijna venijnige piep. 'Geef wachtwoord,' bevelen paarse letters. Ze zijn van haken voorzien, op een achtergrond van wentelende cirkels.

Timur verstijft. Magie en tech, in de meest rottige combinatie.

'Geef wachtwoord,' knipperen de letters. In een hoek begint een klok af te tellen: 59, 58, 57. Het is een raar dramatisch gebaar, dat aftellen, echt iets voor een computernerd. Bij '43' slaat Timur de laptop tegen het harde stenen tafelblad stuk en de oplaadbare batterij springt uit de behuizing, stuitert over de vloer.

Op het overlangs gespleten scherm telt de klok onaangedaan door. Een magische klok heeft geen elektriciteit nodig.

'Hou op! Hou op!' Een slag met zijn zwaard en de klok springt op '00'. De server tegen de linkerwand begint prompt te zoemen en Timur weet dat het te laat is. Alle tech heeft zich tegen hem gekeerd.

Hij snelt naar de deur en het slot ratelt, klikt dicht voor hij de kruk kan aanraken. Stalen rolluiken zakken over de ramen.

Ik wist verdorie niet eens dat we automatische rolluiken hadden.

Hun lamellen zijn met geanodiseerd koper bekleed, ziet hij. *Ralph heeft ons kantoor ingericht. Ik ben een dwaas geweest. Even stom als een konijn dat zijn vluchtgangen door een vos laat uitgraven.*

Hij trekt een la van zijn eigen bureau open. De handschoenen liggen nog in een verborgen vak. Onaangeroerd. Allah akbar!

Hij stroopt ze tot zijn ellebogen over zijn armen en steekt zijn linkerarm in de muur. Zijn vingertoppen bonken op een laag kopergaas dat in het beton gegoten zit.

Buiten hoort hij sirenes aanzwellen. Wie heeft Ralphs server gebeld? De FBI? Homeland Security? Drugs en terroristen, voor de Amerikanen zijn het de magische woorden die alle bloedhonden wekken en iedere patriot naar de wapens doet grijpen. Hun equivalent van onrein en ongelovige.

Timur kijkt verwilderd om zich heen. Als een rat in een koperen val. De trans-

portspiegel? Nee, het kost een half uur voor hij weer opgeladen is.

Het plafond dan maar. Het plafond is nog steeds in de oude staat, niet gewit, met watervlekken die jaren oud moeten zijn.

Hij smijt zijn laarzen in de hoek, gespt matrozenmuilen aan zijn voeten en rent tegen de muur op. Zijn arm verdwijnt bij de eerste poging al in het betonnen plafond.

Hij neemt de brandtrap bij de volgende verdieping en klimt naar het dak. De tegenoverliggende wand is gelukkig een blinde muur en niemand ziet de zakenman met zijn koffertje als Spiderman zelf naar de straat omlaag zigzaggen.

Vijf straten verder steekt hij zijn American Express-pas in een bankautomaat, hij klikt $500 aan. Het apparaat spuwt zijn pasje uit, spuwt het opvallend vlot uit. 'Uw saldo bedraagt $0.00' meldt het beeldscherm. Ook zijn andere drie kaarten worden geweigerd.

Bij de laatste pas ziet hij de cameralens in de rechterbovenhoek draaien terwijl het apparaat zijn gezicht vastlegt en doorgeeft.

'Serai!' vloekt hij en hij haast zich weg. Nog meer lui die zijn gezicht nu kennen en gisteren heeft hij zijn laatste illusievlies opgebruikt.

Het doet er niet toe. De djinns zijn gewekt en spoedig zal Amerika het veel te druk hebben om een miezerig terroristje als hij op te sporen. Hij werpt een zenuwachtige blik op zijn horloge. Ja, een kwartier geleden al.

Als hij vier haltes verder uit de bus stapt, hoort hij de sirenes opnieuw.

Hoe hebben ze me zo snel gevonden? Harcourt moet een zendertje op me geplant hebben, iets in mijn kleding, mijn tas. Nee, ik moet me niet laten opfokken. In een grote stad loeien er voortdurend sirenes. Waarom zou het op mij slaan?

Een man stapt uit de muur. 'Volg me,' zegt hij in de taal van het Kalifaat, dat vreemde mengelmoesje van Farsi en Arabisch.

'Wie ben je? Stuurde de kalief je?'

'Ik gehoorzaam een hogere macht. De Oude Man van de Bergen.'

De Oude Man van de Bergen, de leider van de Hassassin, het leger van derwisjen dat de Oudlanden tegen djinns en andere monsters beschermt.

'Je liegt,' zegt Timur. 'De Hassassin bestaan niet. Ze zijn niet meer dan een idiote legende. Ik plukte jullie nota bene van internet. Uit een computerspelletje!'

'Legendes hebben vaak een kern van waarheid. Zelfs games.' In zijn hand is een pistool verschenen en Timur moet bijna lachen. Een pistool? Zijn mantel zal zelfs een granaat stoppen. Dan merkt hij de koperen loop op. Het wapen is versierd met magische tekens. De halvemaan en smaragd die djinns verlamt, de geknakte papyrusstengel van Asmorad. Een kogel uit dit wapen zal zich dwars door ieder magisch schild boren, door elk betoverd harnas. Bovendien herinnert hij

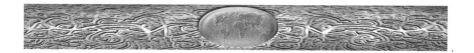

zich nu dat hij de betoverde mantel niet eens meer draagt: hij moest hem op de vloer achterlaten om door het plafond te kunnen klimmen.

'We kunnen ook op je andere achtervolgers wachten?' zegt zijn vijand. 'Computers liegen beter dan een hoveling. Je staat nu helemaal boven aan de lijst met terroristen, Timur. Op ieders lijst.'

De sirenes worden luider: zo dichtbij dat de wagens al over de boulevard moeten scheuren en ze komen van allebei de kanten.

'Het zijn scherpschutters, Timur, en niemand heeft het over gevangennemen gehad. Ze geloven dat je gevaarlijker dan een Osama bin Laden bent en tot een half uur geleden hadden ze nog gelijk ook. Osama heeft alleen maar vliegtuigen en bommen, geen djinns.'

Hij weet van de djinns. De handschoen tintelt aan Timurs hand, een wapen dat heel wat dodelijker is dan een pistool. *Een graai en ik reik dwars door je ribben, idioot, ruk je hart uit je lijf.*

De derwisj steekt zijn vrije hand uit. 'Geef me je koffertje. Je hebt daar iets dat wij prima kunnen gebruiken.'

Timur werpt zich naar voren en zijn hand stopt zo abrupt dat hij een botje in zijn pols hoort knappen.

'Sorry,' zegt de man. 'Er zit koperdraad door mijn colbert geweven. Ben je nu uitgespeeld?' De vermoeide irritatie in zijn stem is authentiek. Zo spreek je een lastig jochie toe.

Er blijft maar één mogelijkheid over voor een soldaat van de kalief. Eer, moed en trouw, denkt Timur en hij weet dat er een zijden paviljoen voor hem klaarstaat, net als voor elke martelaar. Een staatsietent aan een meer met kristalhelder water. De tonen van een driesnarige oud en palmbomen met bladeren als wuivende pauwenstaarten. Timur kan de klaterende lach van zijn beeldschone hoeri's al horen als hij zijn hand in zijn eigen borst steekt en zijn hart vastgrijpt. *Hun ogen zijn rond als amandelen. Glanzend en vochtig als die van een hinde, hun borsten rijp als met honing gevulde meloenen.*

Hij knijpt met al zijn kracht en zijn hart schokt, spartelt als een levende zalm. De pijn is afgrijselijk, een inktzwarte vuistslag en van heel ver, onbereikbaar ver, klinkt nog steeds het lachen van zijn beeldschone hoeri's, honend nu, duivels, als het demente giechelen van hyena's onder de middernachtmaan.

Zo stom, gaat het door hem heen. Er is niets aan de andere kant, niet eens een hel, en dan blijft er zelfs geen duisternis over.

De derwisj wrikt het handvat van de koffer uit Timurs verkrampte vingers. Uit de koffer stijgt een angstig gejammer op.

Murad ibn Attar drukt zijn gezicht tegen de deksel. 'Stil maar,' zegt hij in vloeiend Amerikaans, met precies het juiste Kansas-accent van Ralphs geboortedorp.

'Alles komt goed, mijn vriend. Alles komt goed.' Hij spreekt een zoemend, suize-lend woord uit dat in alle landen van de Gran Terre werkt en Ralphs ogen vallen dicht.

3

Als hij ontwaakt, zweeft Ralphs hoofd in een glazen kom. De krommingen zijn met koperen zeshoeken bekleed.

Om de tech tegen te houden, gaat het door hem heen. De tech die alle wonderen wegzuigt. Zoals een afgehakt hoofd dat doorleeft en zelfs met zijn ogen kan knipperen.

Amuletten vullen de kom tot een derde en Ralph bespeurt hun kracht, hun vitaliteit. Vonkjes magische elektriciteit racen langs zijn zenuwen, laten zijn brein tintelen. Elke gedachte is hard en helder als een splinter gletsjerijs.

Ik heb me nog nooit zo compleet gevoeld, denkt Ralph. Zo ontspannen, zo functioneel. Terwijl ik eigenlijk had moeten krijsen van afschuw. Ik ben dood! Timur hakte mijn hoofd af.

De man buigt zich naar de vissenkom. Zijn gezicht is open en vriendelijk.

'Kun je me horen?' vraagt hij. 'Mijn naam is overigens Jaffar ibn Attar.'

'Luid en duidelijk. Ibn Attar: de dienaar van de Roos. Mooie naam.' Ralphs hoofd is nog steeds zo heerlijk helder, alsof het niet langer met lillende hersenbrij gevuld is. Zo moet een gloednieuwe computer zich voelen, net uit de piepschuimkorrels. 'Jij hoort duidelijk niet bij Timurs groep, Jaffar. Bij het Kalifaat.'

'Wij vechten tegen de djinns!' Jaffar klinkt hoogst beledigd. 'We zaaien ze niet uit als landmijnen.' De man zet zijn handen in zijn zij. 'Vriend Harcourt, wij beschermen de Oudlanden juist. We drijven de monsters terug die door de vouwen naar binnen kruipen, de nachtmerries die door spiegels stappen.' Zijn woorden hebben de cadans van een dichtregel. Een oeroude formule waarin de man oprecht en fanatiek gelooft. Ja, het klinkt prachtig: wij drijven de monsters terug die door de vouwen naar binnen kruipen, de nachtmerries die door spiegels stappen. Er zijn beroerder levensdoelen.

'En de Hanze, Murad?'

'Dat zijn gewoon handelaars. Ze willen winst maken, net als jullie. Het laatste dat een koopman wenst, is oorlog. En een land veroveren? Dat is toch alleen maar lastig? Nee, je Amerika is veilig voor hen. Even veilig als een fles wodka en

een vette varkensworst voor de ware gelovige.'

Ik had het kunnen weten. In het hele huis van Stra Poulou was geen wapen te vinden. En later in Amsterdam ook niet. Alleen handelswaar.

Ander onderwerp. En redelijk urgent. 'Ik leef nog. Voor hoe lang?'

'Zolang als ik de amuletten ververs. Desnoods eeuwen.'

'Kan ik…' Ralph slikt. 'Kan ik weer een lichaam krijgen?'

'Onmogelijk. Geen spreuk is krachtig genoeg. Geen enkele bezwering. Je bent stervend, zo goed als dood. Alleen worden je laatste seconden eindeloos opgerekt.'

'Daar was ik al bang voor.' Vreemd genoeg voelt Ralph slechts intense opluchting. Hij is vrij om in zijn gedachten te wonen, hij hoeft niets meer te voelen, al die onzinnige emoties. Ralph is een nerd en hij weet het. Alleen als hij over zijn toetsenbord gebogen zat, was hij ooit gelukkig. Commando's en patronen, het zingen van cijfers en elektriciteit. Verschuif je muis en heel de wereld verschuift mee, fluistert je al haar geheimen in je oor.

Nooit meer aan de rand van een cocktailparty op je hielen staan wippen, denkt hij, terwijl al die kleuriger mensen kwetteren als rare, schrille vogels. Nooit meer hakkelen als een vreemde vrouw mij aankijkt en dan de belangstelling uit haar ogen zien weglekken.

'Ik kan jullie helpen,' zegt Ralph. 'Met alles wat technisch is. Alleen, ik heb geen vingers. Dat typt een beetje moeilijk.'

'Geen probleem. Ik zal een computer voor je regelen die met stemcommando's werkt.'

'Prima!' Hij lacht van puur plezier. 'Ik word jullie sprekende hoofd, het wijze orakel.' *Net als in een computerspel. Ik zal het magische orakel zijn waar alle magisters van dromen, aan wie al die gespierde zwaardvechters knarsetandend raad moeten vragen.*

'Breng me om te beginnen een wereldkaart,' zegt Ralph. 'Ik zal jullie aanwijzen waar het Kalifaat zijn djinns geplant heeft.'

4

'Ik heb de dromen wel ongeveer klaar,' zegt Ralph twee dagen later. Een spraak-gestuurde computer bleek uiteindelijk overbodig. Acupunctuurnaalden steken dwars door zijn schedelbeen en verbinden hem via haardunne draden met de computer. 'Verder polijsten heeft geen zin.'

'Mooi,' zegt Jaffar. 'Ik verstuur ze.'

Hij wandelt naar de astrale zender waaruit een dozijn antennes steekt: kurkentrekkers waarvan de laatste winding doorzichtig is als trillend lucht, ankhs, kristallen vlindervleugels, de fossiele klauw van een velociraptor. Hij haalt een schakelaar over. 'Ik laat hem een volle dag aanstaan. Wat voor droom werd het uiteindelijk?'

'Een schat natuurlijk. Een verborgen schat die door monsters wordt bewaakt. Ik dubde er ook een dozijn waarschuwende legendes in. Hoe gevaarlijk geesten zijn, hoe onbetrouwbaar. Je weet wel: dat het altijd verdraaid slecht afloopt met iedereen die de kurk uit de fles trekt. Plus een fictieve grootmoeder om de sprookjes te vertellen.'

'Grootmoeders werken altijd goed.'

5

Mohammed, niet de oude Mohammed of Mohammed Hinkepoot of zelfs maar Derde Neef Mohammed, maar Mohammed de Geitenhoeder stommelt met zijn kudde broodmagere geiten het duin af. In de diepte groeien struiken met bladeren zo grijs als leisteen en doorns zo lang als je pink.

Een bandenspoor slingert de duinpan in, pauzeert in een stel voetafdrukken en keert dan om. De grond ziet er omgewoeld uit.

'Ze hebben daar iets moois begraven, jongen,' mompelt hij tegen zijn hond. 'Net als in mijn droom. Een kist kalasjnikovs, patronen. Landmijnen als we geluk hebben.'

Landmijnen brengen het meest op, soms wel een drie geiten per dozijn. De verschillende milities zijn dol op landmijnen. Jongens dromen 's nachts over landmijnen, over jeeps die tollend door de lucht vliegen en brandend in de berm blijven liggen. Verschroeiend mensenvlees ruikt als een roosterend lam en na de eerste keer heeft Mohammed de Geitenhoeder een maand lang geen vlees willen aanraken.

Wat hij vindt, had een nest kunnen zijn, een nest van dunne dynamietstaven en broodjes grijze semtex. Een zwarte draad loopt van een mobiele telefoon naar iets dat op een zilveren ballpoint lijkt. De ontsteker, weet Mohammed. Toets het juiste nummer in, desnoods tweehonderd kilometer verder, en de kneedbommen exploderen bij de eerste rinkel.

In het midden van dat dodelijke nest glanzen juwelen: groene smaragden, robijnen waarin het zonlicht danst, saffieren zo blauw als luchtspiegelingen.

Mohammed had een grootmoeder die alle oude verhalen kende en ze bij het kamelenkeutelvuur vertelde wanneer de volle maan bloedrood boven de heuvels hing. In zijn laatste droom borrelden al die oude verhalen weer op. Het zijn geen juwelen, begrijpt hij daarom, geen kostbaarheden die je rijk of gelukkig kunnen maken. Een kleinzoon van zo'n wijze grootmoeder herkent de hartstenen van djinns heus wel. Een vuur van kneedbommen en springstof zal vast heet genoeg zijn om ze te wekken.

'Allah en alle imans spuwen op de dwaas die zich met een djinn inlaat,' had zijn dode grootmoeder hem in die droom verzekerd. 'Zelfs als een djinn je hier op aarde tot Bollywoodster maakt en je gouden stropdassen draagt, zul je daarna branden in de hel. Duizendmaal duizend jaar, en dat is pas het allereerste begin.' Haar grijns had nog maar drie tanden. 'Elke hoerenkus hier zal na je dood je lippen verschroeien.'

Als de draad een levende cobra was geweest, dan had Mohammed haar niet voorzichtiger opgetild. Elke spier krampt en siddert: zijn arm lijkt loodzwaar.

Geen uitstel. Nu! Een haal van het kromme mes dat zijn grootvader uit Oman meebracht. Zijn adem ontsnapt met een scherpe sis tussen zijn tanden en hij laat de uiteinden in het zand vallen.

Ik leef nog. Geen explosie, geen witheet vuur waaruit een geest omhoog wolkt.

De juwelen zijn onverwachts broos. Ze vergruizelen moeiteloos onder het harde eelt van zijn hielen als hij ze op een rots legt.

'Niet nog meer duivels, jongen,' zegt hij tegen zijn hond. 'We hebben genoeg aan de Amerikanen.' Hij raapt het mobieltje en de staven springstof op. Zonde om die te laten verpieteren.

6

Geen ruïnes. Een bleekblauwe hemel vol straaljagersporen. Mareks nekspieren ontspannen zich. *Ik kan terugkomen. Mijn wereld bestaat nog.*

Hij kijkt om: glas, smoezelig glas. Beslist geen magische spiegel. Ze moeten uit de etalageruit van de groentewinkel gestapt zijn, tegenover Mareks flat.

'Ziet er niet slecht uit,' zegt Senni. 'Daar woonden jullie toch? Op de derde verdieping?'

De auto's hebben bijna allemaal een modderig groene lak maar misschien hadden ze dat eerder ook al. Wie let er nu op de kleur van een auto? De straatlantaarns hebben een andere vorm, bundels van steeds drie lampen onder een cirkel van zonnecellen.

Senni bekijkt de bellen. De naambordjes zweven een halve centimeter boven een plaat zwart glas. 'Van Dessen. Jullie wonen hier nog steeds.' Ze pakt zijn hand. 'De hoogste tijd dat je bij je ouders langsgaat en hen aan je vriendin voorstelt.'

'Niks ouders,' zegt Marek. 'Ze weten niet meer dat ik besta. De spinnenkaart. Ze hebben geen zoon. Nooit gehad ook.'

Senni opent haar tasje dat ineens weer een rits heeft en wurmt een kaart uit een zijvakje. 'De tegenkaart.'

Een drietand vol haken die zich recht zijn hersens in lijkt te boren. Marek wendt zijn blik af als zijn ogen beginnen te tranen. Deze kaart is onmiskenbaar magisch.

'Zodra we in Huy Jorsaleem aankwamen, heb ik er een opgespoord. Je laat hem gewoon aan hen zien en vertelt dat ze zich vergist hebben. Alle spinnenleugens verdampen.'

'Ze waren niet gelukkig vroeger. Later wel. Zonder mij.'

'Je hebt toch geen medelijden met jezelf?'

'Zijn alle prinsessen zulke krengen?' Hij drukt op het belvlakje voor hij zich kan bedenken. Het naamplaatje licht rood op.

'Wie is daar?' Een meisjesstem. Jong. Een jaar of negen hoogstens. 'Mijn ouders zijn niet thuis.'

Marek voelt een steek van verwarring. 'Dit is toch de bel van de Van Dessen?'

'Ja hoor. Ik ben Mariet. Mariet van Dessen.'

'Hoi Mariet,' roept Senni meteen. 'We zijn familie. Marek en Senni.'

Een zusje, denkt Marek. Mijn god, ik heb een zusje.

'Ik dacht dat ik iedereen kende,' zegt Mariet. 'Alle neven en nichten in Groningen.'

'We wonen in het buitenland. Marek is van oom Steven.'

'Jullie zien er best aardig uit.'

In het zwarte plastic verschijnt een gezicht. Het is heel vreemd om iemand te herkennen die je nooit eerder gezien hebt. De neus van zijn vader, de mond van zijn moeder. Zo'n serieuze blik in de grijze ogen.

'Jij bent Marek, hè? Je lijkt op mijn neef Bart.' Ze knikt en neemt een besluit. 'Jullie zijn familie. Ik laat jullie binnen.'

De deur klikt open.

Mariet komt ze halverwege de trap tegemoet. 'Toitoi, slaapneuzen!' Ze werpt zich pardoes naar beneden en Marek kan haar nog maar net opvangen.

Ze vertrouwt me. Ze wist dat ik haar zou opvangen. Mijn zusje. Mijn kleine zusje.

'Hoe moet ik jullie noemen? Oom en tante?'

'Hou het maar op neef en nicht. Zo oud zijn we nu ook weer niet.'

'Best wel oud. Alleen niet zo oud als papa en mama.'

En dan merkt Marek haar T-shirt pas op. Het is alsof zijn ogen er steeds op afgeketst zijn, alsof ze het weigerden te zien. Op het T-shirt staat een drietand gezeefdrukt. De drietand is sterk vereenvoudigd, gestileerd en bijna zonder magie.

'Dat plaatje op je T-shirt?' zegt hij. 'Waar komt dat vandaan?'

'Dat is ons geluksplaatje,' zegt Mariet. 'Een man gaf het aan papa en daarna ging alles ineens goed. Dat zeggen ze allebei. Negen maanden later werd ik geboren.'

'Aha.' Het is te laat. Negen jaar te laat om de betovering van de spinnenkaart op te heffen, om de leugen weg te vegen. *En daarna ging alles goed. Toen ik er niet meer was.*

'Wat doet mijn, je vader?'

'Hij werkt voor de gemeente. Bij de kinderboerderij en mama geeft les aan de kleuters. Alleen willen ze eigenlijk een echte boerderij. Allebei. Ergens in Letland of Kazachstan. Het is alleen veel te duur en nu schreeuwen ze bijna elke avond tegen elkaar.' Ze kijkt hen aan. 'Waar jullie wonen, zijn er daar geen vrije boerderijen en koeien?'

'Ons land ligt heel erg ver weg,' zegt Senni. 'Zo ver dat je nooit meer naar Nederland terug kunt gaan. Je kunt niemand van je familie meer zien.'

'Jullie wonen daar toch?' Ze is naast Senni op de bank gaan zitten en leunt te-

gen haar aan. 'Jullie zijn familie. Ik wil niet dat ze tegen elkaar schreeuwen.'

'We kunnen kijken,' zegt Senni. 'Dingen uitzoeken. Weet je wat? We moeten nu weg maar zeg tegen je ouders dat we morgen terugkomen. Dat we een boerderij weten. Land en zo veel schapen en struisvogels als je wilt.'

'Echt?'

'Zeg alleen niet dat we familie zijn. Dat is ons geheim, goed?'

'Waarom? Jullie zijn toch familie?'

'Dat klopt, alleen, grote mensen zijn trots. Stijfkoppig. Die willen niet door familie geholpen worden. Zeker niet als ze uit Groningen komen.'

'Ik snap het. Je eigen dopjes bonen.'

'Moeten jullie echt geen passievruchtenthee?' vraagt ze in de deuropening.

'Morgen,' zegt Senni. 'Morgen zie je ons weer.'

'Waarom beloofde je dat in vredesnaam?' zegt Marek zodra ze buiten staan.

'Hoe moeilijk moet zoiets te regelen zijn? Voor Björn Bloedzwaard en prinses Zilverster? Gewoon een boerderij in een sprookjesland ergens achter de horizon?'

EPILOOG

Zelfs voor Huy Jorsaleem is het een behoorlijk grote boerderij, met granaat-appelbomen, een eikenbos vol wilde, gestreepte varkentjes en meer moa's dan Mariet van Dessen ooit kan tellen. In de ochtend zoekt ze hun eieren in het ster-renmos terwijl haar favoriete wolf voor haar uitrent.

Haar moeder speelt dulcimer op de wijkfeesten en kweekt paradijskippen met zulke lange poten dat ze soms over hun eigen tenen struikelen. Mariet en tante Cirnja's dochtertje moeten daar elke keer zo hard om lachen dat ze bijna niet meer bijkomen.

Als haar vader op zijn reuzenrendier langsrijdt, zwelt Mariets borst van trots. Niemand kan een hoefijzer half zo ver weg slingeren als hij en als zijn lach over het erf buldert, blaffen alle honden opgetogen mee. Het is natuurlijk wel puur blèh! en klef dat haar ouders zo veel met elkaar kussen. Toch, liever dat dan te-gen elkaar schreeuwen. Helemaal volmaakt wordt de wereld nooit.

Vanuit haar slaapkamerraam kan ze de Halla stra Poulou zien waar oom Ma-rek en tante Senni wonen. Ze komen bijna elke week langs, als ze tenminste niet met Senni's zus op zoek zijn naar geheime schatten of betoverde salamanders. Het zijn aangewaaide ooms en tantes, de Stra Poulous. Doet er niet toe: betere tantes en ooms kun je je niet wensen.

Soms droomt ze over Utrecht, over Nederland en als ze in het gouden zonlicht ontwaakt en de boomkikkers hoort zingen, slaakt ze een zucht van verlichting. Ze is hier, ze is thuis.

Hanzn sprach

Hanzn sprach is een handelstaal, een mengelmoes van Oud-Noors, Duits, Italiaans en Frans, met flink wat Arabische en Chinese leenwoorden.

Het is een basictaal en alleen bedoeld om je verstaanbaar te maken, niet om prachtige gedichten in te schrijven. Spring vooral op en neer onder het praten, wapper met je handen en trek wilde grimassen: dat is minstens even belangrijk als de juiste woorden.

Met zo'n vijfhonderd woorden kun je een schuimend glas bier bestellen of de weg vragen. Met tweeduizend spreek je de Hanzn sprach al bijna vloeiend.

Werkwoorden eindigen altijd op 'ai' en worden niet vervoegd. De verleden tijd krijg je door je zin met 'hir' te beginnen. Voor de toekomende tijd gebruik je 'morroh'.

Voorbeelden:

Hir mi gatai di shepshep: Ik roofde twee schapen (letterlijk: Gisteren ik roven twee schaapschaap).

Morroh knav crackai tes cor: Die schavuit zal je hart breken.

Zoals je in de eerste zin zag, krijg je een meervoud door een woord te verdubbelen: *cor* (hart), *corcor* (harten), *shep* (schaap), *shepshep* (schapen of een kudde schapen).

Natuurlijk zijn er uitzonderingen: *Hanzemensch*: Hanzelid; *Hanzemenscher*: Hanzeleden.

Bij veelgebruikte woorden wordt vaak alleen de laatste lettergreep herhaald: *rumman*: granaatappel; *rumanman*: granaatappels.

Voor woorden als 'ik', 'mij' en 'mijn' gebruik je hetzelfde woord. Bij 'wij' en 'jullie' wordt het woord weer verdubbeld.

mi	ik, mij, mijn
mimi	wij, ons, onze
tes	jij, jou, jouw
testes	jullie
sem	hij, hem, zijn
semsem	zij, hen, hun

Handige woordenlijst

BIJ AANKOMST IN EEN BUITENLANDSE HAVEN – *Wenne arrivad inna fremhavn.*
Ik heb uw havenmeester/opperhoofd/maffia al smeergeld betaald:
Mi ya chellesai ti havnmensch/hetmann/comorrex.
Ik ben heus geen Hanzelid!:
Mi essai neg Hanzemensch!
Ik haat de Hanze!:
Mi odai Hanze!
Wij kaapten dit schip juist:
Hir mimi getai itta kogh vero.
Ik heb geen matrozen nodig:
Mi onskai neg seglerler.
Ik heb geen dansmeisjes nodig:
Mi onskai neg jenjen fur tanz.
Ik heb geen tamme neushoornvogel nodig:
Mi onskai neg simme rhinovlarck.
De ligplaats is belachelijk duur!:
Itta moor essai ridikul relhi!
Ik betaal een derde:
Mi pagai uno ut tre.
Dat is mijn laatste bod:
Essai mi letsz offra.

OP DE MARKT – *Inna Soek*
Uw granaatapppels/verse spookaapjes zijn rot:
Tes rumanman/fresk lemurur essai muuf.
Zelfs de wespen lusten ze niet:
Tilogmed daburbur neg favorai.
Uw granaatappels/verse spookaapjes zijn belachelijk duur:
Tes rumanman/fresk lemurur essai ridikul relhi!

Ik betaal een derde:
Mi pagai uno ut tre.
Deze kromzwaarden zijn bot:
Itta scimitartar essai sleuw.
Uw buurman verkoopt mooiere kromzwaarden:
Tes voysin vendai scimitartar gran bel.
Ik heb al een vrouw:
Mi habai wif complet.
Mijn vrouw/dochter is niet te koop:
Mi wif/dottir neg vendai.
Ik geef geen aalmoezen:
Mi offrai neg bakjish
Rot op, bedelaar!:
Ti removai, bettelmensch!
Ik koop geen gestolen goed:
Mi neg pagai graayding.
Ik betaal een zesde:
Mi pagai una ut sez.

IN HET RESTAURANT/DORPSFEEST – *Inna spisehall/Inna buugdfest*
Van mijn geloof mag ik geen mensenvlees/100-jarige paddeneieren eten:
Mi relhio forbodai carnewer/centoyar lanfrog eggegg.
Is dit (deze zaak) eetbaar of om op te zitten?:
Itta sach essai gutfressen oder satz?
Is dit (deze zaak) drinkbaar of een ontsmettingsmiddel?:
Itta sach essai biben oder fumigatti?
(Compliment) Uw vrouwen/dochters zingen luid als hyena's:
Ti wifwif/dottirir chantai glich sandkelbkelb.
(Als u ruzie zoekt) Uw vrouwen/dochters zingen zoet als nachtegalen:
Ti wifwif/dottirir chantai glich kweelvlark.
Dit gerecht is belachelijk duur:
Itta rett essai ridikul relhi!
Hoe lang gaat dit feest door?:
Lenghe itta fest?
Een dag?:
Una tag?
Een week?:
Una ukkeh?
Een maand?:
Una meunet?

IN HET HOTEL – *Inna fremhalle*
Dit is een schande!:
  Det far som fanden!
Ik wil een kamer zonder tempelaap/heilige schorpioen/geit:
  Mi habai zimmer neg bidmonkey/huy scorpio/guhut.
Deze kamer is belachelijk duur:
  Itta zimmer essai ridikul relhi!
Ik betaal een derde:
  Mi pagai uno ut tre.
Ik wil een extra hangmat:
  Mi vuhlai una mehr kogbett.
Het tocht:
  Essai kiersturm.
Het is bloedheet:
  Essai caldo.
Het sneeuwt en mijn kamer heeft geen dak:
  Essai sneufall och mi zimmer habai neg nock.

BIJ EEN ROOFOVERVAL/KAPING – *Wenne raubergriff/koggriff*
Ik ben een straatarme bedelmonnik/ haringvisser:
  Mi essai pauver pelgermann/herringsegler.
Mijn spook zal elke nacht op uw mooiste paarden rijden:
  Morroh mi fetch gallopai ti gran bel chevalal jedi nokti.
Mijn spook zal al uw geitenmelk verzuren:
  Morroh mi fetch saurai ti milka di guhut.
De Hanze betaalt geen losgeld voor afgehakte hoofden:
  Hanze neg pagai kopopf sine korpur.
Dit is een vergissing, wij zijn zelf struikrovers/piraten:
  Itta essai falsingk, mimi essai aussi rauberber/koggrififf.
Bewaar je pijlen, de karavaan achter ons heeft veel meer goud:
  Gardai tes pfelell, caravan secundo habai gran gran aura.

FLIRTEN – *Minnesprach*

In het Kalifaat

Je ogen zijn als amandelen:
  Tes ojojo essai gleich amygda.
Je borsten zijn rond als rijpe honingmeloenen:
  Tes titi essai gleich galliagallia

Mijn vader bezit duizend kamelen:
Mi pater habai milli camelmel.

In Huy Jorsaleem

Je ogen zijn dieper dan de spiegels van de patriarch:
Tes ojojo essai gleich mirror di Patriark.
Je stem klikt schoner dan de harpen der aartsengelen:
Tes voce kweelai gran bel gleich lyrlyr di Archangilgil.
Mijn vader bezit negen warenhuizen met barnsteen en vlindervleugels:
Mi pater habai nona varehushus di brenstein och papiljonvlarkvlark.

In Veneto Secundo

Ik wed dat jouw gezicht nog mooier dan je masker is:
Mi parai tes faci gran bel gleich tes mombak.
Laat mij je een verhaal in je oor fluisteren:
Mi hushai saga con tes eure.
Mijn moeder kan zeshonderd giffen aanmengen en ze wil je vast de recepten wel leren:
Mi mater cocktailai exa cent mortdrinkdrink och sem edcai opskrifkrif con tes vero.

Algemeen

Ja	*Bel*
Nee	*Neg*
Ik denk er niet over!	*Loki-teufel gettai tes!*
Goedendag	*Thaler inna tes purs (letterlijk: geld in je buidel) afgekort tot 'Thalerinna'*
Goedenacht	*Kissai anglal (letterlijk: kus een engel)*
Tot ziens	*Adjos*
Waar is…	*Woar essai…*
Ik spreek alleen Hanzetaal	*Mi vocai Hanzn sprach solo*

Scheldwoorden

Rottende zeehond	*Tes robbe muuf*
Kleihapper	*Clayfresser*
Je vader rookt sigaren van zeewier	*Tes pater fumai havannarnar di merplantz*

Je moeder kust zeemeeuwen
Eendenmossel op krukken

Tes mater kissie kus skuaskua
Bernakel con hobbelsturtz

Kaarten van de Gran Terre

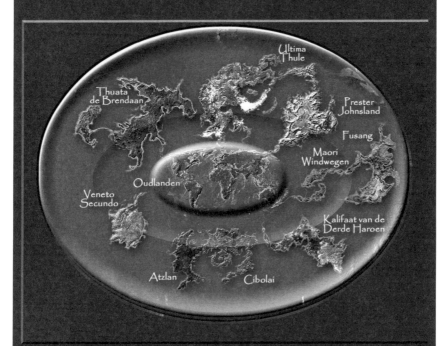

Kaart van
Thuata de Brendaan

Eiland van
de Jeugd

Jachtgolf
van de
Kelpies

Thuata de
ALfhkin

Zee van de
Negentien
Krijsende Hoofden

Jael

Seabhaé

Koninkrijk van
het Mervolck

Eindeloze Schiereiland

Cinnach-Brendarn

Faoilean

Luchog

Baai van
Deidre

Artoros'
Eiland

Thuata de Brandaan

THUATA DE BRENDAAN (het Land, of Volk, van Brendaan) ligt onder de sterren van het ZEILSCHIP. Volgens de Ierse legenden was Sint Brendaan een vrome monnik die naar het westen zeilde in een boot van varkenshuid en wilgentenen. Na een lange reis ontdekte hij het Aardse Paradijs, dat latere geschiedkundigen als Newfoundland in Amerika identificeerden.

Brendaan de Grijze was in werkelijkheid een bloeddorstige piratenkoning en hij reisde met zijn plunderaars heel wat verder dan Amerika. De Ieren vermengden zich uiteindelijk met de inheemse elven tot een bijzonder bloeddorstig en magisch volk.

Hun krijgers dreunen over het land in geitenwagens met vlijmscherpe messen op de assen of ze berijden getemde moa's. In Connach-Brendarn zetelt de Conan die elke veertien jaar zijn eigen lever uitsnijdt en dan in de Gietijzeren Ketel der Overvloed stapt om herboren en verjongd door te regeren. De godin Dayna wandelt, vermomd als maagdelijk meisje, door de wouden en dorpen om gelovigen met goud of haar lichaam te belonen en bij leugenaars de tong in een levende slak te veranderen.

In het westen slingert zich het Eindeloze Schiereiland omhoog dat een heel leven kost om van eind tot eind te bereizen.

De meeste steden zijn naar hun dierentotem genoemd: Ia – hert; Sionnach – vos; Luchóg – muis; Faoileán – zeemeeuw; of Seabhac – havik.

Kaart van Ultima Thule

Duizend
Klokkeneiland

Elfbein
habn

Mammoet
racecircuit

Brensteinborg

Winterhuss

Noordelijkste IJszee

Sedna's
Hand

Achtste
Oceaan

De Muil

Ultima Thule

ULTIMA THULE ligt onder het sterrenbeeld SEDNA'S HAND. Toen de Inuit-godin Sedna nog een sterfelijk meisje was, werd ze door de Stormvogel geschaakt. Haar vader redde haar, zeer tegen haar zin overigens. want de Stormvogel stond bekend als een geduldig en bedreven minnaar, wat niet van haar stamleden gezegd kon worden. Toen Sedna's echtgenoot hun kajak achtervolgde, hakte de vader Sedna's vingers af en wierp die in zee steeds als de Stormvogel hen in dreigde te halen. De Stormvogel moest ze als liefhebbend echtgenoot een voor een uit het water vissen. Uiteindelijk hielp het weinig en hij verscheurde de vader met zijn snavel. De vingers veranderden in walvissen, robben en papegaaiduikers. Sedna heeft nog steeds iets tegen vaders.

De bewoners zijn Mongolen die in de oertijd over de beringbrug tussen Azië en Amerika trokken en afsloegen naar een ruimer land. Door de toendra's van Ultima Thule draven wolharige neushoorns. De kuddes kariboes zijn breder dan Europa en stormvogels met dertig meter brede vleugels voeden zich tijdens de trek met hun karkassen.

Er is geen hoofdstad en de stammen volgen elk hun favoriete prooidier, al komen ze wel elke winter samen in Andhenuuk voor de befaamde mammoetrace die het hele seizoen duurt.

Langs de oostkust liggen drie handelssteden van de Hanze: Brensteinborg, Elfbeinhabn en Winterhuss. In het zuiden rijzen de tanden van de Muil uit de zee, die de doorvaart tot een hachelijke zaak maken.

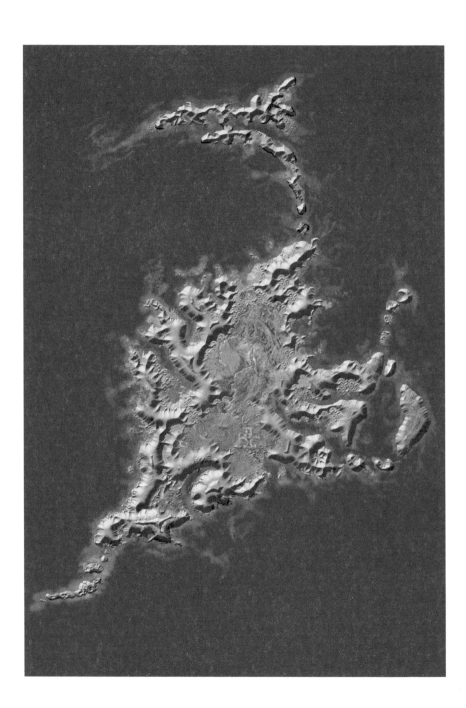

Prester Johnsland

Boven PRESTER JOHNSLAND hangt het SMARAGDEN KRUIS. De Radja van Sirith schonk dit kruis aan Jezus, bij de geboorte van zijn eerste dochter.

Verstandige moeders hangen zo'n kruis boven het ledikant van hun baby, al is hun kruis niet van goud maar van geel koper en zijn de smaragden groen glas. Het helpt overigens even goed om boze geesten af te weren als het origineel.

Prester Johnsland is het grootste christelijke rijk in heel de Gran Terre en ieder van Jezus' kleinzoons en dochters bezit een eigen tempel. De wijze en waarschijnlijk onsterfelijke patriarch Halvorsson leidt de kerk, vanuit zijn zestien kilometer hoge toren in Huy Jorsaleem.

De grotere steden worden omgeven door muren van geel koper om djinns en andere geesten buiten te houden. Dorpen en boerderijen moeten het doen met doolhofspiegels en spokenvangers op het dak.

Overal langs de kusten liggen versterkte havensteden die de vloten tegen ontsnapte drooglanders en Venetiaanse piraten moeten beschermen. De verslagen djinns zitten opgesloten achter de kanalen van de Stromendblauwe Cirkel, diep in het noorden.

Het is land vol magie, waar elke berooide bedelaar een engel kan wezen, of een vermomde djinn. Het bestuur is in handen van de edelen, de kerk en de Hanze. Het is een land van ongekende mogelijkheden: een geitenhoeder kan opklimmen tot een aartsbisschop of een Mercant met honderd handelsschepen. Al is het waarschijnlijker dat hij een schaapherder blijft…

Kaart van Fusang

Citadel van de vuurvogels

Chu Tong

Baai van de Doezelende Pauw

Parelhaven

Dan Mei

Gin Hu

Fusang

De RAT VAN HET GELUK beschermt FUSANG, het Land van de Gouden Bergen.

In de vijftiende eeuw zwermden de enorme Chinese schatschepen uit: superjonken met niet minder dan acht zeilen en een bemanning van duizenden.

Drie van die monsterschepen waagden de oversteek naar het mythologische eiland waar de zon opkomt. Hun navigator was een taoïstische tovenaar en toen een orkaan opstak, vouwde hij de weg naar de Gran Terre en een kalmere zee open.

Talloze gouden steden omgeven de immense Baai van de Doezelende Pauw: Gin Hu, Dun Mei, Chu Tong, Parelhaven. Een dozijn keizers bestrijdt elkaar te vuur en te zwaard.

In de hoge toppen wonen de taoïstische magisters die zich met een handvol sneeuw voeden en op hun vuurvogels met de orkaan meereizen. Draken zwemmen door de rivieren en nemen soms een menselijke gestalte aan om aardse meisjes of jongelingen het hof te maken. Soms ook kloppen spookvossen aan bij een tempel en de monniken heten hen hartelijk welkom.

Achter de bergen liggen de stomendhete jungles waar stammen wilden met bomen paren en haren van gras hebben.

De bewoners van Fusang weten donders goed waar ze vandaan komen en ze noemen hun oude thuisland Kleiner Han. Geen keizer zou ooit de moeite nemen het te veroveren.

Kaart van Maori Windwegen

Karoro

Tane

Hinetitama

Dariwigal

Seviraat van de Salhalimn

FUSANG

Ranginui

Te ngohi a Kauri

Maori Windwegen

De VLIEGENDE VIS wijst de weg over de MAORI WINDWEGEN. De Maori volgden de vis tot ver voorbij Nieuw-Zeeland en vonden eilanden waar de vogels langere poten dan giraffen hadden en de palmbomen tot de top van de hemel groeiden.

De sliert eilanden strekt zich helemaal tot de Oudlanden uit en alle zeilers weten dat het volgende eiland nog paradijselijker zal zijn.

De Maori zien paleizen van koraal en parelmoer onder hun catamarans doorglippen en weten dat ze enkel meester zijn over de eilanden en de golven: in de dieptes van de oceaan liggen machtiger en vreemder rijken.

Kalifaat van
de
Derde Haroen

Kalifaat van de Derde Haroen

Het KROMZWAARD bekroont het KALIFAAT VAN DE DERDE HAROEN. Hier heerst de kalief over een bevolking van drie miljard. Het Kalifaat en Prester Johnsland voeren al eeuwen oorlog, maar de afstanden zijn te groot om ooit elkaars landen te bezetten. Hoewel er geruchten gaan over een immense armada die op Prester Johnsland afkoerst…

De heilige rivier Maryam vormt het hart van het Kalifaat, met de hoofdstad Hegeira in de monding. De rivier is zo lang en wijd dat de Nijl niet meer dan een zijtakje zou vormen. Tussen de dromerige dorpjes liggen boomgaarden met granaatappels en draaien molens met wieken van gebrandschilderd glas.

Buiten de groengordel leggen ontelbare oases een spinnenweb van handelswegen over de omringende woestijn.

Dit is een heel wat wilder en ongerepter oord dan Prester Johnsland, vol jaloerse geesten en sprekende dieren. De centrale bergketen ligt zo hoog dat het buiten de atmosfeer steekt en alleen via de diepste kloven te bereizen valt.

In het noorden liggen de Negenduizend Vorstendommen, van barbaarse volkeren zo wild en vreemd dat geen reiziger ooit terugkeerde om over hen te verhalen.

Kaart van
Atzlan-Cibolai

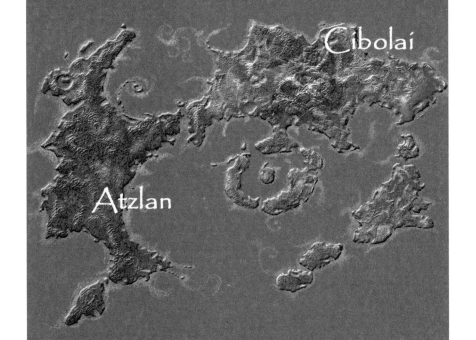

Cibolai

Atzlan

Atzlan-Cibolai

Door de hemels van ATZLAN-CIBOLAI kronkelt de GEVEDERDE SLANG. Atzlan was het thuiseiland van de Azteken en toen hun Mexica onder de voet werd gelopen door Spanjaarden, vluchten hun magiërs hiernaartoe terug. Ze zwoeren terug te komen en Cortes' hart aan de zonnegod te offeren. Jaar na jaar groeien hun legers, wordt hun magie krachtiger. De tijd in het zuiden verloopt echter zo traag als het schuiven van gletsjers en het zal nog eeuwen duren voor ze tegen het machtige Spaanse rijk zullen optrekken. Deze keer hebben ze spreuken die zelfs Spaanse sabels laat verroesten en het beste soldatenpaard in paniek laat wegvluchten.

Op Cibolai leeft het volk dat de oerwouden van de Amazone cultiveerde, in steden van vruchtbare modder en goud. Op ruimtefoto's zijn hun prehistorische dijken nog te zien: irrigatiewerken die eens half Brazilië besloegen. De Amazone was nooit meer dan een kolonie: Cibolai is hun ware thuisland.

Kaart van
Veneto Secundo

Purgatorio

Imperatore
Pescecane

Favilla

Benito

Verona
mare

Calabria

Canal grande

San Michele

Veneto Secundo

Boven VENETO SECUNDO hangt dreigend het MASKER van de Nocchio. De Nocchio zijn de levende strijdmarionetten van de doge en elke burger die 's nachts omhoogkijkt, wordt zo aan zijn macht herinnerd.

De Venetianen beheersen de kunst van het vouwen niet langer: elke handelsreis duurt tientallen jaren, soms eeuwen.

Hun stad beslaat twee eilanden en volgt de hele lengte van het Canal Grande. De wijken zijn naar de belangrijkste families genoemd: de Polo's, de Veroccio's, de Remini's.

In het noorden ligt Calabria, vol fiere maar straatarme schapenhoeders en steenappeltelers. De doge stuurt niet langer belastinggaarders: hij krijgt enkel hun afgehakte handen terug en nog geen stuiver aan belasting.

De bewoners van Veneto Secundo zijn dol op het goede leven en bijna even gretige vertellers als de Hanzelieden.

De ondiepe wateren van Verona Mare glinsteren zilver van de vissenlijven: hier liggen de immense tonijnenkwekerijen en zwemmen de makreelscholen die de negen miljard inwoners van Veneto Secundo voeden.

.

overzichtskaart van de
Gran Terre

Thuata
de Brendaan

Oudlanden

Veneto
Secundo

Atzlan